RUY BLAS

POCKET CLASSIQUES

collection dirigée par Claude AZIZA

VICTOR HUGO

RUY BLAS

*Préface et commentaires
par Élisabeth Charbonnier*

Cette édition est conforme à celle imprimée par l'Imprimerie nationale et éditée par la librairie Ollendorf en 1905 : Victor Hugo, *Théâtre tome III (Marie Tudor, Angelo, La Esmeralda, Ruy Blas, Les Burgraves)*.

© Pocket, 1999, pour la préface
et « Les clés de l'œuvre »

ISBN : 2-266-05350-7

SOMMAIRE

* Pour approfondir votre lecture, *Au fil du texte* vous propose
une sélection commentée :
- de morceaux « classiques » devenus incontournables, signalés
  par ➡ (droit au but)
- d'extraits représentatifs de l'œuvre, signalés par ➾ (en flânant).

PRÉFACE

En 1838, Victor Hugo a trente-six ans et déjà derrière lui une solide expérience d'auteur dramatique. Non que les succès aient été faciles. Chaque drame est l'occasion d'un nouvel engagement, et l'enjeu de vifs affrontements. Hugo doit lutter sur tous les fronts : contre la censure, qui, même après 1830, entend contrôler l'image du pouvoir royal et la « moralité » du théâtre, contre l'hostilité du Théâtre-Français, contre les réticences du public cultivé et de la critique.

Mais cette année-là les dieux sont favorables à l'auteur d'*Hernani*. Hugo va pouvoir réaliser un vieux rêve : posséder son propre théâtre ! *Ruy Blas* sera le drame d'ouverture de la nouvelle salle. De cette pièce, Hugo, en pleine possession de son génie, fait un drame total, somme de l'œuvre précédente. *Ruy Blas* a la jeunesse, les audaces et les outrances d'*Hernani*. Le poète s'y met tout entier, avec ses excès flamboyants (comme le fameux « ver de terre amoureux d'une étoile »...), sa fantaisie (étincelante dans le merveilleux rôle de don César), et son goût pour le lyrisme et le pathétique. Pourtant, la profusion de la matière n'empêche pas la rigueur, l'ensemble est noué dans une construction dramatique impeccable, qui évoquerait la machine infernale classique si le hasard n'y occupait la place des dieux.

L'aventure du Théâtre de la Renaissance

Les débuts du théâtre romantique ont été plutôt vagabonds. Difficilement toléré au Théâtre-Français, en
butte aux intrigues du théâtre de boulevard (on connaît
les rapports houleux de Hugo et de Harel, le directeur
de la Porte-Saint-Martin), le jeune art dramatique était
sans domicile fixe : « Entre le Théâtre-Français, voué
aux morts, et la Porte-Saint-Martin, vouée aux bêtes,
l'art moderne était sur le pavé [1]. » Or, à cette époque,
Hugo se rapproche du duc et de la duchesse d'Orléans,
ouverts au libéralisme, et fréquente leurs salons. Cette
entente ne tarde pas à porter ses fruits : Alexandre
Dumas et Hugo obtiennent l'ouverture d'une nouvelle
salle. Hugo se met en quête d'un directeur : ce sera
Anténor Joly, l'honnête directeur d'une petite revue de
théâtre. Reste à trouver des fonds. Il faudra deux ans à
Joly pour dénicher ce qu'on appellerait aujourd'hui un
« partenaire financier », dans la personne d'« un vaudevilliste enrichi dans les pompes funèbres [1] », malheureusement plus amateur d'opéra-comique que de
drame. Hugo rêvait de faire construire un nouvel édi-
fice près de la porte Saint-Denis. Faute de crédits, on
se contente de retaper le vieux Théâtre Ventadour,
rebaptisé pour l'occasion Théâtre de la Renaissance.

La première représentation étant prévue pour
l'automne 1838, Hugo écrit *Ruy Blas* entre le 8 juillet
et le 11 août. Le dernier acte est rédigé en un seul jour.
Le poète se soucie du choix des acteurs : pour le rôle-
titre, il pense à Frédérick Lemaître, qui accepte d'autant
plus volontiers qu'il s'était d'abord cru destiné le rôle
de don César, moins neuf pour lui. Juliette Drouet aurait
pu incarner la reine : Mme Hugo fait en sorte qu'elle
n'obtienne pas le rôle. Le metteur en scène se préoc-
cupe de l'organisation matérielle des lieux. Soucieux
de protéger le caractère populaire du nouveau théâtre,
il refuse que l'on divise en stalles le parterre et ses

1. Adèle Hugo, *Victor Hugo raconté par un témoin de sa vie*,
Paris, 1863. Voir le dossier historique et littéraire, pp. 235 *sq.*.

banquettes. Le même esprit le fait s'opposer à la suppression de la rampe, voulue par Anténor Joly dans un malencontreux souci de réalisme. Hugo dessine lui-même les décors, confie les costumes à Louis Boulanger et, avec l'aide de Frédérick Lemaître, dirige toutes les répétitions jusqu'à la première, le 8 novembre. « Le soir de la première représentation, la salle n'était pas terminée ; les portes des loges, posées précipitamment, grinçaient sur leurs gonds et ne fermaient pas ; les calorifères ne chauffaient pas ; le froid de novembre glaçait les spectateurs [1]. » Mais la pièce, servie par le talent de Frédérick Lemaître, « dégela le public ». Le succès fut vif, plus grand néanmoins dans la salle que dans les journaux. Le goût classique restait choqué par le burlesque et les pitreries de l'acte IV.

Les représentations, une cinquantaine environ, furent d'ailleurs ponctuées de quelques sifflets. « Les acteurs disaient que c'était la musique qui voulait tuer le drame pour avoir le théâtre à elle seule. » Elle y réussit, puisque l'aventure du Théâtre de la Renaissance tourna court. *Les Jumeaux,* écrits pendant l'été 1839, restent inachevés, et lorsque Hugo songe à faire jouer *Les Burgraves,* en novembre 1841, c'est au directeur de la Comédie-Française qu'il s'adresse.

Avec *Ruy Blas,* Hugo retrouve la structure en cinq actes abandonnée depuis *Lucrèce Borgia* au profit de la construction en trois journées. L'équilibre de la pièce repose, comme dans *Hernani,* sur la confrontation de quatre personnages qui donnent leur nom aux quatre premiers actes. Si l'on se fie encore une fois au témoignage d'Adèle Hugo, *Ruy Blas* est l'histoire d'un coup de théâtre : « Sa première idée avait été que la pièce commençât par le troisième acte. Ruy Blas, Premier ministre, duc d'Olmedo, tout-puissant, aimé de la reine ; un laquais entre, donne des ordres à ce tout-puissant, lui fait fermer une fenêtre et ramasser son mouchoir. Tout serait expliqué après [1]. » Le choix définitif de Hugo lui a sans doute été dicté par un souci d'efficacité dramatique. Chaque acte, sauf le dernier, est construit autour d'un personnage et d'un lieu quasi emblématiques. C'est ainsi que l'acte I, dont don Salluste est le centre, se déroule dans un lieu où tout signifie le luxe, le pouvoir, mais aussi le passé. Même rapport métonymique entre la reine et son appartement, Ruy Blas et la salle du conseil, don César et la petite maison mystérieuse, mi-prison, mi-tombeau. Le souci apporté à l'exposition est extrême, et n'a d'égal que le soin avec lequel le dramaturge ménage ses effets : horreur et pitié (I), puis attendrissement et sympathie (II). L'acte III est celui de la satisfaction légitime et du bonheur partagé. Ruy Blas étant (avec la reine peut-être ?) le seul héros auquel le public puisse s'identifier, sa victoire est aussi celle du spectateur, dès lors indéfectiblement lié à son sort.

Le véritable schéma du drame est celui de l'ascension, puis de la chute d'un favori. Cette architecture utilise les structures récurrentes du drame hugolien, telles que les ont définies les brillantes analyses d'Anne Ubersfeld[2]. Elles concernent, l'une l'identité sociale du héros, l'autre son intégration. Tous les drames de Hugo racontent en effet un peu la même histoire : un héros, de rang social inférieur, affronte un puissant pour la possession d'une femme. Hernani et don Carlos se disputent doña Sol, Triboulet et le roi, Blanche, Gennaro et Alphonse d'Este, Lucrèce, Ruy Blas et don Salluste, la reine. À ce duel assiste un troisième personnage, un peu décalé, mais dont l'action provoque, volontairement ou non, la perte du héros. On reconnaît Ruy Gomez, Saverny, don César... Une seconde structure double la première, particulièrement importante dans *Ruy Blas* : la révélation de l'identité. « Le héros possède une identité d'emprunt, qu'il soit un enfant trouvé (Didier), un enfant camouflé (Gennaro dans *Lucrèce,* Jane dans *Marie Tudor*), un enfant volé (Otbert dans

---

2. Anne Ubersfeld, *Le Roi et le Bouffon, Étude sur le théâtre de Hugo de 1830 à 1839*, José Corti, Paris, 1974, et, Victor Hugo, *Théâtre I,* collection Bouquins, Robert Laffont, Paris, 1985, pp. XIII-XIV. Ouvrages auxquels la présente préface doit beaucoup.

Les Burgraves), un proscrit masqué (Hernani, Rodolfo dans *Angelo*), un imposteur (*Ruy Blas*) et toute la fable, c'est la révélation de l'identité[3]. » Dernier thème récurrent : la fraternité de deux personnages, liés par l'amitié ou par le sang. Ce lien leur est toujours funeste. Ruy Blas et don César ne dérogent pas à la règle qui régit les rapports de Gennaro et Maffio (*Lucrèce Borgia*), ou de Didier et Saverny (*Marion de Lorme*).

Tous les grands thèmes hugoliens se retrouvent donc dans *Ruy Blas* comme dans une somme de l'œuvre entière. Hugo s'y cite lui-même et y convoque souvenirs et fantômes. On a souvent mentionné, à la suite d'Adèle Hugo, le souvenir d'enfance qu'auraient laissé au jeune Victor les personnages du théâtre de marionnettes du Luxembourg, et qui serait à l'origine de *Ruy Blas* : « D'aussi loin que possible, on le voyait avec sa veste rouge, ses cheveux de filasse, sa queue rouge en trompette, sa culotte jaune de velours d'Utrecht, sa figure écrevisse ruisselante de sueur. Le Jocrisse était un valet et avait un maître habillé en Monsieur qui le souffletait, le battait sur toutes les coutures. C'était une tempête, un tourbillon de coups. Les jeunes Hugo se régalaient de la rossée [...]. Le sombre valet a vengé le Jocrisse. La queue rouge a monté aussi dans son soleil, elle a eu sa vision. Comme Jacob, elle a gravi l'échelle lumineuse et s'est réveillée Ruy Blas[4]. »

Autre silhouette familière, le gueux Zafari. Le brio et l'étrangeté du personnage révèlent son importance dans l'imaginaire hugolien. Anne Ubersfeld signale d'ailleurs que le premier à apparaître dans les brouillons de Hugo est César et non Ruy Blas[5]. C'est autour du grand seigneur dépenaillé que s'est élaborée la fiction. Parent du Saltabadil du *Roi s'amuse,* du Gringoire de *Notre-Dame de Paris,* don César est le frère de Ruy

3. Anne Ubersfeld, Victor Hugo, *Théâtre I,* p. XIV.
4. Brouillon du *Victor Hugo raconté...,* cité par Anne Ubersfeld, édition critique de *Ruy Blas,* II, documents, pp. 63-64.
5. Anne Ubersteld, *Le Roi et le Bouffon,* p. 319.

Blas (« Nous nous ressemblions tant qu'on nous prenait / Pour frères... ») et le plus espagnol de tous les personnages (don Salluste n'a du grand d'Espagne que la morgue, et le caractère de Ruy Blas est en lui-même peu « typique »). César joint en revanche à un profil coloré les traits du caractère national : « Les Espagnols sont braves sans être téméraires [...]. Ils adorent les femmes [...] ; du reste, gens d'honneur et tenant leur parole au péril de leur vie [...]. Ils font bien des vers et sans peine [6]. » La figure de don César est donc chargée affectivement. Ce double, que la naissance de Ruy Blas renvoie dans les limbes de l'exil ou de la prison, évoque Eugène, le frère mort fou en 1837, et traduit peut-être une culpabilité inconsciente. Comme si Hugo avait jeté dans cette pièce, attendue sinon désirée par une troupe, un public, autorisée pour ainsi dire à l'avance après tant d'autres censurées, tout ce qui lui tenait à cœur depuis longtemps : la grandeur des gueux (thème qui reviendra et sous combien d'autres formes !), l'Espagne oubliée de Corcova et de « la rue Ortaleza [7] », celle de l'enfance partagée avec celui dont la mort le faisait vicomte. Ruy Blas est un exorcisme qui vise à accorder le poète et son double, ce par quoi l'œuvre entière tend à la réconciliation et à l'unité.

Réconciliation et unité des personnages tout d'abord, en quête d'une harmonie perdue. Nous reviendrons plus loin sur le décalage qui sépare l'être social de l'être réel. Mais le hiatus est aussi psychologique. Tous ont besoin pour exister d'une reconnaissance qui leur est refusée : Salluste comme puissant, la reine comme femme, César comme être libre. Quant à Ruy Blas, il ne devient ministre que pour être homme et non laquais :

« Puis, sous la meule, afin de voir comment elle est,
Jeter une livrée, une chose, un valet... » (v. 1451-1452)

6. Mme d'Aulnoy, *Relation du Voyage d'Espagne,* Paris, Klincksieck, 1926, p. 204.
7. Vers 395. Voir le dossier historique et littéraire, pp. 235 *sq.*

La pièce vise encore, à travers l'unité du public, à retrouver un sens jusqu'alors dispersé. C'est même le premier point abordé par la Préface. La foule aime l'action, veut des sensations et apprécie le mélodrame, les femmes viennent chercher au théâtre de la passion, des émotions et préfèrent la tragédie. Les penseurs, amateurs de caractères, sont le public de la comédie. Le drame romantique est un genre total et satisfait tous ces désirs. « Le drame tient de la tragédie par la peinture des passions, et de la comédie par la peinture des caractères. Le drame est la troisième forme de l'art, comprenant, enserrant et fécondant les deux premières [8]. » Dernier trait de cette aspiration à la globalité, la triple lecture que la même Préface propose de chacun des protagonistes. La première lecture est politique, et nous y reviendrons plus longuement. Dans cette perspective, Salluste et César incarnent deux attitudes de la noblesse face à la décadence du pouvoir royal. L'un profite du malheur public pour accroître sa fortune, l'autre dilapide ses biens et « s'enfonce et disparaît dans la foule ». Ruy Blas, lui, est le peuple. À cette analyse s'en ajoute une autre : « Du point de vue purement humain [...] don Salluste serait l'égoïsme absolu, le souci sans repos ; don César, son contraire, serait le désintéressement et l'insouciance ; [...] Ruy Blas le génie et la passion comprimés par la société. » Enfin, au point de vue littéraire : « Don Salluste serait le drame, don César la comédie, Ruy Blas la tragédie. » Il y a là une insistance toute particulière sur la pluralité des lectures possibles. Alors que les autres préfaces règlent des comptes, en particulier avec la censure, ou méditent sur la nature et la finalité du théâtre, celle de *Ruy Blas* est une invitation au déchiffrement. Le drame se veut et se proclame polysémique. Microcosme de l'univers hugolien, *Ruy Blas* dit tout, l'homme et le monde. Ses oppressants palais espagnols ont la dimension de l'univers.

---

8. On voit comment Hugo escamote la référence gênante au mélodrame.

Drame historique ou fable politique ?

L'ordre du monde que décrit *Ruy Blas* est historique et politique. La Préface le dit explicitement. *Ruy Blas* est « un croquis de la noblesse castillane vers 1695 ». Hugo s'est beaucoup et très tôt documenté sur l'Espagne du XVIIe siècle, et son travail est, d'une certaine façon, une œuvre d'érudit[9]. L'aventure est, transposée, celle de Valenzuela, favori de la veuve de Philippe IV. L'information n'entrave d'ailleurs en rien l'invention. Si la reine porte le nom de la seconde épouse de Charles II, Marie de Neubourg, sa beauté fait plutôt penser à Marie-Louise d'Orléans, la première femme du roi, morte jeune, peut-être empoisonnée. Déformation historique sans doute liée à la volonté de Hugo de rapprocher l'épisode de la mort du roi, afin de rendre l'atmosphère plus pesante et la situation plus critique encore.

Hugo présente toutefois la décadence espagnole comme une situation susceptible de se répéter : « Au moment où une monarchie va s'écrouler, plusieurs phénomènes peuvent être observés. » Le ton est celui de l'analyste, non du conteur. Nulle recherche de pittoresque, à la manière de Walter Scott. L'histoire est donnée à lire, elle est source d'enseignement et non décor. La préface de *Marie Tudor* le dit bien : pour Hugo le vrai drame, « ce serait le passé ressuscité au profit du présent ; ce serait l'histoire que nos pères ont faite confrontée avec l'histoire que nous faisons[10] ». D'où la fameuse déclaration : « Je n'ai jamais fait de drame historique[11]. » Il est vrai que la pièce accorde une part bien mince aux personnages et aux événements réels. Le drame, presque totalement fictif, n'est pas un drame historique, c'est l'histoire qui se fait sous nos yeux[12].

---

9. Voir le dossier historique et littéraire, pp. 246 *sq.*
10. Victor Hugo, *Théâtre I,* p. 1080.
11. Lettre à Lacroix, décembre 1868.
12. Voir les excellentes pages d'Anne Ubersfeld, *Le Roi et le Bouffon,* pp. 605 *sq.*

Le théâtre est une tribune, qui, mieux que celle des orateurs, donne à voir les injustices. « Toute œuvre est une action [13] », et *Ruy Blas* au premier chef. L'Espagne de Charles II fonctionne comme une métaphore non seulement de la France de l'Ancien Régime, mais aussi de celle de Louis-Philippe. Dans les deux cas on peut parler de décadence : après les audaces de l'Empire, la prudence louis-philipparde fait triste figure. La génération qui parvient à l'âge d'homme se voit réduite à l'impuissance et à l'inaction par la mesquinerie de Joseph Prudhomme. Le drame de Hugo exprime d'une certaine façon le même malaise que *La Confession d'un enfant du siècle* parue deux ans plus tôt. Pour dire la médiocrité et les accaparements, Hugo recourt à la légende noire qui présente l'Espagne de Charles II comme un pays en pleine décadence, livré à la cupidité des grands. Cette vision de l'Espagne, Hugo l'a trouvée chez les mémorialistes français à la solde de Louis XIV. D'où la triste figure de Charles II, incompétent et impuissant, parfaite antithèse de notre Roi-Soleil. Même malaise social à Madrid en 1695 et à Paris en 1838. Les propos désabusés de Salluste (v. 1357 *sq.*) pourraient faire écho aux aphorismes cyniques des invités de Taillefer, au début de *La Peau de chagrin* [14]. L'ébranlement des valeurs entraîne une crise des identités, et un fossé se creuse entre l'être réel et l'être social. Personne n'est ce dont il a l'air :

« Monseigneur, nous faisons un assemblage infâme.
J'ai l'habit d'un laquais, et vous en avez l'âme. »
(v. 2153-2154)

Signe des temps, les vêtements s'échangent. Livrées, pourpoint, manteau circulent et ne signifient plus que la confusion générale. Reste que les vêtements volés sont les plus agréables à porter, alors que maître et valet étouffent dans leur habit légitime (v. 26-27 et 347-354). Les haillons de César lui apportent la liberté qu'interdit

13. Préface de *Lucrèce Borgia, Théâtre I*, p. 972.
14. Balzac, *La Peau de chagrin,* Pocket n° 6017, pp. 57 *sq.*

un ordre social sclérosé. Mais exhibant ainsi le décalage fondamental du moi, Zafari parvient seul à le
dépasser et à s'en affranchir.

Le bandit défie un pouvoir moribond dont l'inertie
et l'inefficacité posent en fait le problème majeur de
Ruy Blas : qui peut gouverner ? En l'absence du roi,
dont l'inexistence crée le drame, qui doit gouverner ?
Salluste et les siens ? ou le valet ? Hugo ne retient de
l'histoire que les péripéties qui amènent à s'interroger
sur la validité du pouvoir en place. *Hernani* sonnait le
glas de la monarchie héréditaire, et instaurait une légi-
timité d'un nouveau genre. Depuis, le théâtre de Hugo
a évoqué toutes les formes que peut prendre la faillite
d'un pouvoir personnel. Le roi peut être faible et sou-
mis à un ministre tout-puissant (*Marion de Lorme*), il
peut être immoral (*Le Roi s'amuse*) ou criminel
(*Lucrèce Borgia, Marie Tudor*). Son autorité sera dans
tous les cas absolue et meurtrière, d'autant plus tyrannique que le souverain est lui-même faible, et livré sans
défense à ses passions. Une curieuse corrélation semble
d'ailleurs s'établir entre le pouvoir politique et l'appétit
amoureux. Les rois apathiques (Louis XIII, Charles II)
sont pudibonds ou indifférents[15]. Les débauchés (François Ier, Lucrèce, Marie Tudor) gouvernent énergiquement.

Dans *Ruy Blas,* la vacance du pouvoir est totale : le
roi ne règne pas, les charges ne sont que des sinécures,
don César renonce. Le pouvoir échoie donc tout naturellement à Ruy Blas, c'est-à-dire au peuple. « Le peuple qui a l'avenir et qui n'a pas le présent ; le peuple,
orphelin, pauvre, intelligent et fort[16]... » Si le message
est explicitement politique, sa portée reste ambiguë et
traduit les incertitudes du temps. Quoique la monarchie
constitutionnelle ait escamoté le pouvoir promis aux
vainqueurs de 1830, ce gouvernement populaire reste

15. « Il n'oserait rien prendre au corset de la reine », *Marion de
Lorme*, IV 8.
16. Préface, p. 28.

pourtant la seule solution de rechange. Le peuple pourrait bien hériter de Louis Philippe, comme le valet hérite du roi d'Espagne. Mais de quelle manière et à quelles conditions ? Cela, le drame ne le dit pas. D'ailleurs, Ruy Blas gouverne-t-il vraiment ? Anne Ubersfeld a montré, dans une analyse remarquable, la vanité du célèbre « Bon appétit, messieurs [17] ! ». Ce discours est en effet celui de l'impuissance. Non seulement le *je* du ministre efficace n'y apparaît pas, mais les destinataires ne le sont que d'un simple message de communication : « Voyez, regardez... » « On admire, sans restriction, la grande tirade du "Bon appétit", ce superbe exemple de l'éloquence parlementaire, dont l'éclat dénonciateur est sans conséquence ; mais voilà que cette belle éloquence, cette démonstration de la puissance de la parole libérale, le poète la met à plat : tout l'acte [...] du "Bon appétit" en montre l'inanité [18]. » On pense alors à un autre personnage hugolien, Gwynplaine, victime, comme Ruy Blas d'une certaine façon, d'un art monstrueux qui le défigure et du caprice royal qui le projette au premier rang. L'Homme qui rit, restitué dans ses droits, est amené à parler à la Chambre des lords. Son discours dénonce les privilèges et les injustices avec la même éloquence que celui de Ruy Blas. Et il n'est pas mieux entendu. Le masque grotesque qu'on a sculpté sur le visage de Gwynplaine empêche qu'on l'écoute, comme la livrée rend caducs tous les propos du ministre. L'échec de la parole, instrument par excellence du débat parlementaire, fait peser un grave soupçon sur le rôle réel joué par le peuple. Rôle moins effectif que potentiel. D'où le choix de l'époque chère à Hugo : les XVIe et XVIIe siècles ont en effet l'avantage de présenter des situations prérévolutionnaires, qui rejettent néanmoins à un futur encore lointain l'irruption du peuple sur la scène politique. D'où le caractère de Ruy Blas, généreux mais faible. Le héros porte en lui les contradictions de son état. Il possède

17. Anne Ubersfeld, *Le Roi et le Bouffon*, pp. 608 *sq.*
18. *Id., ibid.*, p. 614.

l'immense énergie qui pousse à la révolte et fait les révolutions. Il est capable de concevoir un autre ordre des choses. Mais comme il se laisse aussi aisément manipuler ! À aucun moment le favori ne songe à éliminer le banni. Scrupule ou naïveté ? Refus d'adopter les méthodes de l'adversaire ? Ou tout simplement résignation ? Il est aisé de justifier psychologiquement la candeur ou l'inertie de Ruy Blas. Instruit par charité et non par droit, le personnage se trouve dans une situation fausse. On peut penser que cet idéaliste est insuffisamment rompu à la vie politique. Mais sa faiblesse est surtout celle du peuple qui n'a pas encore fait l'apprentissage de la liberté. Niés en tant que sujets, le valet et le peuple ne peuvent s'imposer que par la violence. Le meurtre de Salluste peut ainsi être considéré comme une métaphore de la Terreur. D'où le grand paradoxe de *Ruy Blas,* qui dit que le peuple est capable de gouverner et qu'il le doit, mais aussi, dans le même temps, qu'il ne le peut pas.

Le rêve espagnol

L'Espagne des dernières années du XVIIe siècle est l'image d'un monde en crise, entre obscurantisme et Lumières. C'est aussi un univers onirique. L'aube est une heure propice aux fantômes, et les protagonistes du drame sont tous, d'une certaine façon, des revenants. Echappés des lectures de Hugo [19], ils évoquent l'Espagne des *Mémoires* de Mme d'Aulnoy [20], proche des contes et du théâtre. Galanteries, enlèvements, passions fatales s'y consomment dans le labyrinthe quasi oriental d'un palais clos. Néanmoins Ruy Blas et don César tiennent moins des princes des *Mille et Une Nuits* que des héros du roman picaresque. Cette parenté étend le burlesque de Zafari à Ruy Blas, et permet le mélange canonique du grotesque et du sublime. Du picaro, le

19. L'intertextualité de *Ruy Blas* renvoie à un corpus impressionnant. Voir Anne Ubersfeld, *op. cit.*, pp. 324 *sq.*
20. Voir le dossier historique et littéraire, pp. 246 *sq.*

héros a hérité le nom (Gil et Ruy portent le même patronyme populaire) et les origines modestes. Il reçoit pourtant une éducation soignée, comme son homonyme qui, fils d'un écuyer et d'une femme de chambre, est élevé par son oncle chanoine et apprend le latin, le grec et la philosophie. Cette instruction est la condition nécessaire des tribulations qui porteront le héros au plus haut rang. Dans cette ascension, une étape douloureuse mais indispensable : l'état de domestique, qui précède de peu celui de favori. Mais là s'arrête le parallèle. Si Ruy Blas a la naïveté de Gil, il n'en a ni le pragmatisme ni la morale médiocre fermée à tout dépassement. Il est donc condamné à l'échec.

Moins idéaliste, César est l'homme des réalités, préoccupé de tout ce qui permettra sa survie physique et son confort. Il appartient à la même veine picaresque, et sa silhouette dépenaillée est celle des vagabonds du *Roman comique,* aisément reconnaissables à la longue épée qui dépasse de leurs haillons. Le pourpoint du comte d'Albe met dans tout cela une note incongrue, comme les accessoires de comédie dans l'accoutrement du Destin :

« Un jeune homme, aussi pauvre d'habits que riche de mine, marchait à côté de la charrette [...]. Son pourpoint était une casaque de grisette ceinte avec une courroie, laquelle lui servait aussi à soutenir une épée qui était si longue qu'on ne pouvait s'en aider adroitement sans fourchette. Il portait des chausses trouées à bas d'attaches, comme celles des comédiens quand ils représentent un héros de l'Antiquité, et il avait, au lieu de souliers, des brodequins à l'antique que les boues avaient gâtés jusqu'à la cheville du pied [21]. »

Autre silhouette familière, Don Guritan, vétéran d'une époque révolue et parée des derniers feux du Siècle d'or. Sa rigidité et son observance mécanique du code chevaleresque évoquent de façon cocasse don

21. Scarron, incipit du *Roman comique.*

Quichotte, comme lui prisonnier d'une vision archaïque du monde et incapable d'évoluer.

Tous ces fantômes sont hantés par le passé et le souvenir des paradis perdus. Ruy Blas songe à « cet heureux temps de joie et de misère » (v. 282). La reine regrette son existence de jeune fille :

« Comme, ma sœur et moi, nous courions dans les
[herbes ! » (v. 701)

César seul, qui aurait tout à regretter, ne regrette rien. C'est qu'au contraire des autres, il est passé de l'espace clos du palais au monde ouvert de la rue. Toute la pièce repose sur une opposition entre l'ici, clos et oppressant, et l'ailleurs, ouvert et rêvé. Le lieu de l'action rétrécit. On passe de l'imposant salon de Danaé à l'appartement-prison de la reine, de la salle de gouvernement à la petite maison de don Salluste, finalement exécuté dans un placard. Parallèlement, le thème de l'enfermement est omniprésent. Ruy Blas est enfermé avec les muets, la reine est prisonnière de l'étiquette. En contrepoint s'ouvrent les espaces infinis du rêve et de la liberté : rues de Madrid chères à l'enfance de Hugo, espace de cette cour des Miracles où Zafari trouve l'amour et l'amitié, campagne où chantent les lavandières... L'espace ouvert est celui d'un bonheur perdu ou inaccessible, c'est celui-là même que Salluste propose aux amants de gagner en fuyant à l'étranger. Car le bonheur est ailleurs, sauf peut-être pour don César et don Guritan, expédiés malgré eux à l'autre bout du monde...

Ils rêvent pourtant leur vie eux aussi, perdus dans les chimères de la chevalerie disparue ou dans la fuite en avant de la gueuserie. Ils rêvent et jouent leur vie comme les autres protagonistes. Ruy Blas se rêve amant de la reine, et pour cela endosse le rôle proposé par don Salluste.

« Donc je marche vivant dans mon rêve étoilé. » (v. 1291)

Le vieillard étant lui-même plongé dans un songe machiavélique, qui lui fait goûter par avance l'instant délicieux de la vengeance. La reine, que l'étiquette réduit au rôle de figure emblématique, fuit également dans le rêve sa triste condition.

« Allons rêver encor ! » (v. 652)

D'où l'extrême théâtralité du drame, dont la réalité est aussi absente que le roi. Chacun portant un masque et se rêvant autre qu'il n'est, *Ruy Blas* n'est en fait qu'un ballet de fantômes. Un monde de simulacres, le royaume des chimères. Trait caractéristique de cette irréalité, l'espace truqué du palais, où escalier dérobé et cabinet secret permettent d'évoluer et de voir sans être vu. D'où les innombrables disparitions, du roi, de Salluste, de César. Le palais s'ouvre sur le vide, et l'Espagne tout entière s'enfonce dans le néant :

« Car l'Espagne se meurt, car l'Espagne s'éteint ! »
(v. 1144)

Cette dilution de la réalité crée un climat fantastique. Salluste est l'homme de l'ombre, créature souterraine, à qui sont liées les images du puits (v. 37) et de la trappe (v. 241). Le rôle de don César est peut-être le plus fortement connoté : « Cœur éteint, dont l'âme hélas ! s'est retirée », il est prêt à « croiser le fer / avec don Spavento, capitan de l'enfer » (v. 445 et 192). Anne Ubersfeld voit même en lui un mort-vivant que l'acte IV dote d'une existence quasi vampirique [22]. Il lui faut, pour revenir à la vie, manger la nourriture pré-parée pour un autre et s'emparer de tout ce qui lui était destiné. Il ne ressuscite tout à fait qu'après avoir été appelé trois fois par son nom (par le serviteur, la duè-gne, don Guritan), et le Madrid dont il sort a des allures infernales :

« Plus loin, tu trouveras un trou noir comme un four, [...]

22. Anne Ubersfeld, *op. cit.*, pp. 319 *sq.*

Sur le seuil boit et fume un vivant qui le hante. »
(v. 1751-1753)

Ruy Blas porte ainsi les prémices du théâtre fantastique dont Hugo rêvait en 1838, si l'on en croit le journal d'Adèle : « En 1838 j'avais proposé à Anténor Joly
de faire un théâtre fantastique ; la chose a échoué par
la bêtise des directeurs. Mais rien n'est plus beau que
le fantastique mêlé au drame humain[23]. »

La Préface le dit explicitement : *Ruy Blas* est une
pièce écrite pour le public. Public cultivé ou moins au
fait des subtilités de l'art dramatique, qu'importe ! Chacun peut y trouver le théâtre de son goût. Mais l'esprit
du drame est essentiellement populaire. *Ruy Blas* joue
sur des ressorts simples – sympathie pour les faibles et
les amoureux, haine des méchants – orchestrés avec
une science consommée des effets. Surprises, coups de
théâtre, attente fiévreuse du dénouement : pas un instant le spectateur, qui pleure autant qu'il rit, n'a le sentiment d'assister à la représentation d'un « classique ».
Du classique, le drame a néanmoins la modernité. Au-
delà de l'intrigue amoureuse et de la fable espagnole,
Ruy Blas raconte le difficile et périlleux apprentissage
de la liberté. Le valet découvre la dignité. Ce n'est pas
là l'aventure d'un héros, c'est l'histoire d'un homme.

23. Cité par A. Laster, Victor Hugo, *Théâtre II,* p. IV.

PRÉFACE DE VICTOR HUGO

Trois espèces de spectateurs composent ce qu'on est convenu d'appeler le public : premièrement, les femmes ; deuxièmement, les penseurs ; troisièmement, la foule proprement dite. Ce que la foule demande presque exclusivement à l'œuvre dramatique, c'est de l'action ; ce que les femmes y veulent avant tout, c'est de la passion ; ce qu'y cherchent plus spécialement les penseurs, ce sont des caractères. Si l'on étudie attentivement ces trois classes de spectateurs, voici ce qu'on remarque : la foule est tellement amoureuse de l'action, qu'au besoin elle fait bon marché des caractères et des passions*. Les femmes, que l'action intéresse d'ailleurs, sont si absorbées par les développements de la passion, qu'elles se préoccupent peu du dessin des caractères ; quant aux penseurs, ils ont un tel goût de voir des caractères, c'est-à-dire des hommes, vivre sur la scène, que, tout en accueillant volontiers la passion comme incident naturel dans l'œuvre dramatique, ils en viennent presque à y être importunés par l'action. Cela tient à ce que la foule demande surtout au théâtre des sensations ; la femme, des émotions ; le penseur,

---

* C'est-à-dire du style. Car, si l'action peut dans beaucoup de cas, s'exprimer par l'action même, les passions et les caractères, à très peu d'exceptions près, ne s'expriment que par la parole. Or la parole au théâtre, la parole fixée et non flottante, c'est le style.

Que le personnage parle comme il doit parler, *sibi constet*[1], dit Horace. Tout est là. (Note de l'auteur.)

1. « Qu'il soit d'accord avec lui-même. » Citation d'Horace, *Art poétique*, v. 125-127, détournée de son sens.

des méditations. Tous veulent un plaisir ; mais ceux-
ci, le plaisir des yeux ; celles-là, le plaisir du cœur ; les
derniers, le plaisir de l'esprit. De là, sur notre scène,
trois espèces d'œuvres bien distinctes : l'une vulgaire
et inférieure, les deux autres illustres et supérieures,
mais qui toutes les trois satisfont un besoin : le mélodrame pour la foule ; pour les femmes, la tragédie qui
analyse la passion ; pour les penseurs, la comédie
qui peint l'humanité [1].

Disons-le en passant, nous ne prétendons rien établir
ici de rigoureux, et nous prions le lecteur d'introduire
de lui-même dans notre pensée les restrictions qu'elle
peut contenir. Les généralités admettent toujours les
exceptions ; nous savons fort bien que la foule est une
grande chose dans laquelle on trouve tout, l'instinct du
beau comme le goût du médiocre, l'amour de l'idéal
comme l'appétit du commun ; nous savons également
que tout penseur complet doit être femme par les côtés
délicats du cœur ; et nous n'ignorons pas que, grâce à
cette loi mystérieuse qui lie les sexes l'un à l'autre aussi
bien par l'esprit que par le corps, bien souvent dans
une femme il y a un penseur. Ceci posé, et après avoir
prié de nouveau le lecteur de ne pas attacher un sens
trop absolu aux quelques mots qui nous restent à dire,
nous reprenons.

Pour tout homme qui fixe un regard sérieux sur les
trois sortes de spectateurs dont nous venons de parler,
il est évident qu'elles ont toutes les trois raison. Les
femmes ont raison de vouloir être émues, les penseurs
ont raison de vouloir être enseignés, la foule n'a pas
tort de vouloir être amusée. De cette évidence se déduit
la loi du drame. En effet, au-delà de cette barrière de
feu qu'on appelle la rampe du théâtre, et qui sépare le
monde réel du monde idéal [2], créer et faire vivre, dans

---

1. Curieux partage, qui rompt avec les idées reçues. Les femmes
étaient plutôt vues, traditionnellement, comme des lectrices de
romans.
2. Hugo était très attaché à la rampe. Il refusa que l'on supprime
celle du Théâtre de la Renaissance.

les conditions combinées de l'art et de la nature, des caractères, c'est-à-dire, et nous le répétons, des hommes ; dans ces hommes, dans ces caractères, jeter des passions qui développent ceux-ci et modifient ceux-là ; et enfin, du choc de ces caractères et de ces passions avec les grandes lois providentielles, faire sortir la vie humaine, c'est-à-dire des événements grands, petits, douloureux, comiques, terribles, qui contiennent pour le cœur ce plaisir qu'on appelle l'intérêt, et pour l'esprit cette leçon qu'on appelle la morale : tel est le but du drame. On le voit, le drame tient de la tragédie par la peinture des passions, et de la comédie par la peinture des caractères. Le drame est la troisième grande forme de l'art, comprenant, enserrant, et fécondant les deux premières [3]. Corneille et Molière existeraient indépendamment l'un de l'autre, si Shakespeare n'était entre eux, donnant à Corneille la main gauche, à Molière la main droite. De cette façon, les deux électricités opposées de la comédie et de la tragédie se rencontrent, et l'étincelle qui en jaillit, c'est le drame [4].

En expliquant, comme il les entend et comme il les a déjà indiqués plusieurs fois, le principe, la loi et le but du drame, l'auteur est loin de se dissimuler l'exiguïté de ses forces et la brièveté de son esprit. Il définit ici, qu'on ne s'y méprenne pas, non ce qu'il a fait, mais ce qu'il a voulu faire. Il montre ce qui a été pour lui le point de départ. Rien de plus.

Nous n'avons en tête de ce livre que peu de lignes à écrire, et l'espace nous manque pour les développements nécessaires. Qu'on nous permette donc de passer, sans nous appesantir autrement sur la transition, des idées générales que nous venons de poser, et qui, selon nous, toutes les conditions de l'idéal étant maintenues du reste, régissent l'art tout entier, à quelques-

3. Mais que devient le mélodrame ? On voit l'habileté avec laquelle Hugo fait disparaître ce cousin compromettant.
4. Idées chères à Hugo. Le mélange des genres, la rencontre du grotesque et du sublime rappellent la *Préface* de *Cromwell* (1827).

unes des idées particulières que ce drame, *Ruy Blas,* peut soulever dans les esprits attentifs.

Et premièrement, pour ne prendre qu'un des côtés de la question, au point de vue de la philosophie de l'histoire, quel est le sens de ce drame ? – Expliquons-nous.

Au moment où une monarchie va s'écrouler, plusieurs phénomènes peuvent être observés. Et d'abord la noblesse tend à se dissoudre. En se dissolvant elle se divise, et voici de quelle façon :

Le royaume chancelle, la dynastie s'éteint, la loi tombe en ruine ; l'unité politique s'émiette aux tiraillements de l'intrigue ; le haut de la société s'abâtardit et dégénère ; un mortel affaiblissement se fait sentir à tous au-dehors comme au-dedans ; les grandes choses de l'État sont tombées, les petites seules sont debout, triste spectacle public ; plus de police, plus d'armée, plus de finances ; chacun devine que la fin arrive. De là, dans tous les esprits, ennui de la veille, crainte du lendemain, défiance de tout homme, découragement de toute chose, dégoût profond. Comme la maladie de l'État est dans la tête, la noblesse, qui y touche, en est la première atteinte. Que devient-elle alors ? Une partie des gentilshommes, la moins honnête et la moins généreuse, reste à la cour. Tout va être englouti, le temps presse, il faut se hâter, il faut s'enrichir, s'agrandir et profiter des circonstances. On ne songe plus qu'à soi. Chacun se fait, sans pitié pour le pays, une petite fortune particulière dans un coin de la grande infortune publique. On est courtisan, on est ministre, on se dépêche d'être heureux et puissant. On a de l'esprit, on se déprave, et l'on réussit. Les ordres de l'État, les dignités, les places, l'argent, on prend tout, on veut tout, on pille tout. On ne vit plus que par l'ambition et la cupidité. On cache les désordres secrets que peut engendrer l'infirmité humaine sous beaucoup de gravité extérieure. Et, comme cette vie acharnée aux vanités et aux jouissances de l'orgueil a pour première condition l'oubli de tous les sentiments naturels, on y devient féroce. Quand le jour de la disgrâce arrive, quelque chose de

monstrueux se développe dans le courtisan tombé, et
l'homme se change en démon.

L'état désespéré du royaume pousse l'autre moitié
de la noblesse, la meilleure et la mieux née, dans une
autre voie. Elle s'en va chez elle, elle rentre dans ses
palais, dans ses châteaux, dans ses seigneuries. Elle a
horreur des affaires, elle n'y peut rien, la fin du monde
approche ; qu'y faire et à quoi bon se désoler ? Il faut
s'étourdir, fermer les yeux, vivre, boire, aimer, jouir.
Qui sait ? a-t-on même un an devant soi ? Cela dit, ou
même simplement senti, le gentilhomme prend la chose
au vif, décuple sa livrée [5], achète des chevaux, enrichit
des femmes, ordonne des fêtes, paie des orgies, jette,
donne, vend, achète, hypothèque, compromet, dévore,
se livre aux usuriers et met le feu aux quatre coins de
son bien. Un beau matin, il lui arrive un malheur. C'est
que, quoique la monarchie aille grand train, il s'est
ruiné avant elle. Tout est fini, tout est brûlé. De toute
cette belle vie flamboyante il ne reste pas même de la
fumée ; elle s'est envolée. De la cendre, rien de plus.
Oublié et abandonné de tous, excepté de ses créanciers,
le pauvre gentilhomme devient alors ce qu'il peut, un
peu aventurier, un peu spadassin, un peu bohémien. Il
s'enfonce et disparaît dans la foule, grande masse terne
et noire que, jusqu'à ce jour, il a à peine entrevue de
loin sous ses pieds. Il s'y plonge, il s'y réfugie. Il n'a
plus d'or, mais il lui reste le soleil, cette richesse de
ceux qui n'ont rien. Il a d'abord habité le haut de la
société, voici maintenant qu'il vient se loger dans le
bas, et qu'il s'en accommode ; il se moque de son
parent l'ambitieux, qui est riche et qui est puissant ; il
devient philosophe, et il compare les voleurs aux courtisans. Du reste, bonne, brave, loyale et intelligente
nature ; mélange du poëte, du gueux et du prince ; riant
de tout ; faisant aujourd'hui rosser le guet par ses camarades comme autrefois par ses gens, mais n'y touchant
pas ; alliant dans sa manière, avec quelque grâce,

5. Domesticité.

l'impudence du marquis à l'effronterie du zingaro[6], souillé au-dehors, sain au-dedans ; et n'ayant plus du gentilhomme que son honneur qu'il garde, son nom qu'il cache, et son épée qu'il montre.

Si le double tableau que nous venons de tracer s'offre dans l'histoire de toutes les monarchies à un moment donné, il se présente particulièrement en Espagne d'une façon frappante à la fin du dix-septième siècle. Ainsi, si l'auteur avait réussi à exécuter cette partie de sa pensée, ce qu'il est loin de supposer, dans le drame qu'on va lire, la première moitié de la noblesse espagnole à cette époque se résumerait en don Salluste, et la seconde moitié en don César. Tous deux cousins, comme il convient.

Ici, comme partout, en esquissant ce croquis de la noblesse castillane vers 1695, nous réservons, bien entendu, les rares et vénérables exceptions. – Poursuivons.

En examinant toujours cette monarchie et cette époque, au-dessous de la noblesse ainsi partagée, et qui pourrait, jusqu'à un certain point, être personnifiée dans les deux hommes que nous venons de nommer, on voit remuer dans l'ombre quelque chose de grand, de sombre et d'inconnu. C'est le peuple. Le peuple, qui a l'avenir et qui n'a pas le présent ; le peuple, orphelin, pauvre, intelligent et fort ; placé très bas, et aspirant très haut ; ayant sur le dos les marques de la servitude et dans le cœur les préméditations du génie ; le peuple, valet des grands seigneurs, et amoureux, dans sa misère et dans son abjection, de la seule figure qui, au milieu de cette société écroulée, représente pour lui, dans un divin rayonnement, l'autorité, la charité et la fécondité. Le peuple, ce serait Ruy Blas.

Maintenant, au-dessus de ces trois hommes qui, ainsi considérés, feraient vivre et marcher, aux yeux du spectateur, trois faits, et, dans ces trois faits, toute la monarchie espagnole au dix-septième siècle ; au-dessus de

6. Bohémien.

ces trois hommes, disons-nous, il y a une pure et lumineuse créature, une femme, une reine. Malheureuse comme femme, car elle est comme si elle n'avait pas de mari ; malheureuse comme reine, car elle est comme si elle n'avait pas de roi ; penchée vers ceux qui sont au-dessous d'elle par pitié royale et par instinct de femme aussi peut-être, et regardant en bas pendant que Ruy Blas, le peuple, regarde en haut.

Aux yeux de l'auteur, et sans préjudice de ce que les personnages accessoires peuvent apporter à la vérité de l'ensemble, ces quatre têtes ainsi groupées résumeraient les principales saillies qu'offrait au regard du philosophe historien la monarchie espagnole il y a cent quarante ans. À ces quatre têtes il semble qu'on pourrait en ajouter une cinquième, celle du roi Charles II. Mais, dans l'histoire comme dans le drame, Charles II d'Espagne n'est pas une figure, c'est une ombre [7].

À présent, hâtons-nous de le dire, ce qu'on vient de lire n'est point l'explication de *Ruy Blas*. C'en est simplement un des aspects. C'est l'impression particulière que pourrait laisser ce drame, s'il valait la peine d'être étudié, à l'esprit grave et consciencieux qui l'examinerait, par exemple, du point de vue de la philosophie de l'histoire.

Mais, si peu qu'il soit, ce drame, comme toutes les choses de ce monde, a beaucoup d'autres aspects et peut être envisagé de beaucoup d'autres manières. On peut prendre plusieurs vues d'une idée comme d'une montagne. Cela dépend du lieu où l'on se place. Qu'on nous passe, seulement pour rendre claire notre idée, une comparaison infiniment trop ambitieuse : le mont Blanc, vu de la Croix-de-Fléchères, ne ressemble pas au mont Blanc vu de Sallenches. Pourtant c'est toujours le mont Blanc [8].

7. Voir notre préface et le dossier historique et littéraire : l'Espagne au XVIIᵉ siècle.

8. Souvenir d'un voyage de Hugo en 1825, évoqué dans *Victor Hugo raconté par un témoin de sa vie (Fragment d'un Voyage aux Alpes)*. Ce paysage de montagne parut au poète essentiellement dra-

De même, pour tomber d'une très grande chose à
une très petite, ce drame, dont nous venons d'indiquer
le sens historique, offrirait une tout autre figure, si on
le considérait d'un point de vue beaucoup plus élevé
encore, du point de vue purement humain. Alors don
Salluste serait l'égoïsme absolu, le souci sans repos ;
don César, son contraire, serait le désintéressement et
l'insouciance ; on verrait dans Ruy Blas le génie et la
passion comprimés par la société, et s'élançant d'autant
plus haut que la compression est plus violente ; la reine
enfin, ce serait la vertu minée par l'ennui.

Au point de vue uniquement littéraire, l'aspect de
cette pensée telle quelle, intitulée *Ruy Blas,* changerait
encore. Les trois formes souveraines de l'art pourraient
y paraître personnifiées et résumées. Don Salluste serait
le drame, don César la comédie, Ruy Blas la tragédie.
Le drame noue l'action, la comédie l'embrouille, la tragédie la tranche.

Tous ces aspects sont justes et vrais, mais aucun
d'eux n'est complet. La vérité absolue n'est que dans
l'ensemble de l'œuvre. Que chacun y trouve ce qu'il y
cherche, et le poëte, qui ne s'en flatte pas du reste, aura
atteint son but. Le sujet philosophique de *Ruy Blas,*
c'est le peuple aspirant aux régions élevées ; le sujet
humain, c'est un homme qui aime une femme ; le sujet
dramatique, c'est un laquais qui aime une reine. La
foule qui se presse chaque soir devant cette œuvre,
parce qu'en France jamais l'attention publique n'a fait
défaut aux tentatives de l'esprit, quelles qu'elles soient
d'ailleurs, la foule, disons-nous, ne voit dans *Ruy Blas*
que ce dernier sujet, le sujet dramatique, le laquais ; et
elle a raison.

Et ce que nous venons de dire de *Ruy Blas* nous

matique : « À l'instant même me revinrent à l'esprit ces grandes
créations du vieux Shakespeare, où toujours domine une haute et
sombre figure qui, dans un coin du drame, se reflète dans une âme
limpide, transparente et pure ; œuvres complètes comme la nature,
où il y a toujours une Ophélia pour Hamlet, une Desdemona pour
Othello, un Lac Vert pour le mont Blanc. »

semble évident de tout autre ouvrage. Les œuvres vénérables des maîtres ont même cela de remarquable
qu'elles offrent plus de faces à étudier que les autres.
Tartuffe fait rire ceux-ci et trembler ceux-là. Tartuffe,
c'est le serpent domestique ; ou bien c'est l'hypocrite ;
ou bien c'est l'hypocrisie. C'est tantôt un homme, tantôt une idée. Othello, pour les uns, c'est un Noir qui
aime une Blanche ; pour les autres, c'est un parvenu
qui a épousé une patricienne ; pour ceux-là, c'est un
jaloux ; pour ceux-ci, c'est la jalousie. Et cette diversité
d'aspects n'ôte rien à l'unité fondamentale de la composition. Nous l'avons déjà dit ailleurs : mille rameaux
et un tronc unique.

Si l'auteur de ce livre a particulièrement insisté sur
la signification historique de *Ruy Blas*, c'est que, dans
sa pensée, par le sens historique, et, il est vrai, par le
sens historique uniquement, *Ruy Blas* se rattache à *Hernani*. Le grand fait de la noblesse se montre, dans *Hernani* comme dans *Ruy Blas*, à côté du grand fait de la
royauté. Seulement, dans *Hernani,* comme la royauté
absolue n'est pas faite, la noblesse lutte encore contre
le roi, ici avec l'orgueil, là avec l'épée ; à demi féodale,
à demi rebelle. En 1519, le seigneur vit loin de la cour,
dans la montagne, en bandit comme Hernani, ou en
patriarche comme Ruy Gomez. Deux cents ans plus
tard, la question est retournée. Les vassaux sont devenus des courtisans. Et, si le seigneur sent encore d'aventure le besoin de cacher son nom, ce n'est pas pour
échapper au roi, c'est pour échapper à ses créanciers.
Il ne se fait pas bandit, il se fait bohémien. – On sent
que la royauté absolue a passé pendant de longues
années sur ces nobles têtes, courbant l'une, brisant
l'autre.

Et puis, qu'on nous permette ce dernier mot, entre
Hernani et *Ruy Blas,* deux siècles de l'Espagne sont
encadrés ; deux grands siècles, pendant lesquels il a été
donné à la descendance de Charles Quint de dominer
le monde ; deux siècles que la Providence, chose remarquable, n'a pas voulu allonger d'une heure, car Charles
Quint naît en 1500, et Charles II meurt en 1700. En

1700, Louis XIV héritait de Charles Quint, comme en 1800 Napoléon héritait de Louis XIV. Ces grandes apparitions de dynasties qui illuminent par moments l'histoire sont pour l'auteur un beau et mélancolique spectacle sur lequel ses yeux se fixent souvent. Il essaie parfois d'en transporter quelque chose dans ses œuvres. Ainsi il a voulu remplir *Hernani* du rayonnement d'une aurore, et couvrir *Ruy Blas* des ténèbres d'un crépuscule. Dans *Hernani,* le soleil de la maison d'Autriche se lève ; dans *Ruy Blas,* il se couche.

Paris, 25 novembre 1838.

PERSONNAGES

RUY BLAS[1]
DON SALLUSTE DE BAZAN
DON CÉSAR DE BAZAN
DON GURITAN
LE COMTE DE CAMPOREAL
LE MARQUIS DE SANTA-CRUZ
LE MARQUIS DEL BASTO
LE COMTE D'ALBE
LE MARQUIS DE PRIEGO
DON MANUEL ARIAS
MONTAZGO
DON ANTONIO UBILLA
COVADENGA
GUDIEL
Un laquais, un alcade, un huissier, un alguazil, un page
DOÑA MARIA DE NEUBOURG, *reine d'Espagne*
LA DUCHESSE D'ALBUQUERQUE
CASILDA
Une duègne
Dames, seigneurs, conseillers privés, pages, duègnes,
alguazils, gardes, huissiers de chambre et de cour

Madrid, 169...

1. Le nom de Ruy Blas est formé de l'abréviation de Rodrigue, prénom aristocratique, suivi du patronyme populaire de Blas (voir Gil Blas). Salluste et César viennent tout droit des classiques latins (étudiés par le jeune Victor au Collège des Nobles, à Madrid). Les autres noms ont été pris chez des mémorialistes, en particulier chez l'abbé de Vayrac, et dans les *Horas devotas en las quales se hallen el exercicio que un Christiano deve observar todos los días...* En Paris en Casa de Pedro Witte, 1734.

- Décor typicament
Romantique
- Vengence
- scène vide

Pas le décor

Sérieux
avec
comique

Comme
shakespeare

- drame total

l'apparence
politique
feminisme
l'honneur
le vengence

mélange du
genre, style
- comique
avec
tragique

Ruy Blas s dramatique

trois unité

temps
lieu
action

Pas
de
Tot

totalité
de l'être
humain

Machenisme
bon côte
mauvais côte

il est plus comme
shakespear
il fallait écrit
en poésie

le fin
le suicide
la mort

Coup de théâtre

- Ruy Blas 1ere ministre

- la reine qui aime à la
fin

Handwritten annotations: RUY BLAS / domestic de Don Salluste / il parle très peu il est rien — grand siecle — * l'égalité de l'amour — la vrai bonne — Comme le mélodrame un peu exclusive

ACTE I

DON SALLUSTE

Le salon de Danaé dans le palais du roi, à Madrid. 🔹
Ameublement magnifique dans le goût demi-flamand
du temps de Philippe IV. À gauche, une grande fenêtre
à châssis dorés et à petits carreaux. Des deux côtés,
sur un pan coupé, une porte basse donnant dans quel-
que appartement intérieur. Au fond, une grande cloison
vitrée à châssis dorés s'ouvrant par une large porte
également vitrée sur une longue galerie. Cette galerie,
qui traverse tout le théâtre, est masquée par d'immen-
ses rideaux qui tombent du haut en bas de la cloison
vitrée. Une table, un fauteuil, et ce qu'il faut pour
écrire.

Don Salluste entre par la petite porte de gauche,
suivi de Ruy Blas et de Gudiel, qui porte une cassette
et divers paquets qu'on dirait disposés pour un voyage.
Don Salluste est vêtu de velours noir, costume de cour
du temps de Charles II. La toison d'or au cou. Par-
dessus l'habillement noir, un riche manteau de velours
vert clair, brodé d'or et doublé de satin noir. Épée à
grande coquille. Chapeau à plumes blanches. Gudiel
est en noir, épée au côté. Ruy Blas est en livrée. Haut-
de-chausses et justaucorps bruns. Surtout galonné,
rouge et or. Tête nue. Sans épée.

Handwritten annotations: très lourde qui craze — alexandrins. tragedie classique — registre plus haut — 12 sylables (par vers) — ça va casser

🔹 Voir *Au fil du texte*, p. 202.

SCÈNE 1

Don Salluste de Bazan, Gudiel.
Par instants Ruy Blas.

DON SALLUSTE

Ruy Blas, fermez la porte, – ouvrez cette fenêtre.

*Ruy Blas obéit, puis, sur un signe de don Salluste,
il sort par la porte du fond. Don Salluste va à la
fenêtre.*

Ils dorment encor tous ici, – le jour va naître.

Il se tourne brusquement vers Gudiel.

Ah ! c'est un coup de foudre !... – oui, mon règne est
[passé,
Gudiel ! – renvoyé, disgracié, chassé ! –
Ah ! tout perdre en un jour ! – L'aventure est secrète
Encor, n'en parle pas. – Oui, pour une amourette,
– Chose, à mon âge, sotte et folle, j'en conviens[1] ! –
Avec une suivante, une fille de rien !
Séduite, beau malheur ! parce que la donzelle
10 Est à la reine, et vient de Neubourg avec elle,
Que cette créature a pleuré contre moi,
Et traîné son enfant dans les chambres du roi ;
Ordre de l'épouser. Je refuse. On m'exile.
On m'exile ! Et vingt ans d'un labeur difficile,
Vingt ans d'ambition, de travaux nuit et jour ;
Le président haï des alcades de cour[2],
Dont nul ne prononçait le nom sans épouvante ;
Le chef de la maison de Bazan, qui s'en vante ;
Mòn crédit, mon pouvoir, tout ce que je rêvais,
20 Tout ce que je faisais et tout ce que j'avais,

---

1. Licence orthographique conforme à l'étymologie et nécessaire à la rime.
2. Juges du tribunal royal.

Charge, emplois, honneurs, tout en un instant s'écroule
Au milieu des éclats de rire de la foule !

GUDIEL

Nul ne le sait encor, monseigneur.

DON SALLUSTE

Mais demain !
Demain, on le saura ! – Nous serons en chemin.
Je ne veux pas tomber, non, je veux disparaître !

Il déboutonne violemment son pourpoint.

– Tu m'agrafes toujours comme on agrafe un prêtre,
Tu serres mon pourpoint, et j'étouffe, mon cher ! –

Il s'assied.

Oh ! mais je vais construire, et sans en avoir l'air,
Une sape profonde, obscure et souterraine !
30   – Chassé ! –

Il se lève.

GUDIEL

D'où vient le coup, monseigneur ?

DON SALLUSTE

De la reine.
Oh ! je me vengerai, Gudiel ! tu m'entends.
Toi dont je suis l'élève, et qui depuis vingt ans
M'as aidé, m'as servi dans les choses passées,
Tu sais bien jusqu'où vont dans l'ombre mes pensées,
Comme un bon architecte, au coup d'œil exercé,
Connaît la profondeur du puits qu'il a creusé.
Je pars. Je vais aller à Finlas, en Castille,
Dans mes états, – et là, songer ! – Pour une fille !
– Toi, règle le départ, car nous sommes pressés.
40   Moi, je vais dire un mot au drôle que tu sais.
À tout hasard. Peut-il me servir ? Je l'ignore.
Ici jusqu'à ce soir je suis le maître encore.
Je me vengerai, va ! Comment ? je ne sais pas ;
Mais je veux que ce soit effrayant ! – De ce pas

Va faire nos apprêts, et hâte-toi. – Silence !
Tu pars avec moi. Va.

Gudiel salue et sort. – Don Salluste appelant.

– Ruy Blas !

RUY BLAS, *se présentant à la porte du fond.*
                                   Votre excellence ?

DON SALLUSTE
Comme je ne dois plus coucher dans le palais,
Il faut laisser les clefs et clore les volets.

RUY BLAS, *s'inclinant.*
Monseigneur, il suffit.

DON SALLUSTE
                         Écoutez, je vous prie.
50 La reine va passer, là, dans la galerie,
En allant de la messe à sa chambre d'honneur,
Dans deux heures. Ruy Blas, soyez là.

RUY BLAS
                                   Monseigneur,
J'y serai.

DON SALLUSTE, *à la fenêtre.*
            Voyez-vous cet homme dans la place
Qui montre aux gens de garde un papier, et qui passe ?
Faites-lui, sans parler, signe qu'il peut monter.
Par l'escalier étroit.

*Ruy Blas obéit. Don Salluste continue en lui mon-
trant la petite porte à droite.*

                         – Avant de nous quitter,
Dans cette chambre où sont les hommes de police,
Voyez donc si les trois alguazils [3] de service
Sont éveillés.

RUY BLAS. *Il va à la porte, l'entr'ouvre et revient.*
            Seigneur, ils dorment.

3. Agents de police.

DON SALLUSTE
Parlez bas.

60 J'aurai besoin de vous, ne vous éloignez pas.
Faites le guet afin que les fâcheux nous laissent.

Entre don César de Bazan. Chapeau défoncé.
Grande cape déguenillée qui ne laisse voir de sa
toilette que des bas mal tirés et des souliers crevés.
Épée de spadassin[4].
Au moment où il entre, lui et Ruy Blas se regardent
et font en même temps, chacun de son côté, un geste
de surprise.

DON SALLUSTE, *les observant, à part.*
Ils se sont regardés ! Est-ce qu'ils se connaissent ?

Ruy Blas sort.

SCÈNE 2
Don Salluste, Don César.

[handwritten marginal note: cousin de Don Salluste — aristocrate — il est pauvre — bohème]

DON SALLUSTE
Ah ! vous voilà, bandit !

DON CÉSAR
Oui, cousin, me voilà.

DON SALLUSTE
C'est grand plaisir de voir un gueux comme cela !

DON CÉSAR, *saluant.*
Je suis charmé...

DON SALLUSTE
Monsieur, on sait de vos histoires.

DON CÉSAR, *gracieusement.*
Qui sont de votre goût ?

4. Homme d'épée, tueur à gages.

DON SALLUSTE

Oui, des plus méritoires.
Don Charles de Mira l'autre nuit fut volé.
On lui prit son épée à fourreau ciselé
Et son buffle [5]. C'était la surveille [6] de Pâques.
70 Seulement, comme il est chevalier de Saint-Jacques [7]
La bande lui laissa son manteau.

DON CÉSAR

                                  Doux Jésus !
Pourquoi ?

DON SALLUSTE

                Parce que l'ordre était brodé dessus.
Eh bien, que dites-vous de l'algarade [8].

DON CÉSAR

                                      Ah ! diable !
Je dis que nous vivons dans un siècle effroyable !
Qu'allons-nous devenir, bon Dieu ! si les voleurs
Vont courtiser saint Jacque [9] et le mettre des leurs ?

DON SALLUSTE

Vous en étiez !

DON CÉSAR

                Eh bien, – oui ! s'il faut que je parle,
J'étais là. Je n'ai pas touché votre don Charle,
J'ai donné seulement des conseils.

DON SALLUSTE

                                  Mieux encor.
80 La lune étant couchée, hier, Plaza-Mayor [10],
Toutes sortes de gens, sans coiffe et sans semelle,
Qui hors d'un bouge affreux se ruaient pêle-mêle,
Ont attaqué le guet. – Vous en étiez !

5. Cuirasse en peau de buffle.
6. L'avant-veille.
7. L'ordre des chevaliers de Saint-Jacques avait été fondé au Moyen Âge pour lutter contre les Maures.
8. Attaque brusque.
9. Licence orthographique permettant l'élision du e.
10. La grande place de Madrid.

DON CÉSAR

Cousin,

J'ai toujours dédaigné de battre un argousin[11].
J'étais là. Rien de plus. Pendant les estocades[12],
Je marchais en faisant des vers sous les arcades.
On s'est fort assommé.

DON SALLUSTE

Ce n'est pas tout.

DON CÉSAR

Voyons.

DON SALLUSTE

En France, on vous accuse, entre autres actions,
Avec vos compagnons à toute loi rebelles,
90 D'avoir ouvert sans clef la caisse des gabelles[13].

DON CÉSAR

Je ne dis pas. — La France est pays ennemi.

DON SALLUSTE

En Flandre, rencontrant dom Paul Barthélemy,
Lequel portait à Mons le produit d'un vignoble
Qu'il venait de toucher pour le chapitre noble[14],
Vous avez mis la main sur l'argent du clergé.

DON CÉSAR

En Flandre ? — il se peut bien. J'ai beaucoup voyagé.
— Est-ce tout ?

DON SALLUSTE

Don César, la sueur de la honte,
Lorsque je pense à vous, à la face me monte.

DON CÉSAR

Bon. Laissez-la monter.

11. Agent de police. Le mot dérive précisément de l'espagnol
alguazil.
12. Coups portés de la pointe de l'épée.
13. Impôt sur le sel.
14. Conseil de moines ou de chanoines nobles et possédant des
biens fonciers.

DON SALLUSTE
Notre famille...

DON CÉSAR
Non.
100 Car vous seul à Madrid connaissez mon vrai nom.
Ainsi ne parlons pas famille !

DON SALLUSTE
Une marquise
Me disait l'autre jour en sortant de l'église :
– Quel est donc ce brigand qui, là-bas, nez au vent,
Se carre, l'œil au guet et la hanche en avant,
Plus délabré que Job[15] et plus fier que Bragance[16],
Drapant sa gueuserie avec son arrogance,
Et qui, froissant du poing sous sa manche en haillons
L'épée à lourd pommeau qui lui bat les talons,
Promène, d'une mine altière et magistrale,
110 Sa cape en dents de scie et ses bas en spirale ?

DON CÉSAR, *jetant un coup d'œil sur sa toilette.*
Vous avez répondu : C'est ce cher Zafari !

DON SALLUSTE
Non ; j'ai rougi, monsieur.

DON CÉSAR
Eh bien ! la dame a ri.
Voilà. J'aime beaucoup faire rire les femmes.

DON SALLUSTE
Vous n'allez fréquentant que spadassins infâmes !

DON CÉSAR
Des clercs ! des écoliers doux comme des moutons !

DON SALLUSTE
Partout on vous rencontre avec des Jeannetons[17].

---

15. Job : personnage biblique célèbre pour le fumier sur lequel
il termina ses jours.
16. Bragance : nom de la famille royale du Portugal.
17. Filles du peuple aux mœurs légères.

DON CÉSAR

Ô Lucindes[18] d'amour ! ô douces Isabelles[18].
Eh bien ! sur votre compte on en entend de belles !
Quoi ! l'on vous traite ainsi, beautés à l'œil mutin,
120 À qui je dis le soir mes sonnets du matin !

DON SALLUSTE

Enfin, Matalobos[19], ce voleur de Galice
Qui désole Madrid malgré notre police,
Il est de vos amis !

DON CÉSAR

                              Raisonnons, s'il vous plaît.
Sans lui j'irais tout nu, ce qui serait fort laid.
Me voyant sans habit, dans la rue, en décembre,
La chose le toucha. – Ce fat parfumé d'ambre,
Le comte d'Albe, à qui l'autre mois fut volé
Son beau pourpoint de soie...

DON SALLUSTE

                              Eh bien ?

DON CÉSAR

                                        C'est moi qui l'ai.
Matalobos me l'a donné.

DON SALLUSTE

                              L'habit du comte !
130 Vous n'êtes pas honteux ?...

DON CÉSAR

                              Je n'aurai jamais honte
De mettre un bon pourpoint, brodé, passementé,
Qui me tient chaud l'hiver et me fait beau l'été.
– Voyez, il est tout neuf. –

Il entr'ouvre son manteau, qui laisse voir un
superbe pourpoint de satin rose brodé d'or.

                              Les poches en sont pleines

18. Noms précieux de beautés courtisées.
19. Brigand. Le nom de ce personnage imaginaire est celui d'un
ruisseau de Madrid.

De billets doux au comte adressés par centaines.
Souvent, pauvre, amoureux, n'ayant rien sous la dent,
J'avise une cuisine au soupirail ardent
D'où la vapeur des mets aux narines me monte.
Je m'assieds là. J'y lis les billets doux du comte,
Et, trompant l'estomac et le cœur tour à tour,
140 J'ai l'odeur du festin et l'ombre de l'amour !

DON SALLUSTE

Don César...

DON CÉSAR

        Mon cousin, tenez, trêve aux reproches.
Je suis un grand seigneur, c'est vrai, l'un de vos
                                        [proches ;
Je m'appelle César, comte de Garofa ;
Mais le sort de folie en naissant me coiffa.
J'étais riche, j'avais des palais, des domaines,
Je pouvais largement renter les Célimènes [20].
Bah ! mes vingt ans n'étaient pas encor révolus
Que j'avais mangé tout ! il ne me restait plus
De mes prospérités, ou réelles ou fausses,
150 Qu'un tas de créanciers hurlant après mes chausses.
Ma foi, j'ai pris la fuite et j'ai changé de nom.
À présent, je ne suis qu'un joyeux compagnon,
Zafari, que hors vous nul ne peut reconnaître.
Vous ne me donnez pas du tout d'argent, mon maître ;
Je m'en passe. Le soir, le front sur un pavé,
Devant l'ancien palais des comtes de Tevé,
– C'est là, depuis neuf ans, que la nuit je m'arrête, –
Je vais dormir avec le ciel bleu sur ma tête.
Je suis heureux ainsi. Pardieu, c'est un beau sort !
160 Tout le monde me croit dans l'Inde, au diable, – mort.
La fontaine voisine a de l'eau, j'y vais boire,
Et puis je me promène avec un air de gloire.
Mon palais, d'où jadis mon argent s'envola,
Appartient à cette heure au nonce Espinola.
C'est bien. Quand par hasard jusque-là je m'enfonce,

20. Coquettes.

Je donne des avis aux ouvriers du nonce
Occupés à sculpter sur la porte un Bacchus. –
Maintenant, pouvez-vous me prêter dix écus ?

DON SALLUSTE

Écoutez-moi...

DON CÉSAR, *croisant les bras.*
Voyons à présent votre style.

DON SALLUSTE

170 Je vous ai fait venir, c'est pour vous être utile.
César, sans enfants, riche, et de plus votre aîné,
Je vous vois à regret vers l'abîme entraîné ;
Je veux vous en tirer. Bravache que vous êtes,
Vous êtes malheureux. Je veux payer vos dettes,
Vous rendre vos palais, vous remettre à la cour,
Et refaire de vous un beau seigneur d'amour.
Que Zafari s'éteigne et que César renaisse.
Je veux qu'à votre gré vous puisiez dans ma caisse,
Sans crainte, à pleines mains, sans soin de l'avenir.
180 Quand on a des parents il faut les soutenir,
César, et pour les siens se montrer pitoyable...

*Pendant que don Salluste parle, le visage de don
César prend une expression de plus en plus étonnée,
joyeuse et confiante ; enfin il éclate.*

DON CÉSAR

Vous avez toujours eu de l'esprit comme un diable,
Et c'est fort éloquent ce que vous dites là.
– Continuez.

DON SALLUSTE

César, je ne mets à cela
Qu'une condition. – Dans l'instant je m'explique.
Prenez d'abord ma bourse.

DON CÉSAR, *empoignant la bourse, qui est pleine d'or.*
Ah ça ! c'est magnifique !

DON SALLUSTE

Et je vous vais donner cinq cents ducats...

DON CÉSAR, *ébloui.*

Marquis !

DON SALLUSTE, *continuant.*
Dès aujourd'hui.

DON CÉSAR
                        Pardieu, je vous suis tout acquis.
Quant aux conditions, ordonnez. Foi de brave,
190 Mon épée est à vous. Je deviens votre esclave,
Et, si cela vous plaît, j'irai croiser le fer
Avec don Spavento, capitan de l'enfer[21].

DON SALLUSTE
Non, je n'accepte pas, don César, et pour cause,
Votre épée.

DON CÉSAR
                        Alors quoi ? je n'ai guère autre chose.

DON SALLUSTE, *se rapprochant de lui et baissant la voix.*
Vous connaissez, – et c'est en ce cas un bonheur, –
Tous les gueux de Madrid ?

DON CÉSAR
                        Vous me faites honneur.

DON SALLUSTE
Vous en traînez toujours après vous une meute ;
Vous pourriez, au besoin, soulever une émeute,
Je le sais. Tout cela peut-être servira.

DON CÉSAR, *éclatant de rire.*
200 D'honneur ! vous avez l'air de faire un opéra.
Quelle part donnez-vous dans l'œuvre à mon génie ?
Sera-ce le poëme ou bien la symphonie ?
Commandez. Je suis fort pour le charivari[22].

---

21. Personnage de comédie, mi-matamore, mi-démon.
22. Tapage que l'on faisait à l'origine sous les fenêtres de ceux
dont la communauté réprouvait la conduite, en particulier des veufs
et veuves remariés. Mais le mot renvoie aussi à l'actualité politique

DON SALLUSTE, *gravement.*
Je parle à don César et non à Zafari.

Baissant la voix de plus en plus.

Écoute. J'ai besoin, pour un résultat sombre,
De quelqu'un qui travaille à mon côté dans l'ombre
Et qui m'aide à bâtir un grand événement.
Je ne suis pas méchant, mais il est tel moment
Où le plus délicat, quittant toute vergogne,
210 Doit retrousser sa manche et faire la besogne.
Tu seras riche, mais il faut m'aider sans bruit
À dresser, comme font les oiseleurs la nuit,
Un bon filet caché sous un miroir qui brille,
Un piège d'alouette ou bien de jeune fille.
Il faut, par quelque plan terrible et merveilleux,
– Tu n'es pas, que je pense, un homme scrupuleux, –
Me venger !

DON CÉSAR
Vous venger ?

DON SALLUSTE
Oui.

DON CÉSAR
De qui ?

DON SALLUSTE
D'une femme.

DON CÉSAR. *Il se redresse et regarde fièrement
don Salluste.*
Ne m'en dites pas plus. Halte-là ! – Sur mon âme,
Mon cousin, en ceci voilà mon sentiment.
220 Celui qui, bassement et tortueusement,
Se venge, ayant le droit de porter une lame,
Noble, par une intrigue, homme, sur une femme,
Et qui, né gentilhomme, agit en alguazil[23],

des années 1830. Les libéraux organisaient des charivaris à l'encon-
tre des conservateurs et un journal satirique portait ce nom.
   23. Voir note 3, p. 38.

Celui-là, – fût-il grand de Castille, fût-il
Suivi de cent clairons sonnant des tintamarres,
Fût-il tout harnaché d'ordres et de chamarres[24],
Et marquis, et vicomte, et fils des anciens preux, –
N'est pour moi qu'un maraud sinistre et ténébreux
Que je voudrais, pour prix de sa lâcheté vile,
230 Voir pendre à quatre clous au gibet de la ville !

                    DON SALLUSTE
César !...

                    DON CÉSAR
        N'ajoutez pas un mot, c'est outrageant.

Il jette la bourse aux pieds de don Salluste.

Gardez votre secret, et gardez votre argent.
Oh ! je comprends qu'on vole, et qu'on tue, et qu'on
                                            [pille,
Que par une nuit noire on force une bastille,
D'assaut, la hache au poing, avec cent flibustiers ;
Qu'on égorge estafiers[25], geôliers et guichetiers,
Tous, taillant et hurlant, en bandits que nous sommes,
Œil pour œil, dent pour dent, c'est bien ! hommes
                                    [contre hommes !
240 Mais doucement détruire une femme ! et creuser
Sous ses pieds une trappe ! et contre elle abuser,
Qui sait ? de son humeur peut-être hasardeuse !
Prendre ce pauvre oiseau dans quelque glu hideuse !
Oh ! plutôt qu'arriver jusqu'à ce déshonneur,
Plutôt qu'être, à ce prix, un riche et haut seigneur,
– Et je le dis ici pour Dieu qui voit mon âme, –
J'aimerais mieux, plutôt qu'être à ce point infâme,
Vil, odieux, pervers, misérable et flétri,
Qu'un chien rongeât mon crâne au pied du pilori !

                    DON SALLUSTE
Cousin...

24. Décorations et ornements chamarrant les vêtements.
25. Gardes.

DON CÉSAR

De vos bienfaits je n'aurai nulle envie,
250 Tant que je trouverai, vivant ma libre vie,
Aux fontaines de l'eau, dans les champs le grand air,
À la ville un voleur qui m'habille l'hiver,
Dans mon âme l'oubli des prospérités mortes,
Et devant vos palais, monsieur, de larges portes
Où je puis, à midi, sans souci du réveil,
Dormir, la tête à l'ombre et les pieds au soleil !
– Adieu donc. – De nous deux Dieu sait quel est le
                                            [juste.
Avec les gens de cour, vos pareils, don Salluste,
Je vous laisse, et je reste avec mes chenapans.
260 Je vis avec les loups, non avec les serpents.

DON SALLUSTE

Un instant...

DON CÉSAR

Tenez, maître, abrégeons la visite.
Si c'est pour m'envoyer en prison, faites vite.

DON SALLUSTE

Allons, je vous croyais, César, plus endurci.
L'épreuve vous est bonne et vous a réussi ;
Je suis content de vous. Votre main, je vous prie.

DON CÉSAR

Comment !

DON SALLUSTE

Je n'ai parlé que par plaisanterie.
Tout ce que j'ai dit là, c'est pour vous éprouver.
Rien de plus.

DON CÉSAR

Çà, debout vous me faites rêver.
La femme, le complot, cette vengeance...

DON SALLUSTE

Leurre !
270 Imagination ! chimère !

DON CÉSAR

À la bonne heure !
Et l'offre de payer mes dettes ! vision ?
Et les cinq cents ducats ! imagination ?

DON SALLUSTE

Je vais vous les chercher.

Il se dirige vers la porte du fond, et fait signe à Ruy Blas de rentrer.

DON CÉSAR, *à part sur le devant,*
et regardant don Salluste de travers.

Hum ! visage de traître !
Quand la bouche dit oui, le regard dit peut-être.

DON SALLUSTE, *à Ruy Blas.*

Ruy Blas, restez ici.

À don César.

Je reviens.

Il sort par la petite porte de gauche. Sitôt qu'il est sorti, don César et Ruy Blas vont vivement l'un à l'autre.

SCÈNE 3
Don César, Ruy Blas.

DON CÉSAR

Sur ma foi,
Je ne me trompais pas. C'est toi, Ruy Blas !

RUY BLAS

C'est toi,
Zafari ! Que fais-tu dans ce palais ?

DON CÉSAR

J'y passe.
Mais je m'en vais. Je suis oiseau, j'aime l'espace.
Mais toi ? cette livrée ? est-ce un déguisement ?

RUY BLAS, *avec amertume.*

280 Non, je suis déguisé quand je suis autrement.

DON CÉSAR

Que dis-tu ?

RUY BLAS

Donne-moi ta main que je la serre,
Comme en cet heureux temps de joie et de misère
Où je vivais sans gîte, où le jour j'avais faim,
Où j'avais froid la nuit, où j'étais libre enfin !
– Quand tu me connaissais, j'étais un homme encore.
Tous deux nés dans le peuple, – hélas ! c'était l'aurore ! –
Nous nous ressemblions au point qu'on nous prenait
Pour frères, nous chantions dès l'heure où l'aube naît,
Et le soir devant Dieu, notre père et notre hôte,
290 Sous le ciel étoilé nous dormions côte à côte.
Oui, nous partagions tout. Puis enfin arriva
L'heure triste où chacun de son côté s'en va.
Je te retrouve, après quatre ans, toujours le même,
Joyeux comme un enfant, libre comme un bohème,
Toujours ce Zafari, riche en sa pauvreté,
Qui n'a rien eu jamais et n'a rien souhaité !
Mais moi, quel changement ! Frère, que te dirai-je ?
Orphelin, par pitié nourri dans un collège
De science et d'orgueil, de moi, triste faveur !
300 Au lieu d'un ouvrier on a fait un rêveur.
Tu sais, tu m'as connu. Je jetais mes pensées
Et mes vœux vers le ciel en strophes insensées.
J'opposais cent raisons à ton rire moqueur.
J'avais je ne sais quelle ambition au cœur.
À quoi bon travailler ? Vers un but invisible
Je marchais, je croyais tout réel, tout possible,
J'espérais tout du sort ! – Et puis je suis de ceux
Qui passent tout un jour, pensifs et paresseux,
Devant quelque palais regorgeant de richesses,
310 À regarder entrer et sortir des duchesses. –
Si bien qu'un jour, mourant de faim sur le pavé
J'ai ramassé du pain, frère, où j'en ai trouvé :
Dans la fainéantise et dans l'ignominie.
Oh ! quand j'avais vingt ans, crédule à mon génie,

Je me perdais, marchant pieds nus dans les chemins
En méditations sur le sort des humains ;
J'avais bâti des plans sur tout, – une montagne
De projets ; – je plaignais le malheur de l'Espagne ;
Je croyais, pauvre esprit, qu'au monde je manquais... –
320 Ami, le résultat, tu le vois : – un laquais !

DON CÉSAR

Oui, je le sais, la faim est une porte basse :
Et, par nécessité lorsqu'il faut qu'il y passe,
Le plus grand est celui qui se courbe le plus.
Mais le sort a toujours son flux et son reflux.
Espère.

RUY BLAS, *secouant la tête.*
Le marquis de Finlas est mon maître.

DON CÉSAR

Je le connais. – Tu vis dans ce palais, peut-être ?

RUY BLAS

Non, avant ce matin et jusqu'à ce moment
Je n'en avais jamais passé le seuil.

DON CÉSAR

Vraiment ?
Ton maître cependant pour sa charge y demeure.

RUY BLAS

330 Oui, car la cour le fait demander à toute heure.
Mais il a quelque part un logis inconnu,
Où jamais en plein jour peut-être il n'est venu.
À cent pas du palais. Une maison discrète.
Frère, j'habite là. Par la porte secrète
Dont il a seul la clef, quelquefois, à la nuit,
Le marquis vient, suivi d'hommes qu'il introduit.
Ces hommes sont masqués et parlent à voix basse.
Ils s'enferment, et nul ne sait ce qui se passe.
Là, de deux noirs muets je suis le compagnon.
340 Je suis pour eux le maître. Ils ignorent mon nom.

DON CÉSAR

Oui, c'est là qu'il reçoit, comme chef des alcades[26],
Ses espions, c'est là qu'il tend ses embuscades.
C'est un homme profond qui tient tout dans sa main.

RUY BLAS

Hier, il m'a dit : – Il faut être au palais demain.
Avant l'aurore. Entrez par la grille dorée. –
En arrivant il m'a fait mettre la livrée,
Car l'habit odieux sous lequel tu me vois,
Je le porte aujourd'hui pour la première fois.

DON CÉSAR, *lui serrant la main.*

Espère !

RUY BLAS

Espérer ! Mais tu ne sais rien encore.
350 Vivre sous cet habit qui souille et déshonore,
Avoir perdu la joie et l'orgueil, ce n'est rien.
Être esclave, être vil, qu'importe ! – Écoute bien.
Frère ! je ne sens pas cette livrée infâme,
Car j'ai dans ma poitrine une hydre aux dents de
[flamme

Qui me serre le cœur dans ses replis ardents.
Le dehors te fait peur ? si tu voyais dedans !

DON CÉSAR

Que veux-tu dire ?

RUY BLAS

Invente, imagine, suppose.
Fouille dans ton esprit. Cherches-y quelque chose
D'étrange, d'insensé, d'horrible et d'inouï.
360 Une fatalité dont on soit ébloui !
Oui, compose un poison affreux, creuse un abîme
Plus sourd que la folie et plus noir que le crime,
Tu n'approcheras pas encor de mon secret.
– Tu ne devines pas ? – Hé ! qui devinerait ? –
Zafari ! dans le gouffre où mon destin m'entraîne
Plonge les yeux ! – je suis amoureux de la reine !

26. Voir note 2, p. 36.

DON CÉSAR

Ciel !

RUY BLAS

Sous un dais orné du globe impérial[27],
Il est, dans Aranjuez ou dans l'Escurial[28],
– Dans ce palais[29], parfois, – mon frère, il est un
[homme
370 Qu'à peine on voit d'en bas, qu'avec terreur on
[nomme ;
Pour qui, comme pour Dieu, nous sommes égaux tous ;
Qu'on regarde en tremblant et qu'on sert à genoux ;
Devant qui se couvrir est un honneur insigne[30] ;
Qui peut faire tomber nos deux têtes d'un signe ;
Dont chaque fantaisie est un événement ;
Qui vit, seul et superbe, enfermé gravement
Dans une majesté redoutable et profonde,
Et dont on sent le poids dans la moitié du monde.
Eh bien ! – moi, le laquais, – tu m'entends, eh bien !
[oui,
380 Cet homme-là ! le roi ! je suis jaloux de lui !

DON CÉSAR

Jaloux du roi !

RUY BLAS

Hé ! oui, jaloux du roi ! sans doute.
Puisque j'aime sa femme !

DON CÉSAR

Oh ! malheureux !

RUY BLAS

Écoute.
Je l'attends tous les jours au passage. Je suis
Comme un fou ! Ho ! sa vie est un tissu d'ennuis,

---

27. Insigne de Charles Quint.
28. Résidence d'été des rois d'Espagne. L'Escurial est un palais
édifié au nord de Madrid par Philippe II.
29. Palais royal de Madrid.
30. Seuls les grands d'Espagne avaient le privilège de rester
couverts devant le roi.

À cette pauvre femme ! – Oui, chaque nuit j'y songe. –
Vivre dans cette cour de haine et de mensonge,
Mariée à ce roi qui passe tout son temps
À chasser ! Imbécile ! – un sot ! vieux à trente ans !
Moins qu'un homme ! à régner comme à vivre inhabile.
390 – Famille qui s'en va ! – Le père était débile
Au point qu'il ne pouvait tenir un parchemin.
– Oh ! si belle et si jeune, avoir donné sa main
À ce roi Charles Deux ! Elle ! Quelle misère !
– Elle va tous les soirs chez les sœurs du Rosaire,
Tu sais ? en remontant la rue Ortaleza[31].
Comment cette démence en mon cœur s'amassa,
Je l'ignore. Mais juge ! elle aime une fleur bleue[32]
D'Allemagne... – Je fais chaque jour une lieue,
Jusqu'à Caramanchel[33], pour avoir de ces fleurs.
400 J'en ai cherché partout sans en trouver ailleurs.
J'en compose un bouquet, je prends les plus jolies...
– Oh ! mais je te dis là des choses, des folies ! –
Puis à minuit, au parc royal, comme un voleur,
Je me glisse et je vais déposer cette fleur
Sur son banc favori. Même, hier, j'osai mettre
Dans le bouquet, – vraiment, plains-moi, frère ! – une
                                                    [lettre !
La nuit, pour parvenir jusqu'à ce banc, il faut
Franchir les murs du parc, et je rencontre en haut
Ces broussailles de fer qu'on met sur les murailles.
410 Un jour j'y laisserai ma chair et mes entrailles.
Trouve-t-elle mes fleurs, ma lettre ? je ne sai.
Frère, tu le vois bien, je suis un insensé.

DON CÉSAR

Diable ! ton algarade[34] a son danger. Prends garde.
Le comte d'Oñate, qui l'aime aussi, la garde
Et comme un majordome et comme un amoureux.
Quelque reître, une nuit, gardien peu langoureux,

---

31. Souvenir du séjour que Hugo fit enfant à Madrid.
32. Le myosotis.
33. Nom déformé de Carabanchel, ville de la banlieue de Madrid.
34. Ta folle aventure. Sens inusité du mot. Voir note 8, p. 40.

Pourrait bien, frère, avant que ton bouquet se fane,
Te le clouer au cœur d'un coup de pertuisane. –
Mais quelle idée ! aimer la reine ! ah çà, pourquoi ?
420 Comment diable as-tu fait ?

RUY BLAS, *avec emportement.*

                Est-ce que je sais, moi !
– Oh ! mon âme au démon ! je la vendrais pour être
Un des jeunes seigneurs que, de cette fenêtre,
Je vois en ce moment, comme un vivant affront,
Entrer, la plume au feutre et l'orgueil sur le front !
Oui, je me damnerais pour dépouiller ma chaîne,
Et pour pouvoir comme eux m'approcher de la reine
Avec un vêtement qui ne soit pas honteux !
Mais, ô rage ! être ainsi, près d'elle ! devant eux !
En livrée ! un laquais ! être un laquais pour elle !
430 Ayez pitié de moi, mon Dieu !

Se rapprochant de don César.

                  Je me rappelle.
Ne demandais-tu pas pourquoi je l'aime ainsi,
Et depuis quand ?... – Un jour... – Mais à quoi bon
                          [ceci ?
C'est vrai, je t'ai toujours connu cette manie !
Par mille questions vous mettre à l'agonie !
Demander où ? comment ? quand ? pourquoi ? Mon
                         [sang bout !
Je l'aime follement ! Je l'aime, voilà tout !

DON CÉSAR

Là, ne te fache pas.

RUY BLAS, *tombant épuisé et pâle sur le fauteuil.*
                Non. Je souffre. – Pardonne.
Ou plutôt, va, fuis-moi. Va-t'en, frère. Abandonne
Ce misérable fou qui porte avec effroi
440 Sous l'habit d'un valet les passions d'un roi !

DON CÉSAR, *lui posant la main sur l'épaule.*
Te fuir ! – Moi qui n'ai pas souffert, n'aimant personne,
Moi, pauvre grelot vide où manque ce qui sonne,
Gueux, qui vais mendiant l'amour je ne sais où,

À qui de temps en temps le destin jette un sou,
Moi, cœur éteint, dont l'âme, hélas ! s'est retirée,
Du spectacle d'hier affiche déchirée,
Vois-tu, pour cet amour dont tes regards sont pleins,
Mon frère, je t'envie autant que je te plains !
– Ruy Blas ! –

*Moment de silence. Ils se tiennent les mains serrées
en se regardant tous les deux avec une expression
de tristesse et d'amitié confiante. Entre don Salluste. Il s'avance à pas lents, fixant un regard
d'attention profonde sur don César et Ruy Blas, qui
ne le voient pas. Il tient d'une main un chapeau et
une épée qu'il apporte en entrant sur un fauteuil, et
de l'autre une bourse qu'il dépose sur la table.*

DON SALLUSTE, *à don César.*
Voici l'argent.

*À la voix de don Salluste, Ruy Blas se lève comme
réveillé en sursaut, et se tient debout, les yeux bais-
sés, dans l'attitude du respect.*

DON CÉSAR, *à part, regardant don Salluste de travers.*
Hum ! le diable m'emporte !
450 Cette sombre figure écoutait à la porte.
Bah ! qu'importe, après tout !

Haut à don Salluste.

Don Salluste, merci.

*Il ouvre la bourse, la répand sur la table et remue
avec joie les ducats, qu'il range en piles sur le tapis
de velours. Pendant qu'il les compte, don Salluste
va au fond, en regardant derrière lui s'il n'éveille
pas l'attention de don César. Il ouvre la petite porte
de droite. À un signe qu'il fait, trois alguazils armés
d'épées et vêtus de noir en sortent. Don Salluste
leur montre mystérieusement don César. Ruy Blas
se tient immobile et debout près de la table comme
une statue, sans rien voir ni rien entendre.*

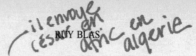
il envoye César en Afric en algerie

DON SALLUSTE, *bas, aux alguazils.*

Vous allez suivre, alors qu'il sortira d'ici,
L'homme qui compte là de l'argent. – En silence
Vous vous emparerez de lui. – Sans violence. –
Vous l'irez embarquer, par le plus court chemin,
À Denia[35] –

Il leur remet un parchemin scellé.

Voici l'ordre écrit de ma main. –
Enfin, sans écouter sa plainte chimérique,
Vous le vendrez en mer aux corsaires d'Afrique.
Mille piastres pour vous. Faites vite à présent !

Les trois alguazils s'inclinent et sortent.

DON CÉSAR, *achevant de ranger ses ducats.*

460   Rien n'est plus gracieux et plus divertissant
Que des écus à soi qu'on met en équilibre.

Il fait deux parts égales et se tourne vers Ruy Blas.

Frère, voici ta part. –

RUY BLAS
Comment !

DON CÉSAR, *lui montrant une des deux piles d'or.*
Prends ! viens ! sois libre !

DON SALLUSTE, *qui les observe, à part.*
Diable !

RUY BLAS, *secouant la tête en signe de refus.*
Non. C'est le cœur qu'il faudrait délivrer.
Non, mon sort est ici. Je dois y demeurer.

DON CÉSAR
Bien. Suis ta fantaisie. Es-tu fou ? suis-je sage ?
Dieu le sait.

35. Port espagnol sur la Méditerranée, dans la province d'Alicante.

Il ramasse l'argent et le jette dans le sac, qu'il empoche.

DON SALLUSTE, *au fond, à part, et les observant toujours.*
À peu près même air, même visage.

DON CÉSAR, *à Ruy Blas.*
Adieu.

RUY BLAS
Ta main !

Ils se serrent la main. Don César sort sans voir don Salluste, qui se tient à l'écart.

SCÈNE 4
Ruy Blas, Don Salluste.

DON SALLUSTE
Ruy Blas !

il signe un contrat pour être son laquais toujours

RUY BLAS, *se retournant vivement.*
Monseigneur ?

DON SALLUSTE
Ce matin,
Quand vous êtes venu, je ne suis pas certain
S'il faisait jour déjà ?

RUY BLAS
Pas encore, excellence.
470 J'ai remis au portier votre passe[36] en silence,
Et puis, je suis monté.

DON SALLUSTE
Vous étiez en manteau ?

36. Laissez-passer.

RUY BLAS

Oui, monseigneur.

DON SALLUSTE

                Personne, en ce cas, au château,
Ne vous a vu porter cette livrée encore ?

RUY BLAS

Ni personne à Madrid.

DON SALLUSTE, *désignant du doigt la porte*
par où est sorti don César.

                  C'est fort bien. Allez clore
Cette porte. Quittez cet habit.

Ruy Blas dépouille son surtout de livrée et le jette
sur un fauteuil.

                        Vous avez
Une belle écriture, il me semble. – Écrivez.

Il fait signe à Ruy Blas de s'asseoir à la table où
sont les plumes et les écritoires. Ruy Blas obéit.

Vous m'allez aujourd'hui servir de secrétaire.
D'abord un billet doux, – je ne veux rien vous taire, –
Pour ma reine d'amour, pour doña Praxedis,
480 Ce démon que je crois venu du paradis.
– Là, je dicte. « Un danger terrible est sur ma tête.
« Ma reine seule peut conjurer la tempête,
« En venant me trouver ce soir dans ma maison.
« Sinon, je suis perdu. Ma vie et ma raison
« Et mon cœur, je mets tout à ses pieds que je baise. »

Il rit et s'interrompt.

Un danger ! la tournure, au fait, n'est pas mauvaise
Pour l'attirer chez moi. C'est que, j'y suis expert,
Les femmes aiment fort à sauver qui les perd.
– Ajoutez : – « Par la porte au bas de l'avenue,
490 « Vous entrerez la nuit sans être reconnue.
« Quelqu'un de dévoué vous ouvrira. » – D'honneur,
C'est parfait. – Ah ! signez.

RUY BLAS
> Votre nom, monseigneur ?

DON SALLUSTE

Non pas. Signez CÉSAR. C'est mon nom d'aventure.

RUY BLAS, *après avoir obéi.*
La dame ne pourra connaître l'écriture ?

DON SALLUSTE

Bah ! le cachet suffit. J'écris souvent ainsi.
Ruy Blas, je pars ce soir, et je vous laisse ici.
J'ai sur vous les projets d'un ami très sincère.
Votre état va changer, mais il est nécessaire
De m'obéir en tout. Comme en vous j'ai trouvé
500 Un serviteur discret, fidèle et réservé...

RUY BLAS, *s'inclinant.*
Monseigneur !

DON SALLUSTE, *continuant.*
> Je vous veux faire un destin plus large.

RUY BLAS, *montrant le billet qu'il vient d'écrire.*
Où faut-il adresser la lettre ?

DON SALLUSTE
> Je m'en charge.

S'approchant de Ruy Blas d'un air significatif.

Je veux votre bonheur.

*Un silence. Il fait signe à Ruy Blas de se rasseoir
à la table.*

> Écrivez : – « Moi, Ruy Blas,
« Laquais de monseigneur le marquis de Finlas,
« En toute occasion, ou secrète ou publique,
« M'engage à le servir comme un bon domestique. »

Ruy Blas obéit.

– Signez de votre nom. La date. Bien. Donnez.

*Il ploie et serre dans son portefeuille la lettre et le
papier que Ruy Blas vient d'écrire.*

On vient de m'apporter une épée. Ah ! tenez,
Elle est sur ce fauteuil.

*Il désigne le fauteuil sur lequel il a posé l'épée et
le chapeau. Il y va et prend l'épée.*

L'écharpe est d'une soie
510 Peinte et brodée au goût le plus nouveau qu'on voie.

Il lui fait admirer la souplesse du tissu.

Touchez. – Que dites-vous, Ruy Blas, de cette fleur ?
La poignée est de Gil, le fameux ciseleur,
Celui qui le mieux creuse, au gré des belles filles,
Dans un pommeau d'épée une boîte à pastilles.

*Il passe au cou de Ruy Blas l'écharpe, à laquelle
est attachée l'épée.*

Mettez-la donc. – Je veux en voir sur vous l'effet.
– Mais vous avez ainsi l'air d'un seigneur parfait !

Écoutant.

On vient... oui. C'est bientôt l'heure où la reine passe. –
– Le marquis del Basto ! –

*La porte du fond sur la galerie s'ouvre. Don Sal-
luste détache son manteau et le jette vivement sur
les épaules de Ruy Blas, au moment où le marquis
del Basto paraît ; puis il va droit au marquis, en
entraînant avec lui Ruy Blas stupéfait.*

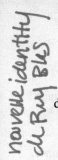

nouvelle identity du Ruy Blas

SCÈNE 5
Don Salluste, Ruy Blas, Don Pamfilo
d'Avalos, marquis del Basto. – *Puis* le marquis
de Santa-Cruz. – *Puis le* comte d'Albe. –
Puis toute la cour.

DON SALLUSTE, *au marquis del Basto.*
Souffrez qu'à votre grâce
Je présente, marquis, mon cousin don César,
520 Comte de Garofa près de Velalcazar[37].

RUY BLAS, *à part.*
Ciel !

DON SALLUSTE, *bas, à Ruy Blas.*
Taisez-vous !

LE MARQUIS DEL BASTO, *saluant Ruy Blas.*
Monsieur... charmé...

*Il lui prend la main, que Ruy Blas lui livre avec
embarras.*

DON SALLUSTE, *bas, à Ruy Blas.*
Laissez-vous faire.
Saluez !

Ruy Blas salue le marquis.

LE MARQUIS DEL BASTO, *à Ruy Blas.*
J'aimais fort madame votre mère.

Bas, à don Salluste, en lui montrant Ruy Blas.

Bien changé ! Je l'aurais à peine reconnu.

DON SALLUSTE, *bas, au marquis.*
Dix ans d'absence !

37. Ville de la province de Cordoue.

LE MARQUIS DEL BASTO, *de même.*
Au fait !

DON SALLUSTE, *frappant sur l'épaule de Ruy Blas.*
Le voilà revenu !
Vous souvient-il, marquis ? oh ! quel enfant prodigue !
Comme il vous répandait les pistoles sans digue !
Tous les soirs danse et fête au vivier d'Apollo[38]
Et cent musiciens faisant rage sur l'eau !
À tous moments, galas, masques, concerts, fredaines,
530 Éblouissant Madrid de visions soudaines !
– En trois ans, ruiné ! – c'était un vrai lion.
– Il arrive de l'Inde avec le galion[39].

RUY BLAS, *avec embarras.*
Seigneur...

DON SALLUSTE, *gaiement.*
Appelez-moi cousin, car nous le sommes.
Les Bazan sont, je crois, d'assez francs gentilshommes
Nous avons pour ancêtre Iniguez d'Iviza.
Son petit-fils, Pedro de Bazan, épousa
Marianne de Gor. Il eut de Marianne
Jean, qui fut général de la mer océane[40]
Sous le roi don Philippe, et Jean eut deux garçons
540 Qui sur notre arbre antique ont greffé deux blasons.
Moi, je suis le marquis de Finlas ; vous, le comte
De Garofa. Tous deux se valent si l'on compte.
Par les femmes, César, notre rang est égal.
Vous êtes Aragon, moi je suis Portugal.
Votre branche n'est pas moins haute que la nôtre.
Je suis le fruit de l'une, et vous la fleur de l'autre.

RUY BLAS, *à part.*
Où donc m'entraîne-t-il ?

Pendant que don Salluste a parlé, le marquis de

38. Le bassin d'Apollon, lieu onirique évoquant l'atmosphère
des jardins à la française et des fêtes fastueuses qui s'y déroulent.
39. Vaisseau qui rapportait l'or du Nouveau Monde (Indes
occidentales).
40. Amiral commandant la flotte de l'Atlantique.

Santa-Cruz, don Alvar de Bazan y Benavides, vieil-
lard à moustache blanche et à grande perruque,
s'est approché d'eux.

LE MARQUIS DE SANTA-CRUZ, *à don Salluste.*

                    Vous l'expliquez fort bien.
S'il est votre cousin, il est aussi le mien.

DON SALLUSTE

Cest vrai, car nous avons une même origine,
550 Monsieur de Santa-Cruz.

Il lui présente Ruy Blas.

                    Don César.

LE MARQUIS DE SANTA-CRUZ

                              J'imagine
Que ce n'est pas celui qu'on croyait mort.

DON SALLUSTE

                                        Si fait.

LE MARQUIS DE SANTA-CRUZ
Il est donc revenu ?

DON SALLUSTE
          Des Indes.

LE MARQUIS DE SANTA-CRUZ, *examinant Ruy Blas.*
                    En effet !

DON SALLUSTE
Vous le reconnaissez ?

LE MARQUIS DE SANTA-CRUZ
                    Pardieu ! je l'ai vu naître !

DON SALLUSTE, *bas, à Ruy Blas.*
Le bonhomme est aveugle et se défend de l'être.
Il vous a reconnu pour prouver ses bons yeux.

LE MARQUIS DE SANTA-CRUZ, *tendant la main à Ruy Blas.*
Touchez là, mon cousin.

RUY BLAS, *s'inclinant.*
                 Seigneur...

LE MARQUIS DE SANTA-CRUZ, *bas à don Salluste et lui*
                 montrant Ruy Blas.

                                    On n'est pas mieux !

     À Ruy Blas.

Charmé de vous revoir !

   DON SALLUSTE, *bas au marquis et le prenant à part.*
                              Je vais payer ses dettes.
Vous le pouvez servir dans le poste où vous êtes.
Si quelque emploi de cour vaquait en ce moment,
560 Chez le roi, – chez la reine... –

        LE MARQUIS DE SANTA-CRUZ, *bas.*
                         Un jeune homme charmant !
J'y vais songer. – Et puis, il est de la famille.

             DON SALLUSTE, *bas.*
Vous avez tout crédit au conseil de Castille.
Je vous le recommande.

        Il quitte le marquis de Santa-Cruz, et va à d'autres
        seigneurs, auxquels il présente Ruy Blas. Parmi eux
        le comte d'Albe, très superbement paré.
        Don Salluste lui présente Ruy Blas.

                                Un mien cousin, César,
Comte de Garofa près de Velalcazar.

        Les seigneurs échangent gravement des révérences
        avec Ruy Blas interdit. Don Salluste, au comte de
        Ribagorza.

Vous n'étiez pas hier au ballet d'Atalante [41] ?
Lindamire a dansé d'une façon galante.

---

41. Ballet mythologique représentant sans doute l'aventure
d'Atalante. Cette jeune fille, très rapide à la course, ne voulait accepter pour époux que celui qui serait capable de la distancer. Hippomène y parvint en jetant devant elle des pommes d'or qu'elle ramassa.

Il s'extasie sur le pourpoint du comte d'Albe.

C'est très beau, comte d'Albe !

LE COMTE D'ALBE

                          Ah ! j'en avais encor
Un plus beau. Satin rose avec des rubans d'or.
Matalobos me l'a volé.

UN HUISSIER DE COUR, *au fond.*

                    La reine approche.
570 Prenez vos rangs, messieurs.

> *Les grands rideaux de la galerie vitrée s'ouvrent.*
> *Les seigneurs s'échelonnent près de la porte. Des*
> *gardes font la haie. Ruy Blas, haletant, hors de lui,*
> *vient sur le devant comme pour s'y réfugier. Don*
> *Salluste l'y suit.*

DON SALLUSTE, *bas, à Ruy Blas.*

                  Est-ce que, sans reproche,
Quand votre sort grandit, votre esprit s'amoindrit ?
Réveillez-vous, Ruy Blas. Je vais quitter Madrid.
Ma petite maison, près du pont, où vous êtes,
– Je n'en veux rien garder, hormis les clefs secrètes, –
Ruy Blas, je vous la donne, et les muets aussi.
Vous recevrez bientôt d'autres ordres. Ainsi
Faites ma volonté, je fais votre fortune.
Montez, ne craignez rien, car l'heure est opportune.
La cour est un pays où l'on va sans voir clair.
580 Marchez les yeux bandés ; j'y vois pour vous, mon
cher !

> *De nouveaux gardes paraissent au fond.*

L'HUISSIER, *à haute voix.*

La reine !

RUY BLAS, *à part.*

La reine ! ah !

> *La reine, vêtue magnifiquement, paraît, entourée de*
> *dames et de pages, sous un dais de velours écarlate*
> *porté par quatre gentilshommes de chambre, tête*

nue. Ruy Blas, effaré, la regarde comme absorbé par cette resplendissante vision. Tous les grands d'Espagne se couvrent, le marquis del Basto, le comte d'Albe, le marquis de Santa-Cruz, don Salluste. Don Salluste va rapidement au fauteuil, et y prend le chapeau, qu'il apporte à Ruy Blas.

DON SALLUSTE, *à Ruy Blas, en lui mettant le chapeau sur la tête.*

                    Quel vertige vous gagne ?
Couvrez-vous, don César. Vous êtes grand d'Espagne.

RUY BLAS, *éperdu, bas à don Salluste.*
Et que m'ordonnez-vous, seigneur, présentement ?

DON SALLUSTE, *lui montrant la reine, qui traverse lentement la galerie.*
De plaire à cette femme et d'être son amant.

ACTE II

LA REINE D'ESPAGNE [1]

Un salon contigu à la chambre à coucher de la reine.
À gauche, une petite porte donnant dans cette chambre.
À droite, sur un pan coupé, une autre porte donnant
dans les appartements extérieurs. Au fond, de grandes
fenêtres ouvertes. C'est l'après-midi d'une belle jour-
née d'été. Grande table. Fauteuils. Une figure de
sainte, richement enchâssée, est adossée au mur ; au
bas on lit : Santa Maria Esclava. *Au côté opposé est*
une madone devant laquelle brûle une lampe d'or. Près
de la madone, un portrait en pied du roi Charles II.

Au lever du rideau, la reine doña Maria de Neu-
bourg est dans un coin, assise à côté d'une de ses fem-
mes, jeune et jolie fille. La reine est vêtue de blanc,
robe de drap d'argent. Elle brode et s'interrompt par
moments pour causer. Dans le coin opposé est assise,
sur une chaise à dossier, doña Juana de la Cueva,
duchesse d'Albuquerque, camerera mayor [2] une tapis-
serie à la main ; vieille femme en noir. Près de la
duchesse, à une table, plusieurs duègnes travaillant à
des ouvrages de femmes. Au fond, se tient don Guritan,
comte d'Oñate, majordome, grand, sec, moustaches
grises, cinquante-cinq ans environ ; mine de vieux mili-
taire, quoique vêtu avec une élégance exagérée et qu'il
ait des rubans jusque sur les souliers.

---

1. Hugo avait d'abord intitulé cet acte « La reine s'ennuie ». Un drame de Latouche, intitulé *La Reine d'Espagne,* fut représenté au Théâtre-Français le 5 novembre 1831.
2. Première dame d'honneur dirigeant la maison de la reine.

➡️Voir *Au fil du texte*, p. 202.

SCÈNE I

La Reine, la duchesse d'Albuquerque,
Don Guritan, Casilda, Duègnes.

LA REINE

Il est parti pourtant ! Je devrais être à l'aise.
Eh bien, non ! ce marquis de Finlas, il me pèse !
Cet homme-là me hait.

CASILDA

      Selon votre souhait
N'est-il pas exilé ?

LA REINE

     Cet homme-là me hait.

CASILDA

Votre majesté...

LA REINE

     Vrai ! Casilda, c'est étrange,
590 Ce marquis est pour moi comme le mauvais ange.
L'autre jour, il devait partir le lendemain,
Et, comme à l'ordinaire, il vint au baise-main[3].
Tous les grands s'avançaient vers le trône à la file ;
Je leur livrais ma main, j'étais triste et tranquille,
Regardant vaguement, dans le salon obscur,
Une bataille au fond peinte sur un grand mur,
Quand tout à coup, mon œil se baissant vers la table,
Je vis venir à moi cet homme redoutable !
Sitôt que je le vis, je ne vis plus que lui.
600 Il venait à pas lents, jouant avec l'étui
D'un poignard dont parfois j'entrevoyais la lame,
Grave, et m'éblouissant de son regard de flamme.
Soudain il se courba, souple et comme rampant... –
Je sentis sur ma main sa bouche de serpent !

___

3. Cérémonie d'hommage au souverain.

CASILDA

Il rendait ses devoirs ; – rendons-nous [4] pas les nôtres ?

LA REINE

Sa lèvre n'était pas comme celle des autres.
C'est la dernière fois que je l'ai vu. Depuis,
J'y pense très souvent. J'ai bien d'autres ennuis,
C'est égal, je me dis : – L'enfer est dans cette âme.
610 Devant cet homme-là je ne suis qu'une femme. –
Dans mes rêves, la nuit, je rencontre en chemin
Cet effrayant démon qui me baise la main ;
Je vois luire son œil d'où rayonne la haine ;
Et, comme un noir poison qui va de veine en veine,
Souvent, jusqu'à mon cœur qui semble se glacer,
Je sens en longs frissons courir son froid baiser !
Que dis-tu de cela ?

CASILDA

Purs fantômes, madame.

LA REINE

Au fait, j'ai des soucis bien plus réels dans l'âme.

À part.

Oh ! ce qui me tourmente, il faut le leur cacher.

À Casilda.

620 Dis-moi, ces mendiants qui n'osaient approcher...

CASILDA, *allant à la fenêtre.*

Je sais, madame. Ils sont encor là, dans la place.

LA REINE

Tiens ! jette-leur ma bourse.

Casilda prend la bourse et va la jeter par la fenêtre.

CASILDA

Oh ! madame, par grâce,
Vous qui faites l'aumône avec tant de bonté,

4. Ellipse classique de la négation.

Montrant à la reine don Guritan, qui, debout et
silencieux au fond de la chambre, fixe sur la reine
un œil plein d'adoration muette.

Ne jetterez-vous rien au comte d'Oñate ?
Rien qu'un mot ! – Un vieux brave ! amoureux sous
                                   [l'armure !
D'autant plus tendre au cœur que l'écorce est plus
                                     [dure !

LA REINE

Il est bien ennuyeux !

CASILDA

            J'en conviens. – Parlez-lui !

LA REINE, *se tournant vers don Guritan.*

Bonjour, comte.

Don Guritan s'approche avec trois révérences, et
vient baiser en soupirant la main de la reine, qui le
laisse faire d'un air indifférent et distrait. Puis il
retourne à sa place, à côté du siège de la camerera
mayor.

DON GURITAN, *en se retirant, bas à Casilda.*

            La reine est charmante aujourd'hui !

CASILDA, *le regardant s'éloigner.*

Oh ! le pauvre héron ! près de l'eau qui le tente
630 Il se tient. Il attrape, après un jour d'attente,
Un bonjour, un bonsoir, souvent un mot bien sec,
Et s'en va tout joyeux, cette pâture au bec.

LA REINE, *avec un sourire triste.*

Tais-toi !

CASILDA

       Pour être heureux, il suffit qu'il vous voie !
Voir la reine, pour lui cela veut dire : – joie !

S'extasiant sur une boîte posée sur le guéridon.

Oh ! la divine boîte !

LA REINE
Ah ! j'en ai la clef là.

CASILDA
Ce bois de calambour [5] est exquis !

LA REINE, *lui présentant la clef.*
Ouvre-la.
Vois : – je l'ai fait emplir de reliques, ma chère ;
Puis je vais l'envoyer à Neubourg, à mon père ;
Il sera très content !

Elle rêve un instant, puis s'arrache vivement à sa rêverie. À part.

Je ne veux pas penser !
640 Ce que j'ai dans l'esprit, je voudrais le chasser.

À Casilda.

Va chercher dans ma chambre un livre... – Je suis folle !
Pas un livre allemand ! tout en langue espagnole !
Le roi chasse. Toujours absent. Ah ! quel ennui !
En six mois, j'ai passé douze jours près de lui.

CASILDA
Épousez donc un roi pour vivre de la sorte !

La reine retombe dans sa rêverie, puis en sort de nouveau violemment et comme avec effort.

LA REINE
Je veux sortir !

À ce mot, prononcé impérieusement par la reine, la duchesse d'Albuquerque, qui est jusqu'à ce moment restée immobile sur son siège, lève la tête, puis se dresse debout et fait une profonde révérence à la reine.

LA DUCHESSE D'ALBUQUERQUE, *d'une voix brève et dure.*
Il faut, pour que la reine sorte,

5. Bois précieux.

Que chaque porte soit ouverte, – c'est réglé ! –
Par un des grands d'Espagne ayant droit à la clé.
Or nul d'eux ne peut être au palais à cette heure.

LA REINE

650 Mais on m'enferme donc ! mais on veut que je meure,
Duchesse, enfin !

LA DUCHESSE, *avec une nouvelle révérence.*
Je suis camerera mayor,
Et je remplis ma charge.

Elle se rassied.

LA REINE, *prenant sa tête à deux mains, avec désespoir, à
part.*
Allons rêver encor !
Non !

Haut.

– Vite ! un lansquenet[6] ! à moi, toutes mes femmes !
Une table, et jouons !

LA DUCHESSE, *aux duègnes.*
Ne bougez pas, mesdames.

Se levant et faisant la révérence à la reine.

Sa majesté ne peut, suivant l'ancienne loi,
Jouer qu'avec des rois ou des parents du roi.

LA REINE, *avec emportement.*
Eh bien ! faites venir ces parents.

CASILDA, *à part, regardant la duchesse.*
Oh ! la duègne !

LA DUCHESSE, *avec un signe de croix.*
Dieu n'en a pas donné, madame, au roi qui règne.
La reine mère est morte. Il est seul à présent.

LA REINE

660 Qu'on me serve à goûter !

6. Jeu de cartes.

CASILDA

Oui, c'est très amusant.

LA REINE

Casilda, je t'invite.

CASILDA, *à part, regardant la camerera.*

Oh ! respectable aïeule !

LA DUCHESSE, *avec une révérence.*

Quand le roi n'est pas là, la reine mange seule.

Elle se rassied.

LA REINE, *poussée à bout.*

Ne pouvoir, – ô mon Dieu ! qu'est-ce que je ferai ? –
Ni sortir, ni jouer, ni manger à mon gré !
Vraiment, je meurs depuis un an que je suis reine.

CASILDA, *à part, la regardant avec compassion.*

Pauvre femme ! passer tous ses jours dans la gêne,
Au fond de cette cour insipide ! et n'avoir
D'autre distraction que le plaisir de voir,
Au bord de ce marais à l'eau dormante et plate,

*Regardant don Guritan, toujours immobile et debout
au fond de la chambre.*

670 Un vieux comte amoureux rêvant sur une patte !

LA REINE, *à Casilda.*

Que faire ? voyons ! cherche une idée.

CASILDA

Ah ! tenez !

En l'absence du roi, c'est vous qui gouvernez.
Faites, pour vous distraire, appeler les ministres !

LA REINE, *haussant les épaules.*

Ce plaisir ! – avoir là huit visages sinistres
Me parlant de la France et de son roi caduc [7],
De Rome, et du portrait de monsieur l'archiduc [8],

---

7. Louis XIV avait soixante ans en 1698.
8. L'archiduc Joseph-Charles, fils de l'empereur Léopold et de

Qu'on promène à Burgos[9], parmi des cavalcades,
Sous un dais de drap d'or porté par quatre alcades !
— Cherche autre chose.

CASILDA

Eh bien, pour vous désennuyer,
680 Si je faisais monter quelque jeune écuyer ?

LA REINE

Casilda !

CASILDA

Je voudrais regarder un jeune homme,
Madame ! cette cour vénérable m'assomme.
Je crois que la vieillesse arrive par les yeux,
Et qu'on vieillit plus vite à voir toujours des vieux !

LA REINE

Ris, folle ! — Il vient un jour où le cœur se reploie.
Comme on perd le sommeil, enfant, on perd la joie.

Pensive.

Mon bonheur, c'est ce coin du parc où j'ai le droit
D'aller seule.

CASILDA

Oh ! le beau bonheur, l'aimable endroit !
Des pièges sont creusés derrière tous les marbres.
690 On ne voit rien. Les murs sont plus hauts que les arbres.

LA REINE

Oh ! je voudrais sortir parfois !

CASILDA, *bas.*

Sortir ! Eh bien,
Madame, écoutez-moi. Parlons bas. Il n'est rien
De tel qu'une prison bien austère et bien sombre
Pour vous faire chercher et trouver dans son ombre
Ce bijou rayonnant nommé la clef des champs.

la seconde fille de Philippe IV. Le parti autrichien, dont était Marie
de Neubourg, soutenait ses droits au trône espagnol.
    9. Ville tenue par le parti autrichien.

– Je l'ai ! – Quand vous voudrez, en dépit des
                                        [méchants,
Je vous ferai sortir, la nuit, et par la ville
Nous irons.

LA REINE
Ciel ! jamais ! tais-toi !

CASILDA
                    C'est très facile !

LA REINE
Paix !

*Elle s'éloigne un peu de Casilda et retombe dans
sa rêverie.*

Que ne suis-je encor, moi qui crains tous ces grands,
700 Dans ma bonne Allemagne, avec mes bons parents !
Comme, ma sœur et moi, nous courions dans les
                                        [herbes !
Et puis des paysans passaient, traînant des gerbes ;
Nous leur parlions. C'était charmant. Hélas ! un soir,
Un homme vint, qui dit, – il était tout en noir,
Je tenais par la main ma sœur, douce compagne, –
« Madame, vous allez être reine d'Espagne. »
Mon père était joyeux et ma mère pleurait.
Ils pleurent tous les deux à présent. – En secret
Je vais faire envoyer cette boîte à mon père,
710 Il sera bien content. – Vois, tout me désespère.
Mes oiseaux d'Allemagne, ils sont tous morts.

*Casilda fait le signe de tordre le cou à des oiseaux,
en regardant de travers la camerera* [10].

                                        Et puis
On m'empêche d'avoir des fleurs de mon pays.
Jamais à mon oreille un mot d'amour ne vibre.
Aujourd'hui je suis reine. Autrefois j'étais libre !
Comme tu dis, ce parc est bien triste le soir,

---

10. Épisode authentique rapporté par Mme d'Aulnoy. Voir le
dossier historique et littéraire, p. 249.

Et les murs sont si hauts, qu'ils empêchent de voir.
– Oh ! l'ennui !

On entend au dehors un chant éloigné.

Qu'est ce bruit ?

CASILDA

Ce sont les lavandières
Qui passent en chantant, là-bas, dans les bruyères.

Le chant se rapproche. On distingue les paroles. La reine écoute avidement.

VOIX DU DEHORS
À quoi bon entendre
720   Les oiseaux des bois ?
L'oiseau le plus tendre
Chante dans ta voix.

Que Dieu montre ou voile
Les astres des cieux !
La plus pure étoile
Brille dans tes yeux.

Qu'avril renouvelle
Le jardin en fleur !
La fleur la plus belle
730   Fleurit dans ton cœur.

Cet oiseau de flamme,
Cet astre du jour,
Cette fleur de l'âme,
S'appelle l'amour !

Les voix décroissent et s'éloignent.

LA REINE, *rêveuse.*
L'amour ! – oui, celles-là sont heureuses. – Leur voix,
Leur chant me fait du mal et du bien à la fois.

LA DUCHESSE, *aux duègnes.*
Ces femmes dont le chant importune la reine,
Qu'on les chasse !

LA REINE, *vivement.*
>   Comment ! on les entend à peine.
Pauvres femmes ! je veux qu'elles passent en paix,
740 Madame.

> *À Casilda en lui montrant une croisée au fond.*

>   Par ici le bois est moins épais,
Cette fenêtre-là donne sur la campagne ;
Viens, tâchons de les voir.

> *Elle se dirige vers la fenêtre avec Casilda.*

LA DUCHESSE, *se levant avec une révérence.*
>   Une reine d'Espagne
Ne doit pas regarder à la fenêtre.

LA REINE, *s'arrêtant et revenant sur ses pas.*
>   Allons !
Le beau soleil couchant qui remplit les vallons,
La poudre d'or du soir qui monte sur la route,
Les lointaines chansons que toute oreille écoute,
N'existent plus pour moi ! j'ai dit au monde adieu.
Je ne puis même voir la nature de Dieu !
Je ne puis même voir la liberté des autres !

LA DUCHESSE, *faisant signe aux assistants de sortir.*
750 Sortez, c'est aujourd'hui le jour des saints apôtres[11].

> *Casilda fait quelques pas vers la porte. La reine l'arrête.*

LA REINE
Tu me quittes ?

CASILDA, *montrant la duchesse.*
>   Madame, on veut que nous sortions.

LA DUCHESSE, *saluant la reine jusqu'à terre.*
Il faut laisser la reine à ses dévotions.

> *Tous sortent avec de profondes révérences.*

comique : trois = protocals
          trois = repsec

11. Fête des apôtres Pierre et Paul. Nous sommes donc le 29 juin.
trois = idees

SCÈNE 2
La Reine, *seule.*

À ses dévotions ? dis donc à sa pensée !
Où la fuir maintenant ? Seule ! ils m'ont tous laissée.
Pauvre esprit sans flambeau dans un chemin obscur !

    Rêvant.

Oh ! cette main sanglante empreinte sur le mur !
Il s'est donc blessé ? Dieu ! – mais aussi c'est sa faute.
Pourquoi vouloir franchir la muraille si haute ?
Pour m'apporter les fleurs qu'on me refuse ici,
760 Pour cela, pour si peu, s'aventurer ainsi !
C'est aux pointes de fer qu'il s'est blessé sans doute.
Un morceau de dentelle y pendait. Une goutte
De ce sang répandu pour moi vaut tous mes pleurs.

    S'enfonçant dans sa rêverie.

Chaque fois qu'à ce banc je vais chercher les fleurs,
Je promets à mon Dieu, dont l'appui me délaisse,
De n'y plus retourner. J'y retourne sans cesse.
– Mais lui ! voilà trois jours qu'il n'est pas revenu.
– Blessé ! – Qui que tu sois, ô jeune homme inconnu,
Toi qui, me voyant seule et loin de ce qui m'aime,
770 Sans me rien demander, sans rien espérer même,
Viens à moi, sans compter les périls où tu cours ;
Toi qui verses ton sang, toi qui risques tes jours
Pour donner une fleur à la reine d'Espagne ;
Qui que tu sois, ami dont l'ombre m'accompagne,
Puisque mon cœur subit une inflexible loi,
Sois aimé par ta mère et sois béni par moi !

    Vivement et portant la main à son cœur.

– Oh ! sa lettre me brûle !

    Retombant dans sa rêverie.

                                        Et l'autre ! l'implacable
Don Salluste ! le sort me protège et m'accable.
En même temps qu'un ange, un spectre affreux me
                                                    [suit ;
780 Et, sans les voir, je sens s'agiter dans ma nuit,
Pour m'amener peut-être à quelque instant suprême,
Un homme qui me hait près d'un homme qui m'aime.
L'un me sauvera-t-il de l'autre ? Je ne sais.
Hélas ! mon destin flotte à deux vents opposés.
Que c'est faible, une reine, et que c'est peu de chose !
Prions.

       Elle s'agenouille devant la madone.

          – Secourez-moi, madame ! car je n'ose
Élever mon regard jusqu'à vous !

       Elle s'interrompt.

                                  – Ô mon Dieu !
La dentelle, la fleur, la lettre, c'est du feu !

       *Elle met la main dans sa poitrine et en arrache une
       lettre froissée, un bouquet desséché de petites fleurs
       bleues et un morceau de dentelle taché de sang
       qu'elle jette sur la table ; puis elle retombe à
       genoux.*

Vierge, astre de la mer ! Vierge, espoir du martyre [12].
790 Aidez-moi ! –

       S'interrompant.

                         Cette lettre !

       Se tournant à demi vers la table.

                                  Elle est là qui m'attire.

       S'agenouillant de nouveau.

Je ne veux plus la lire ! – Ô reine de douceur !
Vous qu'à tout affligé Jésus donne pour sœur !

---

12. La prière de la reine s'inspire à la fois de l'*Hymne à la
Vierge* (Ave, Maris Stella) et des *Litanies*.

Venez, je vous appelle ! –

Elle se lève, fait quelques pas vers la table, puis
s'arrête, puis enfin se précipite sur la lettre, comme
cédant à une attraction irrésistible.

                      Oui, je vais la relire
Une dernière fois ! Après, je la déchire !

Avec un sourire triste.

Hélas ! depuis un mois je dis toujours cela.

Elle déplie la lettre résolument et lit.

« Madame, sous vos pieds, dans l'ombre, un homme
                                [est là
« Qui vous aime, perdu dans la nuit qui le voile ;
« Qui souffre, ver de terre amoureux d'une étoile ;
« Qui pour vous donnera son âme, s'il le faut ;
800 « Et qui se meurt en bas quand vous brillez en haut. »

Elle pose la lettre sur la table.

Quand l'âme a soif, il faut qu'elle se désaltère,
Fût-ce dans du poison !

Elle remet la lettre et la dentelle dans sa poitrine.

                      Je n'ai rien sur la terre.
Mais enfin il faut bien que j'aime quelqu'un, moi !
Oh ! s'il avait voulu, j'aurais aimé le roi.
Mais il me laisse ainsi, – seule, – d'amour privée.

La grande porte s'ouvre à deux battants. Entre un
huissier de chambre en grand costume.

            L'HUISSIER, *à haute voix.*
Une lettre du roi !

LA REINE, *comme réveillée en sursaut, avec un cri de joie.*
                    Du roi ! je suis sauvée !

SCÈNE 3

La Reine, la duchesse d'Albuquerque,
Casilda, Don Guritan, femmes de la Reine, pages,
Ruy Blas.

*Tous entrent gravement. La duchesse en tête, puis
les femmes. Ruy Blas reste au fond de la chambre.
Il est magnifiquement vêtu. Son manteau tombe sur
son bras gauche et le cache. Deux pages, portant
sur un coussin de drap d'or la lettre du roi, viennent
s'agenouiller devant la reine, à quelques pas de
distance.*

RUY BLAS, *au fond, à part.*
Où suis-je ? – Qu'elle est belle ! – Oh ! pour qui suis-je
[ici ?

LA REINE, *à part.*
C'est un secours du ciel !

Haut.

Donnez vite !

Se retournant vers le portrait du roi.

Merci,
Monseigneur !

À la duchesse.

D'où me vient cette lettre ?

LA DUCHESSE

Madame,
810 D'Aranjuez [13], où le roi chasse.

LA REINE
Du fond de l'âme

13. Résidence d'été des rois d'Espagne.

Je lui rends grâce. Il a compris qu'en mon ennui
J'avais besoin d'un mot d'amour qui vînt de lui !
– Mais donnez donc.

LA DUCHESSE, *avec une révérence, montrant la lettre.*
                              L'usage, il faut que je le dise,
Veut que ce soit d'abord moi qui l'ouvre et la lise.

LA REINE

Encore ! – Eh bien, lisez !

La duchesse prend la lettre et la déploie lentement.

CASILDA, *à part.*
                              Voyons le billet doux.

LA DUCHESSE, *lisant.*
« Madame, il fait grand vent et j'ai tué six loups. »
Signé : « CARLOS[14]. »

LA REINE, *à part.*
                              Hélas !

DON GURITAN, *à la duchesse.*
                              C'est tout ?

LA DUCHESSE

                              Oui, seigneur comte.

CASILDA, *à part.*
Il a tué six loups ! comme cela vous monte
L'imagination ! Votre cœur est jaloux,
820   Tendre, ennuyé, malade ? – Il a tué six loups !

LA DUCHESSE, *à la reine, en lui présentant la lettre.*
Si sa majesté veut ?...

LA REINE, *la repoussant.*
                              Non.

CASILDA, *à la duchesse.*
                              C'est bien tout ?

---

14. Autre épisode rapporté par Mme d'Aulnoy. Voir le dossier
historique et littéraire, p. 251.

LA DUCHESSE

Sans doute.
Que faut-il donc de plus ? Notre roi chasse ; en route
Il écrit ce qu'il tue avec le temps qu'il fait.
C'est fort bien.

Examinant de nouveau la lettre.

Il écrit ? non, il dicte.

LA REINE, *lui arrachant la lettre et l'examinant à son tour.*

En effet,
Ce n'est pas de sa main. Rien que sa signature !

Elle l'examine avec plus d'attention et paraît frappée de stupeur. À part.

Est-ce une illusion ? c'est la même écriture
Que celle de la lettre !

Elle désigne de la main la lettre qu'elle vient de cacher sur son cœur.

Oh ! qu'est-ce que cela ?

À la duchesse.

Où donc est le porteur du message ?

LA DUCHESSE, *montrant Ruy Blas.*

Il est là.

LA REINE, *se tournant à demi vers Ruy Blas.*
Ce jeune homme ?

LA DUCHESSE

C'est lui qui l'apporte en personne.
830 — Un nouvel écuyer que sa majesté donne
À la reine. Un seigneur que, de la part du roi,
Monsieur de Santa-Cruz me recommande, à moi.

LA REINE

Son nom ?

LA DUCHESSE
C'est le seigneur César de Bazan, comte

De Garofa. S'il faut croire ce qu'on raconte,
C'est le plus accompli gentilhomme qui soit.

LA REINE

Bien. Je veux lui parler.

À Ruy Blas.

Monsieur...

RUY BLAS, *à part, tressaillant.*

Elle me voit !

Elle me parle ! Dieu ! je tremble.

LA DUCHESSE, *à Ruy Blas.*

Approchez, comte.

DON GURITAN, *regardant Ruy Blas de travers, à part.*
Ce jeune homme ! écuyer ! ce n'est pas là mon compte.

Ruy Blas, pâle et troublé, approche à pas lents.

LA REINE, *à Ruy Blas.*

Vous venez d'Aranjuez ?

RUY BLAS, *s'inclinant.*

Oui, madame.

LA REINE

Le roi

840 Se porte bien ?

Ruy Blas s'incline, elle montre la lettre royale.

Il a dicté ceci pour moi ?

RUY BLAS

Il était à cheval, il a dicté la lettre...

Il hésite un moment.

À l'un des assistants.

LA REINE, *à part, regardant Ruy Blas.*

Son regard me pénètre.

Je n'ose demander à qui.

Haut.

C'est bien, allez.

Ruy Blas, qui avait fait quelques pas pour sortir,
revient vers la reine.

Beaucoup de seigneurs étaient là rassemblés ?

À part.

Pourquoi donc suis-je émue en voyant ce jeune
homme ?

Ruy Blas s'incline, elle reprend.

Lesquels ?

RUY BLAS

Je ne sais point les noms dont on les nomme.
Je n'ai passé là-bas que des instants fort courts.
Voilà trois jours que j'ai quitté Madrid.

LA REINE, *à part.*

Trois jours !

Elle fixe un regard plein de trouble sur Ruy Blas.

RUY BLAS, *à part.*
C'est la femme d'un autre ! ô jalousie affreuse !
850 — Et de qui ! — Dans mon cœur un abîme se creuse.

DON GURITAN, *s'approchant de Ruy Blas.*
Vous êtes écuyer de la reine ? Un seul mot.
Vous connaissez quel est votre service ? Il faut
Vous tenir cette nuit dans la chambre prochaine,
Afin d'ouvrir au roi, s'il venait chez la reine.

RUY BLAS, *tressaillant.*

À part.
Ouvrir au roi ! moi !

Haut.

Mais... il est absent.

DON GURITAN

                                    Le roi
Peut-il [15] pas arriver à l'improviste ?

                RUY BLAS, *à part.*

                                    Quoi !

        DON GURITAN, *à part, observant Ruy Blas.*
Qu'a-t-il ?

        LA REINE, *qui a tout entendu et dont le regard
                est resté fixé sur Ruy Blas.*
                Comme il pâlit !

    *Ruy Blas chancelant s'appuie sur le bras d'un
    fauteuil.*

                CASILDA, *à la reine.*
Madame, ce jeune homme

                                    Se trouve mal !

            RUY BLAS, *se soutenant à peine.*
                    Moi, non ! mais c'est singulier comme
Le grand air... Le soleil... la longueur du chemin...

        À part.

860   — Ouvrir au roi !

        *Il tombe épuisé sur un fauteuil. Son manteau se
        dérange et laisse voir sa main gauche enveloppée
        de linges ensanglantés.*

                CASILDA
                Grand Dieu, madame ! à cette main
Il est blessé !

                LA REINE
                Blessé !

                CASILDA
                    Mais il perd connaissance !
Mais, vite, faisons-lui respirer quelque essence !

15. Ellipse de ne. Voir note 4, p. 71.

LA REINE, *fouillant dans sa gorgerette.*
Un flacon que j'ai là contient une liqueur...

En ce moment son regard tombe sur la manchette que Ruy Blas porte au bras droit.
À part.

C'est la même dentelle !

Au même instant elle a tiré le flacon de sa poitrine, et, dans son trouble, elle a pris en même temps le morceau de dentelle qui y était caché. Ruy Blas, qui ne la quitte pas des yeux, voit cette dentelle sortir du sein de la reine.

RUY BLAS, *éperdu.*
Oh !

Le regard de la reine et le regard de Ruy Blas se rencontrent. Un silence.

LA REINE, *à part.*
C'est lui !

RUY BLAS, *à part.*
Sur son cœur !

LA REINE, *à part.*
C'est lui !

RUY BLAS, *à part.*
Faites, mon Dieu, qu'en ce moment je meure !

Dans le désordre de toutes les femmes s'empressant autour de Ruy Blas, ce qui se passe entre la reine et lui n'est remarqué de personne.

CASILDA, *faisant respirer le flacon à Ruy Blas.*
Comment vous êtes-vous blessé ? c'est tout à l'heure ?
Non ? cela s'est rouvert en route ? Aussi pourquoi
Vous charger d'apporter le message du roi ?

LA REINE, *à Casilda.*
Vous finirez bientôt vos questions, j'espère.

LA DUCHESSE, *à Casilda.*

870 Qu'est-ce que cela fait à la reine, ma chère ?

LA REINE

Puisqu'il avait écrit la lettre, il pouvait bien
L'apporter, n'est-ce pas ?

CASILDA

Mais il n'a dit en rien
Qu'il eût écrit la lettre.

LA REINE, *à part.*
Oh !

À Casilda.

Tais-toi !

CASILDA, *à Ruy Blas.*

Votre grâce
Se trouve-t-elle mieux ?

RUY BLAS
Je renais !

LA REINE, *à ses femmes.*

L'heure passe,
Rentrons. – Qu'en son logis le comte soit conduit.

Aux pages, au fond.

Vous savez que le roi ne vient pas cette nuit.
Il passe la saison tout entière à la chasse.

Elle rentre avec sa suite dans ses appartements.

CASILDA, *la regardant sortir.*
La reine a dans l'esprit quelque chose.

Elle sort par la même porte que la reine en emportant la petite cassette aux reliques.

RUY BLAS, *resté seul.*

Il semble écouter encore quelque temps avec une joie profonde les dernières paroles de la reine. Il paraît comme en proie à un rêve. Le morceau de

dentelle, que la reine a laissé tomber dans son trou-
ble, est resté à terre sur le tapis. Il le ramasse, le
regarde avec amour, et le couvre de baisers. Puis
il lève les yeux au ciel.

Ô Dieu ! grâce !

Ne me rendez pas fou !

Regardant le morceau de dentelle.

C'était bien sur son cœur !

Il le cache dans sa poitrine. — Entre don Guritan.
Il revient par la porte de la chambre où il a suivi
la reine. Il marche à pas lents vers Ruy Blas. Arrivé
près de lui sans dire un mot, il tire à demi son épée,
et la mesure du regard avec celle de Ruy Blas. Elles
sont inégales. Il remet son épée dans le fourreau.
Ruy Blas le regarde avec étonnement.

SCÈNE 4
Ruy Blas, Don Guritan.

DON GURITAN, *repoussant son épée dans le fourreau.*
880 J'en apporterai deux de pareille longueur.

RUY BLAS

Monsieur, que signifie ?...

DON GURITAN, *avec gravité.*

En mil six cent cinquante,

J'étais très amoureux. J'habitais Alicante.
Un jeune homme, bien fait, beau comme les amours,
Regardait de fort près ma maîtresse, et toujours
Passait sous son balcon, devant la cathédrale,
Plus fier qu'un capitan sur la barque amirale.
Il avait nom Vasquez, seigneur, quoique bâtard.
Je le tuai. —

Ruy Blas veut l'interrompre, don Guritan l'arrête
du geste, et continue.

Vers l'an soixante-six, plus tard,
Gil, comte d'lscola, cavalier magnifique,
890 Envoya chez ma belle, appelée Angélique,
Avec un billet doux, qu'elle me présenta,
Un esclave nommé Grifel de Viserta.
Je fis tuer l'esclave et je tuai le maître.

RUY BLAS

Monsieur !...

DON GURITAN, *poursuivant.*

Plus tard, vers l'an quatre-vingt, je crus être
Trompé par ma beauté, fille aux tendres façons,
Pour Tirso Gamonal, un de ces beaux garçons
Dont le visage altier et charmant s'accommode
D'un panache éclatant. C'est l'époque où la mode
Était qu'on fît ferrer ses mules en or fin.
900 Je tuai don Tirso Gamonal.

RUY BLAS

Mais enfin
Que veut dire cela, monsieur ?

DON GURITAN

Cela veut dire,
Comte, qu'il sort de l'eau du puits quand on en tire ;
Que le soleil se lève à quatre heures demain ;
Qu'il est un lieu désert et loin de tout chemin,
Commode aux gens de cœur, derrière la chapelle ;
Qu'on vous nomme, je crois, César, et qu'on m'appelle
Don Gaspar Guritan Tassis y Guevarra,
Comte d'Oñate [16].

RUY BLAS, *froidement.*
Bien, monsieur. On y sera.

16. Ces titres viennent de l'abbé de Vayrac qui parle d'un
« Diego Gaspar Velez de Guevarra et Tassis, onzième comte d'Oñate
et de Villamediana, marquis de Guevarra et de Camporeal » qui
vivait à la fin du XVIIᵉ siècle, mais n'était pas majordome de Marie
de Neubourg. Le prénom Guritan, inventé de toutes pièces, teinte
d'une note grotesque ces nobles patronymes.

Depuis quelques instants, Casilda, curieuse, est
entrée à pas de loup par la petite porte du fond, et
a écouté les dernières paroles des deux interlocu-
teurs sans être vue d'eux.

CASILDA, *à part.*

Un duel ! avertissons la reine !

Elle rentre et disparaît par la petite porte.

DON GURITAN, *toujours imperturbable.*

En vos études,

910 S'il vous plaît de connaître un peu mes habitudes,
Pour votre instruction, monsieur, je vous dirai
Que je n'ai jamais eu qu'un goût fort modéré
Pour ces godelureaux [17], grands friseurs de moustache,
Beaux damerets [18] sur qui l'œil des femmes s'attache,
Qui sont tantôt plaintifs et tantôt radieux,
Et qui dans les maisons, faisant force clins d'yeux,
Prenant sur les fauteuils d'adorables tournures,
Viennent s'évanouir pour des égratignures.

RUY BLAS

Mais – je ne comprends pas.

DON GURITAN

Vous comprenez fort bien.

920 Nous sommes tous les deux épris du même bien.
L'un de nous est de trop dans ce palais. En somme,
Vous êtes écuyer, moi je suis majordome.
Droits pareils. Au surplus, je suis mal partagé,
La partie entre nous n'est pas égale : j'ai
Le droit du plus ancien, vous le droit du plus jeune.
Donc vous me faites peur. À la table où je jeûne
Voir un jeune affamé s'asseoir avec des dents
Effrayantes, un air vainqueur, des yeux ardents,
Cela me trouble fort. Quant à lutter ensemble

930 Sur le terrain d'amour, beau champ qui toujours
[tremble,

17. Jeunes galants.
18. Jeunes élégants.

De fadaises, mon cher, je sais mal faire assaut,
J'ai la goutte ; et d'ailleurs ne suis point assez sot
Pour disputer le cœur d'aucune Pénélope [19]
Contre un jeune gaillard si prompt à la syncope.
C'est pourquoi, vous trouvant fort beau, fort caressant,
Fort gracieux, fort tendre et fort intéressant,
Il faut que je vous tue.

RUY BLAS

Eh bien, essayez.

DON GURITAN

Comte

De Garofa, demain, à l'heure où le jour monte,
À l'endroit indiqué, sans témoin ni valet,
940　Nous nous égorgerons galamment, s'il vous plaît,
Avec épée et dague, en dignes gentilshommes,
Comme il sied quand on est des maisons dont nous
[sommes.

Il tend la main à Ruy Blas, qui la lui prend.

RUY BLAS

Pas un mot de ceci, n'est-ce pas ? –

Le comte fait un signe d'adhésion.

À demain.

Ruy Blas sort.

DON GURITAN, *resté seul.*

Non, je n'ai pas du tout senti trembler sa main.
Être sûr de mourir et faire de la sorte,
C'est d'un brave jeune homme !

*Bruit d'une clef à la petite porte de la chambre de
la reine. Don Guritan se retourne.*

On ouvre cette porte ?

---

19. Fidèle épouse d'Ulysse qui attendit dix ans son retour de la
guerre de Troie.

La reine paraît et marche vivement vers don Guri-
tan, surpris et charmé de la voir. Elle tient entre
ses mains la petite cassette.

SCÈNE 5
Don Guritan, la Reine.

LA REINE, *avec un sourire.*
C'est vous que je cherchais !

DON GURITAN, *ravi.*
                    Qui[20] me vaut ce bonheur ?

LA REINE, *posant la cassette sur le guéridon.*
Oh Dieu ! rien, ou du moins peu de chose, seigneur.

Elle rit.

Tout à l'heure on disait, parmi d'autres paroles, –
950 Casilda, – vous savez que les femmes sont folles,
Casilda soutenait que vous feriez pour moi
Tout ce que je voudrais.

DON GURITAN
                    Elle a raison !

LA REINE, *riant.*
                              Ma foi,
J'ai soutenu que non.

DON GURITAN
              Vous avez tort, madame !

LA REINE
Elle a dit que pour moi vous donneriez votre âme,
Votre sang...

DON GURITAN
          Casilda parlait fort bien ainsi.

20. Qu'est-ce qui ? Forme classique.

LA REINE

Et moi, j'ai dit que non.

DON GURITAN

                              Et moi, je dis que si !
Pour votre majesté, je suis prêt à tout faire.

LA REINE

Tout ?

DON GURITAN

    Tout !

LA REINE

              Eh bien, voyons, jurez que pour me plaire
Vous ferez à l'instant ce que je vous dirai.

DON GURITAN

960 Par le saint roi Gaspar[21], mon patron vénéré,
Je le jure ! ordonnez. J'obéis, ou je meure[22] !

LA REINE, *prenant la cassette.*

Bien. Vous allez partir de Madrid tout à l'heure
Pour porter cette boîte en bois de calambour
À mon père monsieur l'électeur de Neubourg.

DON GURITAN, *à part.*

Je suis pris !

    Haut.

              À Neubourg !

LA REINE

                        À Neubourg.

DON GURITAN

                              Six cents lieues !

LA REINE

Cinq cent cinquante. –

---

21. Nom de l'un des rois mages, qui portèrent eux aussi fort loin
leurs présents !
22. Subjonctif de souhait.

Elle montre la housse de soie qui enveloppe la cassette.

Ayez grand soin des franges bleues. Cela peut se faner en route.

DON GURITAN

Et quand partir ?

LA REINE

Sur-le-champ.

DON GURITAN

Ah ! demain !

LA REINE

Je n'y puis consentir.

DON GURITAN, *à part*.

Je suis pris !

Haut.

Mais...

LA REINE

Partez !

DON GURITAN

Quoi ?...

LA REINE

J'ai votre parole.

DON GURITAN

970   Une affaire...

LA REINE

Impossible.

DON GURITAN

Un objet si frivole...

LA REINE

Vite !

DON GURITAN

Un seul jour !

LA REINE
Néant.

DON GURITAN
Car...

LA REINE
Faites à mon gré.

DON GURITAN
Je...

LA REINE
Non.

DON GURITAN
Mais...

LA REINE
Partez !

DON GURITAN
Si...

LA REINE
Je vous embrasserai !

Elle lui saute au cou et l'embrasse.

DON GURITAN, *fâché et charmé.*

Haut.

Je ne résiste plus. J'obéirai, madame.

À part.

Dieu s'est fait homme ; soit. Le diable s'est fait
femme !

LA REINE, *montrant la fenêtre.*
Une voiture en bas est là qui vous attend.

DON GURITAN
Elle avait tout prévu !

*Il écrit sur un papier quelques mots à la hâte et
agite une sonnette. Un page paraît.*

> Page, porte à l'instant
Au seigneur don César de Bazan cette lettre.

À part.

Ce duel ! à mon retour il faut bien le remettre.
Je reviendrai !

Haut.

> Je vais contenter de ce pas
980 Votre majesté.

LA REINE

Bien.

*Il prend la cassette, baise la main de la reine, salue
profondément et sort. Un moment après, on entend
le roulement d'une voiture qui s'éloigne.*

LA REINE, *tombant sur un fauteuil.*
Il ne le tuera pas !

ACTE III

RUY BLAS

La salle dite salle de gouvernement *dans le palais du roi à Madrid.*

Au fond, une grande porte élevée au-dessus de quelques marches. Dans l'angle à gauche, un pan coupé fermé par une tapisserie de haute lice. Dans l'angle opposé, une fenêtre. À droite, une table carrée, revêtue d'un tapis de velours vert, autour de laquelle sont rangés des tabourets pour huit ou dix personnes correspondant à autant de pupitres placés sur la table. Le côté de la table qui fait face au spectateur est occupé par un grand fauteuil recouvert de drap d'or et surmonté d'un dais en drap d'or, aux armes d'Espagne, timbrées de la couronne royale. À côté de ce fauteuil, une chaise.

Au moment où le rideau se lève, la junte du Despacho universal *(conseil privé du roi) est au moment de prendre séance.*

SCÈNE I

Don Manuel Arias, *président de Castille* ; Don Pedro Velez de Guevarra, comte de Camporeal, *conseiller de cape et d'épée de la contaduria-mayor*[1] ; Don Fernando de Cordova y Aguilar, marquis de Priego, *même qualité* ; Antonio Ubilla, *écrivain-mayor*[2] *des rentes* ; Montazgo, *conseiller de robe de la chambre des Indes* ; Covadenga, *secrétaire suprême des îles. Plusieurs autres conseillers. Les conseillers de robe vêtus de noir. Les autres en habit de cour. Camporeal a la croix de Calatrava*[3] *au manteau. Priego la toison d'or au cou*[4].

Don Manuel Arias, président de Castille, et le comte de Camporeal causent à voix basse, et entre eux, sur le devant. Les autres conseillers font des groupes çà et là dans la salle.

DON MANUEL ARIAS

Cette fortune-là cache quelque mystère.

LE COMTE DE CAMPOREAL

Il a la toison d'or. Le voilà secrétaire
Universel, ministre, et puis duc d'Olmedo !

DON MANUEL ARIAS

En six mois !

LE COMTE DE CAMPOREAL
On le sert derrière le rideau.

1. Tribunal créé par Philippe II.
2. Greffier.
3. Ordre religieux et militaire fondé au Moyen Âge pour lutter contre les Maures.
4. Les noms des grands présents à ce conseil ont été trouvés par Hugo soit chez l'abbé de Vayrac, soit dans un livre de Nuñez de Castro, *Solo Madrid es corte*, Madrid, 1665 (Priego). Don Manuel Arias et Don Antonio Ubilla furent respectivement gouverneur du conseil de Castille et ministre d'État. Montazgo et Covadenga portent des noms de fantaisie.

DON MANUEL ARIAS, *mystérieusement.*
La reine !

LE COMTE DE CAMPOREAL
           Au fait, le roi, malade et fou dans l'âme,
Vit avec le tombeau de sa première femme[5].
Il abdique, enfermé dans son Escurial,
Et la reine fait tout !

DON MANUEL ARIAS
                      Mon cher Camporeal,
Elle règne sur nous, et don César sur elle.

LE COMTE DE CAMPOREAL
990 Il vit d'une façon qui n'est pas naturelle.
D'abord, quant à la reine, il ne la voit jamais.
Ils paraissent se fuir. Vous me direz non, mais
Comme depuis six mois je les guette, et pour cause,
J'en suis sûr. Puis il a le caprice morose
D'habiter, assez près de l'hôtel de Tormez,
Un logis aveuglé par des volets fermés,
Avec deux laquais noirs, gardeurs de portes closes,
Qui, s'ils n'étaient muets, diraient beaucoup de choses.

DON MANUEL ARIAS

Des muets ?

LE COMTE DE CAMPOREAL
           Des muets. – Tous ses autres valets
1000 Restent au logement qu'il a dans le palais.

DON MANUEL ARIAS

C'est singulier.

DON ANTONIO UBILLA, *qui s'est approché d'eux depuis
quelques instants.*
                      Il est de grande race, en somme.

5. Marie-Louise d'Orléans, morte en 1689.

Roy Blas est devenu le ministre

LE COMTE DE CAMPOREAL
L'étrange, c'est qu'il veut faire son honnête homme !

À don Manuel Arias.

– Il est cousin, – aussi Santa-Cruz l'a poussé, –
De ce marquis Salluste écroulé l'an passé. –
Jadis, ce don César, aujourd'hui notre maître,
Était le plus grand fou que la lune[6] eût vu naître.
C'était un drôle, – on sait des gens qui l'ont connu, –
Qui prit un beau matin son fonds pour revenu[7].
Qui changeait tous les jours de femmes, de carrosses,
1010 Et dont la fantaisie avait des dents féroces
Capables de manger en un an le Pérou.
Un jour il s'en alla, sans qu'on ait su par où.

DON MANUEL ARIAS
L'âge a du fou joyeux fait un sage fort rude.

LE COMTE DE CAMPOREAL
Toute fille de joie en séchant devient prude.

UBILLA
Je le crois homme probe.

LE COMTE DE CAMPOREAL, *riant.*
                Oh ! candide Ubilla !
Qui se laisse éblouir à ces probités-là !

D'un ton significatif.

La maison de la reine, ordinaire et civile,

Appuyant sur les chiffres.

Coûte par an six cent soixante-quatre mille
Soixante-six ducats[8] ! – c'est un pactole[9] obscur

6. L'influence de la lune passait pour néfaste. D'où l'humeur
changeante, voire la folie, des lunatiques.
7. Mangeant ainsi son capital.
8. Chiffre exact, trouvé par Hugo dans *Solo Madrid es corte.*
Voir la *Note de Victor Hugo*, p. 184.
9. Nom d'une rivière de Lydie qui roulait des paillettes d'or.

1020   Où, certes, on doit jeter le filet à coup sûr.
Eau trouble, pêche claire.

LE MARQUIS DE PRIEGO, *survenant.*

Ah çà, ne vous déplaise,
Je vous trouve imprudents et parlant fort à l'aise.
Feu mon grand-père, auprès du comte-duc [10] nourri,
Disait : — Mordez le roi, baisez le favori. —
Messieurs, occupons-nous des affaires publiques.

*Tous s'asseyent autour de la table ; les uns prennent
des plumes, les autres feuillettent des papiers. Du
reste, oisiveté générale. Moment de silence.*

MONTAZGO, *bas, à Ubilla.*

Je vous ai demandé sur la caisse aux reliques
De quoi payer l'emploi d'alcade à mon neveu.

UBILLA, *bas.*

Vous, vous m'aviez promis de nommer avant peu
Mon cousin Melchior d'Elva bailli de l'Èbre.

MONTAZGO, *se récriant.*

1030   Nous venons de doter votre fille. On célèbre
Encor sa noce. — On est sans relâche assailli...

UBILLA, *bas.*

Vous aurez votre alcade.

MONTAZGO, *bas.*

Et vous votre bailli.

Ils se serrent la main.

COVADENGA, *se levant.*

Messieurs les conseillers de Castille, il importe,
Afin qu'aucun de nous de sa sphère ne sorte,
De bien régler nos droits et de faire nos parts.
Le revenu d'Espagne en cent mains est épars.
C'est un malheur public, il y faut mettre un terme.

10. Gaspar de Guzman, comte d'Olivares et duc de San-Lucar,
ministre de Philippe IV pendant vingt ans.

Les uns n'ont pas assez, les autres trop. La ferme [11]
Du tabac est à vous, Ubilla. L'indigo
1040 Et le musc sont à vous, marquis de Priego.
Camporeal perçoit l'impôt des huit mille hommes [12],
L'almojarifazgo [13], le sel, mille autres sommes,
Le quint [14] du cent de l'or, de l'ambre et du jayet [15].

À Montazgo.

Vous qui me regardez de cet œil inquiet,
Vous avez à vous seul, grâce à votre manège,
L'impôt sur l'arsenic [16] et le droit sur la neige [17],
Vous avez les ports secs, les cartes [18], le laiton,
L'amende des bourgeois qu'on punit du bâton,
La dîme de la mer [19], le plomb, le bois de rose !... –
1050 Moi, je n'ai rien, messieurs. Rendez-moi quelque
[chose !

　　　LE COMTE DE CAMPOREAL, *éclatant de rire.*
Oh ! le vieux diable ! il prend les profits les plus clairs.
Excepté l'Inde, il a les îles des deux mers.
Quelle envergure ! Il tient Mayorque [20] d'une griffe,
Et de l'autre il s'accroche au pic de Ténériffe [21] !

　　　COVADENGA, *s'échauffant.*
Moi, je n'ai rien !

　　11. La ferme est un système de perception des impôts indirects
dans lequel un particulier avançait les sommes dues à l'État, se
réservant pour salaire la différence entre le montant dû et celui effectivement perçu.
　　12. Impôt annuel payé par les Castillans pour remplacer les huit
mille hommes qu'ils auraient dû entretenir.
　　13. « *Almojarifazgo* est le mot arabe par lequel on désignait [...]
le tribut de cinq pour cent que payaient au roi toutes les marchandises qui allaient d'Espagne aux Indes » (définition de Hugo dans
sa *Note*, p. 183).
　　14. Le cinq pour cent.
　　15. Le jais.
　　16. Utilisé en médecine.
　　17. Pour les glacières.
　　18. Les cartes à jouer.
　　19. Impôts perçus sur les marchandises arrivées par mer.
　　20. La plus grande des Baléares.
　　21. Dans l'île de la Grande Canarie du même nom.

LE MARQUIS DE PRIEGO, *riant.*
Il a les nègres[22].

Tous se lèvent et parlent à la fois, se querellant.

MONTAZGO

Je devrais
Me plaindre bien plutôt. Il me faut les forêts[23] !

COVADENGA, *au marquis de Priego.*
Donnez-moi l'arsenic, je vous cède les nègres !

*Depuis quelques instants, Ruy Blas est entré par la
porte du fond et assiste à la scène sans être vu des
interlocuteurs. Il est vêtu de velours noir, avec un
manteau de velours écarlate ; il a la plume blanche
au chapeau et la toison d'or au cou. Il les écoute
d'abord en silence, puis, tout à coup, il s'avance à
pas lents et paraît au milieu d'eux au plus fort de
la querelle.*

SCÈNE 2
Les mêmes, Ruy Blas.

RUY BLAS, *survenant.*
Bon appétit, messieurs ! –

*Tous se retournent. Silence de surprise et d'inquié-
tude. Ruy Blas se couvre, croise les bras, et poursuit
en les regardant en face.*

Ô ministres intègres !
Conseillers vertueux ! voilà votre façon
1060 De servir, serviteurs qui pillez la maison !
Donc vous n'avez pas honte et vous choisissez l'heure,
L'heure sombre où l'Espagne agonisante pleure !

22. Taxes perçues sur les esclaves envoyés de Guinée aux Indes
occidentales.
23. Droit sur les coupes de bois.

☞Voir *Au fil du texte*, p. 203.

Donc vous n'avez ici pas d'autres intérêts
Que remplir votre poche et vous enfuir après !
Soyez flétris, devant votre pays qui tombe,
Fossoyeurs qui venez le voler dans sa tombe !
– Mais voyez, regardez, ayez quelque pudeur.
L'Espagne et sa vertu, l'Espagne et sa grandeur,
Tout s'en va. – Nous avons, depuis Philippe Quatre,
1070   Perdu le Portugal, le Brésil, sans combattre ;
En Alsace Brisach, Steinfort en Luxembourg ;
Et toute la Comté jusqu'au dernier faubourg ;
Le Roussillon, Ormuz, Goa, cinq mille lieues
De côte, et Fernambouc, et les Montagnes Bleues [24] !
Mais voyez. – Du ponant jusques à l'orient,
L'Europe, qui vous hait, vous regarde en riant.
Comme si votre roi n'était plus qu'un fantôme,
La Hollande et l'Anglais partagent ce royaume [25],
Rome vous trompe ; il faut ne risquer qu'à demi
1080   Une armée en Piémont, quoique pays ami ;
La Savoie et son duc sont pleins de précipices [26].
La France pour vous prendre attend des jours propices.
L'Autriche aussi vous guette. Et l'infant bavarois [27]
Se meurt, vous le savez. – Quant à vos vice-rois,
Médina [28], fou d'amour, emplit Naples d'esclandres,
Vaudémont [29] vend Milan, Legañez [30] perd les Flandres.
Quel remède à cela ? – L'État est indigent,
L'État est épuisé de troupes et d'argent ;

24. L'Artois et le Roussillon ont été perdus à la signature de la
Paix des Pyrénées en 1659. En 1668, l'Espagne a perdu le Portugal
et ses colonies : Ormuz, Goa, et le Brésil, dont Fernambouc
(aujourd'hui Recife). Le traité de Nimègue lui a ôté dix ans plus
tard la Franche-Comté et plusieurs villes de Hollande. Les Montagnes Bleues désignent les monts Alleghanys, en Amérique du Nord,
perdus en même temps que les Pays-Bas.
25. La Hollande, l'Angleterre et la France s'étaient entendues
pour régler la succession de Charles II.
26. Allusion à la politique ambiguë de Victor-Amédée II.
27. Charles II avait fait son héritier de ce jeune prince de Bavière
qui mourut en 1699 à l'âge de huit ans.
28. Grand d'Espagne et vice-roi de Naples, connu pour le faste
dont il entourait sa maîtresse.
29. Gouverneur du Milanais, favorable à Louis XIV.
30. Ancien vice-roi de la Catalogne, favorable à l'archiduc
Joseph-Charles.

Nous avons sur la mer, où Dieu met ses colères,
1090 Perdu trois cents vaisseaux, sans compter les galères.
Et vous osez !... – Messieurs, en vingt ans, songez-y,
Le peuple, – j'en ai fait le compte, et c'est ainsi ! –
Portant sa charge énorme et sous laquelle il ploie,
Pour vous, pour vos plaisirs, pour vos filles de joie,
Le peuple misérable, et qu'on pressure encor,
A sué quatre cent trente millions d'or[31] !
Et ce n'est pas assez ! et vous voulez, mes maîtres !... –
Ah ! j'ai honte pour vous ! – Au-dedans, routiers,
                                              [reîtres,
Vont battant le pays et brûlant la moisson.
1100 L'escopette[32] est braquée au coin de tout buisson.
Comme si c'était peu de la guerre des princes,
Guerre entre les couvents, guerre entre les provinces,
Tous voulant dévorer leur voisin éperdu,
Morsures d'affamés sur un vaisseau perdu !
Notre église en ruine est pleine de couleuvres ;
L'herbe y croît. Quant aux grands, des aïeux, mais pas
                                              [d'œuvres.
Tout se fait par intrigue et rien par loyauté.
L'Espagne est un égout où vient l'impureté
De toute nation. – Tout seigneur à ses gages
1110 A cent coupe-jarrets qui parlent cent langages.
Génois, sardes, flamands. Babel est dans Madrid.
L'alguazil, dur au pauvre, au riche s'attendrit.
La nuit on assassine, et chacun crie : À l'aide !
– Hier on m'a volé, moi, près du pont de Tolède ! –
La moitié de Madrid pille l'autre moitié.
Tous les juges vendus. Pas un soldat payé.
Anciens vainqueurs du monde, Espagnols que nous
                                              [sommes.
Quelle armée avons-nous ? À peine six mille hommes,
Qui vont pieds nus. Des gueux, des juifs, des
                                              [montagnards,
1120 S'habillant d'une loque et s'armant de poignards.

---

31. Hugo a obtenu cette somme en doublant le chiffre cité par
ses sources pour les dix ans du gouvernement Olivares.
32. Sorte de fusil, tromblon.

Aussi d'un régiment toute bande se double.
Sitôt que la nuit tombe, il est une heure trouble
Où le soldat douteux se transforme en larron.
Matalobos a plus de troupes qu'un baron.
Un voleur fait chez lui la guerre au roi d'Espagne.
Hélas ! les paysans qui sont dans la campagne
Insultent en passant la voiture du roi.
Et lui, votre seigneur, plein de deuil et d'effroi,
Seul, dans l'Escurial, avec les morts qu'il foule,
1130   Courbe son front pensif sur qui l'empire croule !
– Voilà ! – L'Europe, hélas ! écrase du talon
Ce pays qui fut pourpre et n'est plus que haillon.
L'État s'est ruiné dans ce siècle funeste,
Et vous vous disputez à qui prendra le reste !
Ce grand peuple espagnol aux membres énervés [33],
Qui s'est couché dans l'ombre et sur qui vous vivez,
Expire dans cet antre où son sort se termine,
Triste comme un lion mangé par la vermine !
– Charles Quint [34], dans ces temps d'opprobre et de
                                        [terreur,
1140   Que fais-tu dans ta tombe, ô puissant empereur ?
Oh ! lève-toi ! viens voir ! – Les bons font place aux
                                        [pires.
Ce royaume effrayant, fait d'un amas d'empires,
Penche... Il nous faut ton bras ! au secours, Charles
                                        [Quint !
Car l'Espagne se meurt, car l'Espagne s'éteint !
Ton globe, qui brillait dans ta droite profonde,
Soleil éblouissant qui faisait croire au monde
Que le jour désormais se levait à Madrid,
Maintenant, astre mort, dans l'ombre s'amoindrit,
Lune aux trois quarts rongée et qui décroît encore,
1150   Et que d'un autre peuple effacera l'aurore !
Hélas ! ton héritage est en proie aux vendeurs.
Tes rayons, ils en font des piastres ! Tes splendeurs,
On les souille ! – Ô géant ! se peut-il que tu dormes ? –
On vend ton sceptre au poids ! un tas de nains difformes

33. Sans nerfs.
34. Rappel d'*Hernani*. Cette invocation de l'ancêtre fondateur
souligne à la fois la grandeur et la vanité du discours de Ruy Blas.

Se taillent des pourpoints dans ton manteau de roi ;
Et l'aigle impérial, qui, jadis, sous ta loi,
Couvrait le monde entier de tonnerre et de flamme,
Cuit, pauvre oiseau plumé, dans leur marmite infâme !

Les conseillers se taisent, consternés. Seuls, le marquis de Priego et le comte de Camporeal redressent la tête et regardent Ruy Blas avec colère. Puis Camporeal, après avoir parlé à Priego, va à la table, écrit quelques mots sur un papier, les signe et les fait signer au marquis.

LE COMTE DE CAMPOREAL, *désignant le marquis de Priego et remettant le papier à Ruy Blas.*
Monsieur le duc, – au nom de tous les deux, – voici
1160 Notre démission de notre emploi.

RUY BLAS, *prenant le papier, froidement.*
Merci.
Vous vous retirerez, avec votre famille,

À Priego.

Vous, en Andalousie, –

À Camporeal.

Et vous, comte, en Castille.
Chacun dans vos états. Soyez partis demain.

Les deux seigneurs s'inclinent et sortent fièrement, le chapeau sur la tête. Ruy Blas se tourne vers les autres conseillers.

Quiconque ne veut pas marcher dans mon chemin
Peut suivre ces messieurs.

Silence dans les assistants. Ruy Blas s'assied à la table sur une chaise à dossier placée à droite du fauteuil royal, et s'occupe à décacheter une correspondance. Pendant qu'il parcourt les lettres l'une après l'autre, Covadenga, Arias et Ubilla échangent quelques paroles à voix basse.

UBILLA, *à Covadenga, montrant Ruy Blas.*
                                        Fils, nous avons un maître.
Cet homme sera grand.

DON MANUEL ARIAS
                                Oui, s'il a le temps d'être.

COVADENGA
Et s'il ne se perd pas à tout voir de trop près.

UBILLA
Il sera Richelieu !

DON MANUEL ARIAS
S'il n'est Olivarez[35] !

RUY BLAS, *après avoir parcouru vivement une lettre*
qu'il vient d'ouvrir.
Un complot ! qu'est ceci ? messieurs, que vous disais-
                                                    [je ?

        Lisant.

1170 — ... « Duc d'Olmedo, veillez. Il se prépare un piège
« Pour enlever quelqu'un de très grand de Madrid. »

        Examinant la lettre.

— On ne nomme pas qui. Je veillerai. — L'écrit
Est anonyme. —

        Entre un huissier de cour qui s'approche de Ruy
        Blas avec une profonde révérence.

                                Allons ! qu'est-ce ?

L'HUISSIER
                                À votre excellence
J'annonce monseigneur l'ambassadeur de France.

RUY BLAS
Ah ! d'Harcourt[36] ! Je ne puis à présent.

---

35. Voir note 10, p. 104.
36. Henri, duc d'Harcourt, nommé ambassadeur de France en
Espagne en 1697. Il joua un rôle déterminant dans la décision que
prit Charles II de laisser son royaume au duc d'Anjou, petit-fils de
Louis XIV.

L'HUISSIER, *s'inclinant.*

Monseigneur,

Le nonce impérial[37] dans la chambre d'honneur
Attend votre excellence.

RUY BLAS

À cette heure ? impossible.

*L'huissier s'incline et sort. Depuis quelques ins-
tants, un page est entré, vêtu d'une livrée couleur
de feu à galons d'argent, et s'est approché de Ruy
Blas.*

RUY BLAS, *l'apercevant.*

Mon page ! je ne suis pour personne visible.

LE PAGE, *bas.*

Le comte Guritan, qui revient de Neubourg...

RUY BLAS, *avec un geste de surprise.*

1180 Ah ! – Page, enseigne-lui ma maison du faubourg.
Qu'il m'y vienne trouver demain, si bon lui semble.
Va.

Le page sort. Aux conseillers.

Nous aurons tantôt à travailler ensemble.
Dans deux heures, messieurs. – Revenez.

*Tous sortent en saluant profondément Ruy Blas.
Ruy Blas, resté seul, fait quelques pas en proie à
une rêverie profonde. Tout à coup, à l'angle du
salon, la tapisserie s'écarte et la reine apparaît. Elle
est vêtue de blanc avec la couronne en tête ; elle
paraît rayonnante de joie et fixe sur Ruy Blas un
regard d'admiration et de respect. Elle soutient d'un
bras la tapisserie, derrière laquelle on entrevoit une
sorte de cabinet obscur où l'on distingue une petite
porte. Ruy Blas, en se retournant, aperçoit la reine,
et reste comme pétrifié devant cette apparition.*

37. Ambassadeur extraordinaire de l'empereur.

SCÈNE 3
Ruy Blas, la Reine.

LA REINE

Oh ! merci !

RUY BLAS

Ciel !

LA REINE

Vous avez bien fait de leur parler ainsi.
Je n'y puis résister, duc, il faut que je serre
Cette loyale main si ferme et si sincère !

*Elle marche vivement à lui et lui prend la main,
qu'elle presse avant qu'il ait pu s'en défendre.*

RUY BLAS,

À part.

La fuir depuis six mois et la voir tout à coup !

Haut.

Vous étiez là, madame ?...

LA REINE

Oui, duc, j'entendais tout.
J'étais là. J'écoutais avec toute mon âme !

RUY BLAS, *montrant la cachette.*
1190 Je ne soupçonnais pas... – Ce cabinet, madame...

LA REINE

Personne ne le sait. C'est un réduit obscur
Que don Philippe Trois[38] fit creuser dans ce mur,
D'où le maître invisible entend tout comme une ombre.
Là j'ai vu bien souvent Charles Deux, morne et sombre,
Assister aux conseils où l'on pillait son bien,
Où l'on vendait l'État.

38. Roi de 1598 à 1621, grand-père de Charles II.

RUY BLAS
Et que disait-il ?

LA REINE

Rien.

RUY BLAS
Rien ? – Et que faisait-il ?

LA REINE

Il allait à la chasse.
Mais vous ! j'entends encor votre accent qui menace.
Comme vous les traitiez d'une haute façon,
1200 Et comme vous aviez superbement raison !
Je soulevais le bord de la tapisserie,
Je vous voyais. Votre œil, irrité, sans furie,
Les foudroyait d'éclairs, et vous leur disiez tout.
Vous me sembliez seul être resté debout !
Mais où donc avez-vous appris toutes ces choses ?
D'où vient que vous savez les effets et les causes ?
Vous n'ignorez donc rien ? D'où vient que votre voix
Parlait comme devrait parler celle des rois ?
Pourquoi donc étiez-vous, comme eût été Dieu même,
1210 Si terrible et si grand ?

RUY BLAS

Parce que je vous aime !
Parce que je sens bien, moi qu'ils haïssent tous,
Que ce qu'ils font crouler s'écroulera sur vous !
Parce que rien n'effraie une ardeur si profonde,
Et que pour vous sauver je sauverais le monde !
Je suis un malheureux qui vous aime d'amour.
Hélas ! je pense à vous comme l'aveugle au jour.
Madame, écoutez-moi. J'ai des rêves sans nombre.
Je vous aime de loin, d'en bas, du fond de l'ombre ;
Je n'oserais toucher le bout de votre doigt,
1220 Et vous m'éblouissez comme un ange qu'on voit !
– Vraiment, j'ai bien souffert. Si vous saviez,
                                              [madame !
Je vous parle à présent. Six mois, cachant ma flamme,
J'ai fui. Je vous fuyais et je souffrais beaucoup.
Je ne m'occupe pas de ces hommes du tout,
Je vous aime. – Ô mon Dieu, j'ose le dire en face

À votre majesté. Que faut-il que je fasse ?
Si vous me disiez : meurs ! je mourrais. J'ai l'effroi
Dans le cœur. Pardonnez !

                              LA REINE
                    Oh ! parle ! ravis-moi !

Jamais on ne m'a dit ces choses-là. J'écoute !
1230 Ton âme en me parlant me bouleverse toute.
J'ai besoin de tes yeux, j'ai besoin de ta voix.
Oh ! c'est moi qui souffrais ! Si tu savais ! cent fois,
Cent fois, depuis six mois que ton regard m'évite...
– Mais non, je ne dois pas dire cela si vite.
Je suis bien malheureuse. Oh ! je me tais. J'ai peur !

         RUY BLAS, *qui l'écoute avec ravissement.*
Oh ! madame, achevez ! vous m'emplissez le cœur !

                    LA REINE
Eh bien, écoute donc !

         Levant les yeux au ciel.

                         Oui, je vais tout lui dire.
Est-ce un crime ? Tant pis ! Quand le cœur se déchire,
Il faut bien laisser voir tout ce qu'on y cachait. –
1240 Tu fuis la reine ? Eh bien, la reine te cherchait.
Tous les jours je viens là, – là, dans cette retraite, –
T'écoutant, recueillant ce que tu dis, muette,
Contemplant ton esprit qui veut, juge et résout,
Et prise par ta voix qui m'intéresse à tout.
Va, tu me sembles bien le vrai roi, le vrai maître.
C'est moi, depuis six mois, tu t'en doutes peut-être,
Qui t'ai fait, par degrés, monter jusqu'au sommet.
Où Dieu t'aurait dû mettre une femme te met.
Oui, tout ce qui me touche a tes soins. Je t'admire.
1250 Autrefois une fleur, à présent un empire !
D'abord je t'ai vu bon, et puis je te vois grand.
Mon Dieu ! c'est à cela qu'une femme se prend !
Mon Dieu ! si je fais mal, pourquoi, dans cette tombe,
M'enfermer, comme on met en cage une colombe,
Sans espoir, sans amour, sans un rayon doré ?
– Un jour que nous aurons le temps, je te dirai
Tout ce que j'ai souffert. – Toujours seule, oubliée ! –

Et puis, à chaque instant, je suis humiliée.
Tiens, juge, hier encor... – Ma chambre me déplaît.
1260 – Tu dois savoir cela, toi qui sais tout, il est
Des chambres où l'on est plus triste que dans d'autres ; –
J'en ai voulu changer. Vois quels fers sont les nôtres,
On ne l'a pas voulu. Je suis esclave ainsi ! –
Duc, il faut, – dans ce but le ciel t'envoie ici, –
Sauver l'État qui tremble, et retirer du gouffre
Le peuple qui travaille, et m'aimer, moi qui souffre.
Je te dis tout cela sans suite, à ma façon,
Mais tu dois cependant voir que j'ai bien raison.

              RUY BLAS, *tombant à genoux.*
Madame...

                  LA REINE, *gravement.*
             Don César, je vous donne mon âme.
1270 Reine pour tous, pour vous je ne suis qu'une femme.
Par l'amour, par le cœur, duc, je vous appartien[39]
J'ai foi dans votre honneur pour respecter le mien.
Quand vous m'appellerez, je viendrai. Je suis prête.
– Ô César ! un esprit sublime est dans ta tête.
Sois fier, car le génie est ta couronne, à toi !

    Elle baise Ruy Blas au front.

Adieu.

    Elle soulève la tapisserie et disparaît.

                 SCÈNE 4
              Ruy Blas, *seul.*

    *Il est comme absorbé dans une contemplation
angélique.*

        Devant mes yeux c'est le ciel que je voi[40].

39. Licence orthographique conforme à l'étymologie et nécessaire à la rime.
40. Licence poétique. Voir note précédente, v. 1399...

De ma vie, ô mon Dieu ! cette heure est la première.
Devant moi tout un monde, un monde de lumière,
Comme ces paradis qu'en songe nous voyons,
1280 S'entr'ouvre en m'inondant de vie et de rayons !
Partout en moi, hors moi, joie, extase et mystère,
Et l'ivresse, et l'orgueil, et ce qui sur la terre
Se rapproche le plus de la divinité,
L'amour dans la puissance et dans la majesté !
La reine m'aime ! ô Dieu ! c'est bien vrai, c'est moi-
[même !
Je suis plus que le roi puisque la reine m'aime !
Oh ! cela m'éblouit. Heureux, aimé, vainqueur !
Duc d'Olmedo, – l'Espagne à mes pieds, – j'ai son
[cœur !
Cet ange, qu'à genoux je contemple et je nomme,
1290 D'un mot me transfigure et me fait plus qu'un homme.
Donc je marche vivant dans mon rêve étoilé !
Oh ! oui, j'en suis bien sûr, elle m'a bien parlé.
C'est bien elle. Elle avait un petit diadème
En dentelle d'argent. Et je regardais même,
Pendant qu'elle parlait, – je crois la voir encor, –
Un aigle ciselé sur son bracelet d'or.
Elle se fie à moi, m'a-t-elle dit. – Pauvre ange !
Oh ! s'il est vrai que Dieu, par un prodige étrange,
En nous donnant l'amour, voulut mêler en nous
1300 Ce qui fait l'homme grand à ce qui le fait doux,
Moi, qui ne crains plus rien maintenant qu'elle m'aime,
Moi, qui suis tout-puissant, grâce à son choix suprême,
Moi, dont le cœur gonflé ferait envie aux rois,
Devant Dieu qui m'entend, sans peur, à haute voix,
Je le dis, vous pouvez vous confier, madame,
À mon bras comme reine, à mon cœur comme femme !
Le dévouement se cache au fond de mon amour
Pur et loyal ! – Allez, ne craignez rien ! –

*Depuis quelques instants, un homme est entré par
la porte du fond, enveloppé d'un grand manteau,
coiffé d'un chapeau galonné d'argent. Il s'est
avancé lentement vers Ruy Blas sans être vu, et, au
moment où Ruy Blas, ivre d'extase et de bonheur,
lève les yeux au ciel, cet homme lui pose brusque-*

ment la main sur l'épaule. Ruy Blas se retourne
comme réveillé en sursaut ; l'homme laisse tomber
son manteau, et Ruy Blas reconnaît don Salluste.
Don Salluste est vêtu d'une livrée couleur de feu à
galons d'argent, pareille à celle du page de Ruy
Blas.

SCÈNE 5
Ruy Blas, Don Salluste.

DON SALLUSTE, *posant la main sur l'épaule de Ruy Blas.*
                                        Bonjour.

RUY BLAS, *effaré.*

À part.

Grand Dieu ! je suis perdu ! le marquis !

DON SALLUSTE, *souriant.*
                                        Je parie
1310   Que vous ne pensiez pas à moi.

RUY BLAS
                        Sa Seigneurie,
En effet, me surprend.

À part.

                    Oh ! mon malheur renaît.
J'étais tourné vers l'ange et le démon venait.

Il court à la tapisserie qui cache le cabinet secret
et en ferme la petite porte au verrou ; puis il revient
tout tremblant vers don Salluste.

DON SALLUSTE
Eh bien ! comment cela va-t-il ?

RUY BLAS, *l'œil fixé sur don Salluste impassible, et comme*
pouvant à peine rassembler ses idées.
                                Cette livrée ?...

DON SALLUSTE, *souriant toujours.*

Il fallait du palais me procurer l'entrée.
Avec cet habit-là l'on arrive partout.
J'ai pris votre livrée et la trouve à mon goût.

Il se couvre. Ruy Blas reste tête nue.

RUY BLAS

Mais j'ai peur pour vous...

DON SALLUSTE

                    Peur ! Quel est ce mot risible ?

RUY BLAS

Vous êtes exilé !

DON SALLUSTE

            Croyez-vous ? c'est possible.

RUY BLAS

Si l'on vous reconnaît, au palais, en plein jour ?

DON SALLUSTE

1320   Ah bah ! des gens heureux, qui sont des gens de cour,
Iraient perdre leur temps, ce temps qui sitôt passe,
À se ressouvenir d'un visage en disgrâce !
D'ailleurs, regarde-t-on le profil d'un valet ?

Il s'assied dans un fauteuil, et Ruy Blas reste debout.

À propos, que dit-on à Madrid, s'il vous plaît ?
Est-il vrai que, brûlant d'un zèle hyperbolique[41],
Ici, pour les beaux yeux de la caisse publique,
Vous exilez ce cher Priego, l'un des grands ?
Vous avez oublié que vous êtes parents.
Sa mère est Sandoval, la vôtre aussi. Que diable !
1330   Sandoval porte d'or à la bande de sable.
Regardez vos blasons, don César. C'est fort clair.
Cela ne se fait pas entre parents, mon cher.
Les loups pour nuire aux loups font-ils les bons
                                        [apôtres ?
Ouvrez les yeux pour vous, fermez-les pour les autres.
Chacun pour soi.

41. Excessif.

RUY BLAS, *se rassurant un peu.*
                    Pourtant, monsieur, permettez-moi,
Monsieur de Priego, comme noble du roi,
A grand tort d'aggraver les charges de l'Espagne.
Or, il va falloir mettre une armée en campagne ;
Nous n'avons pas d'argent, et pourtant il le faut.
1340 L'héritier bavarois penche à mourir bientôt.
Hier, le comte d'Harrach, que vous devez connaître,
Me le disait au nom de l'empereur son maître.
Si monsieur l'archiduc veut soutenir son droit,
La guerre éclatera...

DON SALLUSTE
                    L'air me semble un peu froid.
Faites-moi le plaisir de fermer la croisée.

*Ruy Blas, pâle de honte et de désespoir, hésite un
moment ; puis il fait un effort et se dirige lentement
vers la fenêtre, la ferme, et revient vers don Salluste,
qui, assis dans le fauteuil, le suit des yeux d'un air
indifférent.*

RUY BLAS, *reprenant et essayant de convaincre
don Salluste.*
Daignez voir à quel point la guerre est malaisée.
Que faire sans argent ? Excellence, écoutez.
Le salut de l'Espagne est dans nos probités.
Pour moi, j'ai, comme si notre armée était prête,
1350 Fait dire à l'empereur que je lui tiendrais tête...

DON SALLUSTE, *interrompant Ruy Blas et lui montrant
son mouchoir qu'il a laissé tomber en entrant.*
Pardon ! ramassez-moi mon mouchoir.

*Ruy Blas, comme à la torture, hésite encore, puis
se baisse, ramasse le mouchoir, et le présente à don
Salluste.
Don Salluste, mettant le mouchoir dans sa poche.*

                              – Vous disiez ?...

RUY BLAS, *avec effort.*
Le salut de l'Espagne ! – oui, l'Espagne à nos pieds,
Et l'intérêt public demandent qu'on s'oublie.

Ah ! toute la nation bénit qui la délie.
Sauvons ce peuple ! Osons être grands, et frappons !
Ôtons l'ombre à l'intrigue et le masque aux fripons !

DON SALLUSTE, *nonchalamment.*

Et d'abord ce n'est pas de bonne compagnie. —
Cela sent son pédant et son petit génie
Que de faire sur tout un bruit démesuré.
1360 Un méchant million, plus ou moins dévoré,
Voilà-t-il pas de quoi pousser des cris sinistres !
Mon cher, les grands seigneurs ne sont pas de vos
[cuistres.
Ils vivent largement. Je parle sans phébus[42].
Le bel air que celui d'un redresseur d'abus
Toujours bouffi d'orgueil et rouge de colère !
Mais bah ! vous voulez être un gaillard populaire,
Adoré des bourgeois et des marchands d'esteufs[43],
C'est fort drôle. Ayez donc des caprices plus neufs.
Les intérêts publics ? Songez d'abord aux vôtres.
1370 Le salut de l'Espagne est un mot creux que d'autres
Feront sonner, mon cher, tout aussi bien que vous.
La popularité ? c'est la gloire en gros sous.
Rôder, dogue aboyant, tout autour des gabelles ?
Charmant métier ! je sais des postures plus belles.
Vertu ? foi ? probité ? c'est du clinquant déteint.
C'était usé déjà du temps de Charles Quint.
Vous n'êtes pas un sot ; faut-il qu'on vous guérisse
Du pathos[44] ? Vous tétiez encor votre nourrice,
Que nous autres déjà nous avions sans pitié,
1380 Gaîment, à coups d'épingle ou bien à coups de pié,
Crevant votre ballon au milieu des risées,
Fait sortir tout le vent de ces billevesées[45].

RUY BLAS

Mais pourtant, monseigneur...

DON SALLUSTE, *avec un sourire glacé.*
                              Vous êtes étonnant.

42. Langage obscur et précieux.
43. Petite balle pour jouer à la paume.
44. Style emphatique visant à émouvoir.
45. Paroles vides.

Occupons-nous d'objets sérieux, maintenant.

D'un ton bref et impérieux.

– Vous m'attendrez demain toute la matinée
Chez vous, dans la maison que je vous ai donnée.
La chose que je fais touche à l'événement.
Gardez pour nous servir les muets seulement.
Ayez dans le jardin, caché sous le feuillage,
1390 Un carrosse attelé, tout prêt pour un voyage.
J'aurai soin des relais. Faites tout à mon gré.
– Il vous faut de l'argent, je vous en enverrai. –

RUY BLAS

Monsieur, j'obéirai. Je consens à tout faire.
Mais jurez-moi d'abord qu'en toute cette affaire
La reine n'est pour rien.

DON SALLUSTE, *qui jouait avec un couteau d'ivoire*
sur la table, se retourne à demi.

De quoi vous mêlez-vous ?

RUY BLAS, *chancelant et le regardant avec épouvante.*
Oh ! vous êtes un homme effrayant. Mes genoux
Tremblent... Vous m'entraînez vers un gouffre invi-
[sible.
Oh ! je sens que je suis dans une main terrible !
Vous avez des projets monstrueux. J'entrevoi
1400 Quelque chose d'horrible... – Ayez pitié de moi !
Il faut que je vous dise, – hélas ! jugez vous-même !
Vous ne le saviez pas ! cette femme, je l'aime !

DON SALLUSTE, *froidement.*
Mais si. Je le savais.

RUY BLAS
Vous le saviez !

DON SALLUSTE

Pardieu !
Qu'est-ce que cela fait ?

RUY BLAS, *s'appuyant au mur pour ne pas tomber, et*
comme se parlant à lui-même.
Donc il s'est fait un jeu,

Le lâche, d'essayer sur moi cette torture !
Mais c'est que ce serait une affreuse aventure !

Il lève les yeux au ciel.

Seigneur Dieu tout-puissant ! mon Dieu qui m'éprou-
[vez,
Épargnez-moi, Seigneur !

DON SALLUSTE
                    Ah çà, mais – vous rêvez !
Vraiment ! vous vous prenez au sérieux, mon maître.
1410 C'est bouffon. Vers un but que seul je dois connaître,
But plus heureux pour vous que vous ne le pensez,
J'avance. Tenez-vous tranquille. Obéissez.
Je vous l'ai déjà dit et je vous le répète,
Je veux votre bonheur. Marchez, la chose est faite.
Puis, grand'chose après tout que des chagrins
                              [d'amour !
Nous passons tous par là. C'est l'affaire d'un jour.
Savez-vous qu'il s'agit du destin d'un empire ?
Qu'est le vôtre à côté ? Je veux bien tout vous dire,
Mais ayez le bon sens de comprendre aussi, vous.
1420 Soyez de votre état. Je suis très bon, très doux,
Mais, que diable ! un laquais, d'argile humble ou
                              [choisie,
N'est qu'un vase où je veux verser ma fantaisie.
De vous autres, mon cher, on fait tout ce qu'on veut.
Votre maître, selon le dessein qui l'émeut,
À son gré vous déguise, à son gré vous démasque.
Je vous ai fait seigneur. C'est un rôle fantasque[46],
– Pour l'instant. – Vous avez l'habillement complet.
Mais, ne l'oubliez pas, vous êtes mon valet.
Vous courtisez la reine ici par aventure,
1430 Comme vous monteriez derrière ma voiture.
Soyez donc raisonnable.

RUY BLAS, *qui l'a écouté avec égarement et comme ne*
pouvant en croire ses oreilles.
                    Ô mon Dieu ! – Dieu clément !
Dieu juste ! de quel crime est-ce le châtiment ?

46. De fantaisie.

Qu'est-ce donc que j'ai fait ? Vous êtes notre père,
Et vous ne voulez pas qu'un homme désespère !
Voilà donc où j'en suis ! – Et, volontairement,
Et sans tort de ma part, – pour voir, – uniquement
Pour voir agoniser une pauvre victime,
Monseigneur, vous m'avez plongé dans cet abîme !
Tordre un malheureux cœur plein d'amour et de foi,
1440 Afin d'en exprimer la vengeance pour soi !

Se parlant à lui-même.

Car c'est une vengeance ! oui, la chose est certaine !
Et je devine bien que c'est contre la reine !
Qu'est-ce que je vais faire ? Aller lui dire tout ?
Ciel ! devenir pour elle un objet de dégoût
Et d'horreur ! un Crispin[47], un fourbe à double face !
Un effronté coquin qu'on bâtonne et qu'on chasse !
Jamais ! – Je deviens fou, ma raison se confond !

Une pause. Il rêve.

Ô mon Dieu ! voilà donc les choses qui se font !
Bâtir une machine effroyable dans l'ombre,
1450 L'armer hideusement de rouages sans nombre,
Puis, sous la meule, afin de voir comment elle est,
Jeter une livrée, une chose, un valet,
Puis la faire mouvoir, et soudain sous la roue
Voir sortir des lambeaux teints de sang et de boue,
Une tête brisée, un cœur tiède et fumant,
Et ne pas frissonner alors qu'en ce moment
On reconnaît, malgré le mot dont on le nomme,
Que ce laquais était l'enveloppe d'un homme !

Se tournant vers don Salluste.

Mais il est temps encore ! oh ! monseigneur, vraiment,
1460 L'horrible roue encor n'est pas en mouvement !

Il se jette à ses pieds.

Ayez pitié de moi ! grâce ! ayez pitié d'elle !
Vous savez que je suis un serviteur fidèle.

47. Nom de valet dans la comédie classique.

Vous l'avez dit souvent. Voyez ! je me soumets !
Grâce !

DON SALLUSTE
    Cet homme-là ne comprendra jamais.
C'est impatientant !

RUY BLAS, *se traînant à ses pieds.*
                Grâce !

DON SALLUSTE
                        Abrégeons, mon maître.

Il se tourne vers la fenêtre.

Gageons que vous avez mal fermé la fenêtre.
Il vient un froid par là !

Il va à la croisée et la ferme.

RUY BLAS, *se relevant.*
                    Ho ! c'est trop ! À présent
Je suis duc d'Olmedo, ministre tout-puissant !
Je relève le front sous le pied qui m'écrase.

DON SALLUSTE
1470 Comment dit-il cela ? Répétez donc la phrase.
Ruy Blas duc d'Olmedo ? Vos yeux ont un bandeau.
Ce n'est que sur Bazan qu'on a mis Olmedo.

RUY BLAS
Je vous fais arrêter.

DON SALLUSTE
                Je dirai qui vous êtes.

RUY BLAS, *exaspéré.*

Mais...

DON SALLUSTE
            Vous m'accuserez ? J'ai risqué nos deux têtes.
C'est prévu. Vous prenez trop tôt l'air triomphant.

RUY BLAS
Je nierai tout !

DON SALLUSTE
            Allons ! vous êtes un enfant.

RUY BLAS

Vous n'avez pas de preuve !

DON SALLUSTE

                        Et vous pas de mémoire.
Je fais ce que je dis, et vous pouvez m'en croire.
Vous n'êtes que le gant, et moi je suis la main.

Bas et se rapprochant de Ruy Blas.

1480 Si tu n'obéis pas, si tu n'es pas demain
Chez toi, pour préparer ce qu'il faut que je fasse,
Si tu dis un seul mot de tout ce qui se passe,
Si tes yeux, si ton geste en laissent rien percer,
Celle pour qui tu crains, d'abord, pour commencer,
Par ta folle aventure, en cent lieux répandue,
Sera publiquement diffamée et perdue.
Puis elle recevra, ceci n'a rien d'obscur,
Sous cachet, un papier, que je garde en lieu sûr,
Écrit, te souvient-il avec quelle écriture ?
1490 Signé, tu dois savoir de quelle signature ?
Voici ce que ses yeux y liront : « Moi, Ruy Blas,
« Laquais de monseigneur le marquis de Finlas,
« En toute occasion, ou secrète ou publique,
« M'engage à le servir comme un bon domestique. »

RUY BLAS, *brisé et d'une voix éteinte.*

Il suffit. – Je ferai, monsieur, ce qu'il vous plaît.

*La porte du fond s'ouvre. On voit rentrer les conseil-
lers du conseil privé. Don Salluste s'enveloppe vivement de son manteau.*

DON SALLUSTE, *bas.*

On vient.

Il salue profondément Ruy Blas. Haut.

                Monsieur le duc, je suis votre valet.

Il sort.

ACTE IV

DON CÉSAR

Une petite chambre somptueuse et sombre. Lambris ✑
et meubles de vieille forme et de vieille dorure. Murs
couverts d'anciennes tentures de velours cramoisi,
écrasé et miroitant par places et derrière le dos des
fauteuils, avec de larges galons d'or qui le divisent en
bandes verticales. Au fond, une porte à deux battants.
À gauche, sur un pan coupé, une grande cheminée
sculptée du temps de Philippe II[1], avec écusson de fer
battu dans l'intérieur. Du côté opposé, sur un pan
coupé, une petite porte basse donnant dans un cabinet
obscur. Une seule fenêtre à gauche, placée très haut et
garnie de barreaux et d'un auvent inférieur comme les
croisées des prisons. Sur le mur, quelques vieux por-
traits enfumés et à demi effacés. Coffre de garde-robe
avec miroir de Venise. Grands fauteuils du temps de
Philippe III[2]. Une armoire très ornée adossée au mur.
Une table carrée avec ce qu'il faut pour écrire. Un
petit guéridon de forme ronde à pieds dorés dans un
coin. C'est le matin.

Au lever du rideau, Ruy Blas, vêtu de noir, sans
manteau et sans la toison, vivement agité, se promène
à grands pas dans la chambre. Au fond, se tient son
page, immobile et comme attendant ses ordres.

---

1. Philippe II, roi de 1556 à 1598.
2. Voir note 38, p. 113.

✑Voir *Au fil du texte*, p. 203.

SCÈNE I
Ruy Blas, le page.

RUY BLAS, *à part, et se parlant à lui-même.*
Que faire ? – Elle d'abord ! elle avant tout ! – rien
                                        [qu'elle !
Dût-on voir sur un mur rejaillir ma cervelle,
Dût le gibet me prendre ou l'enfer me saisir !
1500 Il faut que je la sauve ! – Oui ! mais y réussir ?
Comment faire ? Donner mon sang, mon cœur, mon
                                        [âme,
Ce n'est rien, c'est aisé. Mais rompre cette trame !
Deviner... – deviner ! car il faut deviner ! –
Ce que cet homme a pu construire et combiner !
Il sort soudain de l'ombre et puis il s'y replonge,
Et là, seul dans sa nuit, que fait-il ? – Quand j'y songe,
Dans le premier moment je l'ai prié pour moi !
Je suis un lâche, et puis c'est stupide ! – Eh bien, quoi !
C'est un homme méchant. – Mais que je m'imagine,
1510 – La chose a sans nul doute une ancienne origine, –
Que lorsqu'il tient sa proie et la mâche à moitié,
Ce démon va lâcher la reine, par pitié
Pour son valet ! Peut-on fléchir les bêtes fauves ?
– Mais, misérable ! il faut pourtant que tu la sauves !
C'est toi qui l'as perdue ! à tout prix il le faut !
– C'est fini. Me voilà retombé ! De si haut !
Si bas ! J'ai donc rêvé ! – Ho ! je veux qu'elle
                                        [échappe !
Mais lui ! par quelle porte, ô Dieu, par quelle trappe,
Par où va-t-il venir, l'homme de trahison ?
1520 Dans ma vie et dans moi, comme en cette maison,
Il est maître. Il en peut arracher les dorures.
Il a toutes les clefs de toutes les serrures.
Il peut entrer, sortir, dans l'ombre s'approcher,
Et marcher sur mon cœur comme sur ce plancher.
– Oui, c'est que je rêvais ! le sort trouble nos têtes

Dans la rapidité des choses sitôt faites.
Je suis fou. Je n'ai plus une idée en son lieu.
Ma raison, dont j'étais si vain, mon Dieu ! mon Dieu !
Prise en un tourbillon d'épouvante et de rage,
1530 N'est plus qu'un pauvre jonc tordu par un orage !
Que faire ? Pensons bien. D'abord empêchons-la
De sortir du palais. – Oh ! oui, le piège est là
Sans doute. Autour de moi, tout est nuit, tout est
                               [gouffre.
Je sens le piège, mais je ne vois pas. – Je souffre !
C'est dit. Empêchons-la de sortir du palais.
Faisons-la prévenir sûrement, sans délais. –
Par qui ? – je n'ai personne !

*Il rêve avec accablement. Puis, tout à coup, comme
frappé d'une idée subite et d'une lueur d'espoir, il
relève la tête.*

                         Oui, don Guritan l'aime !
C'est un homme loyal ! oui !

Faisant signe au page de s'approcher. Bas.

                     – Page, à l'instant même,
Va chez don Guritan, et fais-lui de ma part
1540 Mes excuses ; et puis dis-lui que sans retard
Il aille chez la reine et qu'il la prie en grâce,
En mon nom comme au sien, quoi qu'on dise ou qu'on
                                 [fasse,
De ne point s'absenter du palais de trois jours.
Quoi qu'il puisse arriver. De ne point sortir. Cours !

Rappelant le page.

Ah !

Il tire de son garde-notes une feuille et un crayon.

        Qu'il donne ce mot à la reine, – et qu'il veille !

Il écrit rapidement sur son genou.

– « Croyez don Guritan, faites ce qu'il conseille ! »

Il ploie le papier et le remet au page.

Quant à ce duel, dis-lui que j'ai tort, que je suis
À ses pieds, qu'il me plaigne et que j'ai des ennuis,
Qu'il porte chez la reine à l'instant mes suppliques,
1550 Et que je lui ferai des excuses publiques.
Qu'elle est en grand péril. Qu'elle ne sorte point.
Quoi qu'il arrive. Au moins trois jours ! – De point en
                                     [point
Fais tout. Va, sois discret, ne laisse rien paraître.

LE PAGE

Je vous suis dévoué. Vous êtes un bon maître.

RUY BLAS

Cours, mon bon petit page. As-tu bien tout compris ?

LE PAGE

Oui, monseigneur ; soyez tranquille.

   Il sort.

RUY BLAS, *resté seul, tombant sur un fauteuil.*
                          Mes esprits
Se calment. Cependant, comme dans la folie,
Je sens confusément des choses que j'oublie.
Oui, le moyen est sûr. – Don Guritan !... – Mais moi ?
1560 Faut-il attendre ici don Salluste ? Pourquoi ?
Non. Ne l'attendons pas. Cela le paralyse
Tout un grand jour. Allons prier dans quelque église.
Sortons. J'ai besoin d'aide, et Dieu m'inspirera !

   Il prend son chapeau sur une crédence[3], *et secoue*
   une sonnette posée sur la table. Deux nègres, vêtus
   de velours vert clair et de brocart d'or, jaquettes
   plissées à grandes basques, paraissent à la porte du
   fond.

Je sors. Dans un instant un homme ici viendra.
– Par une entrée à lui. – Dans la maison, peut-être,
Vous le verrez agir comme s'il était maître.
Laissez-le faire. Et si d'autres viennent...

3. Dressoir.

Après avoir hésité un moment.

Ma foi,

Vous laisserez entrer !

Il congédie du geste les noirs, qui s'inclinent en signe d'obéissance et qui sortent.

Allons !

Il sort.
Au moment où la porte se referme sur Ruy Blas, on entend un grand bruit dans la cheminée, par laquelle on voit tomber tout à coup un homme, enveloppé d'un manteau déguenillé, qui se précipite dans la chambre. C'est don César.

SCÈNE 2
Don César.

Effaré, essoufflé, décoiffé, étourdi, avec une expression joyeuse et inquiète en même temps.

Tant pis ! c'est moi !

Il se relève en se frottant la jambe sur laquelle il est tombé, et s'avance dans la chambre avec force révérences et chapeau bas.

Pardon ! ne faites pas attention, je passe.
1570 Vous parliez entre vous. Continuez, de grâce.
J'entre un peu brusquement, messieurs, j'en suis fâché !

Il s'arrête au milieu de la chambre et s'aperçoit qu'il est seul.

– Personne ! – Sur le toit tout à l'heure perché,
J'ai cru pourtant ouïr un bruit de voix. – Personne !

S'asseyant dans un fauteuil.

Fort bien. Recueillons-nous. La solitude est bonne.
– Ouf ! que d'événements ! – J'en suis émerveillé

Comme l'eau qu'il secoue aveugle un chien mouillé.
Primo, ces alguazils[4] qui m'ont pris dans leurs serres ;
Puis cet embarquement absurde ; ces corsaires ;
Et cette grosse ville où l'on m'a tant battu ;
1580 Et les tentations faites sur ma vertu
Par cette femme jaune ; et mon départ du bagne ;
Mes voyages ; enfin, mon retour en Espagne !
Puis, quel roman ! le jour où j'arrive, c'est fort,
Ces mêmes alguazils rencontrés tout d'abord !
Leur poursuite enragée et ma fuite éperdue ;
Je saute un mur ; j'avise une maison perdue
Dans les arbres, j'y cours ; personne ne me voit ;
Je grimpe allégrement du hangar sur le toit ;
Enfin, je m'introduis dans le sein des familles
1590 Par une cheminée où je mets en guenilles
Mon manteau le plus neuf qui sur mes chausses

                                    [pend !...
– Pardieu ! monsieur Salluste est un grand sacripant !

*Se regardant dans une petite glace de Venise posée
sur le grand coffre à tiroirs sculptés.*

– Mon pourpoint m'a suivi dans mes malheurs. Il lutte.

*Il ôte son manteau et mire dans la glace son pour-
point de satin rose usé, déchiré et rapiécé ; puis il
porte vivement la main à sa jambe avec un coup
d'œil vers la cheminée.*

Mais ma jambe a souffert diablement dans ma chute !

*Il ouvre les tiroirs du coffre. Dans l'un d'entre eux
il trouve un manteau de velours vert clair, brodé
d'or, le manteau donné par don Salluste à Ruy Blas.
Il examine le manteau et le compare au sien.*

– Ce manteau me paraît plus décent que le mien.

*Il jette le manteau vert sur ses épaules et met le sien
à la place dans le coffre, après l'avoir soigneuse-
ment plié ; il y ajoute son chapeau qu'il enfonce*

4. Voir note 3, p. 38.

sous le manteau d'un coup de poing ; puis il referme
le tiroir. Il se promène fièrement, drapé dans le beau
manteau brodé d'or.

C'est égal, me voilà revenu. Tout va bien.
Ah ! mon très cher cousin, vous voulez que j'émigre
Dans cette Afrique où l'homme est la souris du tigre !
Mais je vais me venger de vous, cousin damné,
1600 Épouvantablement, quand j'aurai déjeuné.
J'irai, sous mon vrai nom, chez vous, traînant ma queue
D'affreux vauriens sentant le gibet d'une lieue,
Et je vous livrerai vivant aux appétits
De tous mes créanciers – suivis de leurs petits.

Il aperçoit dans un coin une magnifique paire de
bottines à canons[5] *de dentelles. Il jette lestement ses*
vieux souliers, et chausse sans façon les bottines
neuves.

Voyons d'abord où m'ont jeté ses perfidies.

Après avoir examiné la chambre de tous côtés.

Maison mystérieuse et propre aux tragédies.
Portes closes, volets barrés, un vrai cachot.
Dans ce charmant logis on entre par en haut,
Juste comme le vin entre dans les bouteilles.

Avec un soupir.

1610 – C'est bien bon, du bon vin ! –

Il aperçoit la petite porte à droite, l'ouvre, s'intro-
duit vivement dans le cabinet avec lequel elle com-
munique, puis rentre avec des gestes d'étonnement.

                              Merveille des merveilles !
Cabinet sans issue où tout est clos aussi !

Il va à la porte du fond, l'entr'ouvre, et regarde
au-dehors ; puis il la laisse retomber et revient sur
le devant.

5. Pièce de tissu orné de dentelles que l'on attachait au-dessus
du genou.

Personne ! – Où diable suis-je ? – Au fait j'ai réussi
À fuir les alguazils. Que m'importe le reste ?
Vais-je pas[6] m'effarer et prendre un air funeste
Pour n'avoir jamais vu de maison faite ainsi ?

> *Il se rassied sur le fauteuil, bâille, puis se relève*
> *presque aussitôt.*

Ah çà, mais – je m'ennuie horriblement ici !

> *Avisant une petite armoire dans le mur, à gauche,*
> *qui fait le coin en pan coupé.*

Voyons, ceci m'a l'air d'une bibliothèque.

> *Il y va et l'ouvre. C'est un garde-manger bien garni.*

Justement. – Un pâté, du vin, une pastèque.
C'est un en-cas complet. Six flacons bien rangés !
1620 Diable ! sur ce logis j'avais des préjugés.

> *Examinant les flacons l'un après l'autre.*

C'est d'un bon choix. – Allons ! l'armoire est
                              [honorable.

> *Il va chercher dans un coin la petite table ronde,*
> *l'apporte sur le devant et la charge joyeusement de*
> *tout ce que contient le garde-manger, bouteilles,*
> *plats, etc. ; il ajoute un verre, une assiette, une four-*
> *chette, etc. – Puis il prend une des bouteilles.*

Lisons d'abord ceci.

> *Il emplit le verre, et boit d'un trait.*

                      C'est une œuvre admirable
De ce fameux poëte appelé le soleil !
Xérès-des-Chevaliers[7] n'a rien de plus vermeil.

> *Il s'assied, se verse un second verre et boit.*

Quel livre vaut cela ? Trouvez-moi quelque chose

---

6. Ellipse classique de la négation.
7. Ville d'Estrémadure que don César confond avec Xeres
(aujourd'hui Jerez de la Frontera) en Andalousie, où se fait un vin
renommé.

De plus spiritueux !

> *Il boit.*

Ah Dieu, cela repose !

Mangeons.

> *Il entame le pâté.*

Chiens d'alguazils ! je les ai déroutés.
Ils ont perdu ma trace.

> *Il mange.*

Oh ! le roi des pâtés !
Quant au maître du lieu, s'il survient... –

> *Il va au buffet et en rapporte un verre et un couvert
> qu'il pose sur la table.*

je l'invite.
1630 – Pourvu qu'il n'aille pas me chasser ! Mangeons vite.

> *Il met les morceaux doubles.*

Mon dîner fait, j'irai visiter la maison.
Mais qui peut l'habiter ? peut-être un bon garçon.
Ceci peut ne cacher qu'une intrigue de femme.
Bah ! quel mal fais-je ici ? qu'est-ce que je réclame ?
Rien, – l'hospitalité de ce digne mortel,
À la manière antique,

> *Il s'agenouille à demi et entoure la table de ses
> bras.*

en embrassant l'autel [8].

> *Il boit.*

D'abord, ceci n'est point le vin d'un méchant homme.
Et puis, c'est convenu, si l'on vient, je me nomme.
Ah ! vous endiablerez, mon vieux cousin maudit !
1640 Quoi, ce bohémien ? ce galeux ? ce bandit ?
Ce Zafari ? ce gueux ? ce va-nu-pieds ?... – Tout juste !

---

8. Dans l'Antiquité, l'étranger qui demandait l'hospitalité entourait de ses bras l'autel des dieux domestiques.

Don César de Bazan, cousin de don Salluste !
Oh ! la bonne surprise ! et dans Madrid quel bruit !
Quand est-il revenu ? ce matin, cette nuit ?
Quel tumulte partout en voyant cette bombe,
Ce grand nom oublié qui tout à coup retombe !
Don César de Bazan ! oui, messieurs, s'il vous plaît.
Personne n'y pensait, personne n'en parlait,
Il n'était donc pas mort ? il vit, messieurs, mesdames !
1650 Les hommes diront : Diable ! – Oui-dà ! diront les
                                              [femmes.
Doux bruit qui vous reçoit rentrant dans vos foyers,
Mêlé de l'aboiement de trois cents créanciers !
Quel beau rôle à jouer ! – Hélas ! l'argent me manque.

Bruit à la porte.

On vient ! – Sans doute on va comme un vil saltim-
                                              [banque
M'expulser. – C'est égal, ne fais rien à demi, César !

*Il s'enveloppe de son manteau jusqu'aux yeux. La
porte du fond s'ouvre. Entre un laquais en livrée
portant sur son dos une grosse sacoche.*

SCÈNE 3
Don César, un laquais.

DON CÉSAR, *toisant le laquais de la tête aux pieds.*
Qui venez-vous chercher céans[9], l'ami ?

À part.

Il faut beaucoup d'aplomb, le péril est extrême.

LE LAQUAIS
Don César de Bazan.

DON CÉSAR, *dégageant son visage du manteau.*
                    Don César ! c'est moi-même !

9. Ici, dans cette maison.

À part.

Voilà du merveilleux !

LE LAQUAIS
                              Vous êtes le seigneur
1660 Don César de Bazan ?

DON CÉSAR
                              Pardieu ! j'ai cet honneur.
César ! le vrai César ! le seul César ! le comte
De Garo...

LE LAQUAIS, *posant sur le fauteuil la sacoche.*
                    Daignez voir si c'est là votre compte.

DON CÉSAR, *comme ébloui.*

À part.

De l'argent ! c'est trop fort !

Haut.

                              Mon cher...

LE LAQUAIS
                              Daignez compter.
C'est la somme que j'ai l'ordre de vous porter.

DON CÉSAR, *gravement.*
Ah ! fort bien ! je comprends.

À part.

                              Je veux bien que le diable... –
Çà, ne dérangeons pas cette histoire admirable.
Ceci vient fort à point.

Haut.

                              Vous faut-il des reçus ?

LE LAQUAIS
Non, monseigneur.

DON CÉSAR, *lui montrant la table.*
                    Mettez cet argent là-dessus.

Le laquais obéit.

De quelle part ?

LE LAQUAIS
Monsieur le sait bien.

DON CÉSAR

Sans nul doute.

1670 Mais...

LE LAQUAIS
Cet argent, – voilà ce qu'il faut que j'ajoute, –
Vient de qui vous savez pour ce que vous savez.

DON CÉSAR, *satisfait de l'explication.*
Ah !

LE LAQUAIS
Nous devons, tous deux, être fort réservés.
Chut !

DON CÉSAR
Chut !!! – Cet argent vient – La phrase est
[magnifique !
Redites-la-moi donc.

LE LAQUAIS
Cet argent...

DON CÉSAR

Tout s'explique !
Me vient de qui je sais...

LE LAQUAIS

Pour ce que vous savez.
Nous devons...

DON CÉSAR
Tous les deux !!!

LE LAQUAIS

Être fort réservés.

DON CÉSAR
C'est parfaitement clair !

(handwritten margin note:) (César va re-jouer la scène avec le laquais mais comme il est à Paris...)

LE LAQUAIS
                    Moi, j'obéis ; du reste
Je ne comprends pas.

DON CÉSAR
                    Bah !

LE LAQUAIS
                              Mais vous comprenez !

DON CÉSAR
                                        Peste !

LE LAQUAIS
Il suffit.

DON CÉSAR
                    Je comprends et je prends, mon très cher.
1680 De l'argent qu'on reçoit, d'abord, c'est toujours clair.

LE LAQUAIS
Chut !

DON CÉSAR
Chut !!! ne faisons pas d'indiscrétion. Diantre !

LE LAQUAIS
Comptez, seigneur !

DON CÉSAR
                              Pour qui me prends-tu ?

Admirant la rondeur du sac posé sur la table.

                              Le beau ventre !

LE LAQUAIS, *insistant.*
Mais...

DON CÉSAR
Je me fie à toi.

LE LAQUAIS
                    L'or est en souverains [10].
Bons quadruples [11] pesant sept gros trente-six grains,
Ou bons doublons au marc [12]. L'argent, en croix-
                                        [maries [13].

Don César ouvre la sacoche et en tire plusieurs sacs
pleins d'or et d'argent, qu'il ouvre et vide sur la
table avec admiration ; puis il se met à puiser à
pleines poignées dans les sacs d'or, et remplit ses
poches de quadruples et de doublons.

DON CÉSAR, *s'interrompant, avec majesté.*

À part.

Voici que mon roman, couronnant ses féeries,
Meurt amoureusement sur un gros million.

Il se met à remplir ses poches.

Ô délices ! je mords à même un galion !

Une poche pleine, il passe à l'autre. Il se cherche
des poches partout, et semble avoir oublié le
laquais.

LE LAQUAIS, *qui le regarde avec impassibilité.*
Et maintenant, j'attends vos ordres.

DON CÉSAR, *se retournant.*
                                    Pour quoi faire ?

LE LAQUAIS
1690 Afin d'exécuter, vite et sans qu'on diffère,
Ce que je ne sais pas et ce que vous savez.
De très grands intérêts...

---

10. Monnaie d'or à l'effigie du souverain. Mais le terme ne
s'employait que pour des monnaies anglaises.
11. Le quadruple valait deux doublons. Gros : huitième de
l'once, soit environ 30 grammes. Le grain : un soixante-douzième
du gros.
12. Poids de huit onces environ, soit 244 grammes.
13. Monnaie d'argent marquée du nom de Marie et d'une croix.

DON CÉSAR, *l'interrompant d'un air d'intelligence.*
                                    Oui, publics et privés !!!

LE LAQUAIS
Veulent que tout cela se fasse à l'instant même.
Je dis ce qu'on m'a dit de dire.

DON CÉSAR, *lui frappant sur l'épaule.*
                                    Et je t'en aime,
Fidèle serviteur !

LE LAQUAIS
                    Pour ne rien retarder,
Mon maître à vous me donne afin de vous aider.

DON CÉSAR
C'est agir congrûment [14]. Faisons ce qu'il désire.

À part.

Je veux être pendu si je sais que lui dire.

Haut.

Approche, galion, et d'abord –

Il remplit de vin l'autre verre.

                                    bois-moi ça !

LE LAQUAIS
1700 Quoi, seigneur ?...

DON CÉSAR
                    Bois-moi ça !

Le laquais boit. Don César lui remplit son verre.

                                    Du vin d'Oropesa [15].

*Il fait asseoir le laquais, le fait boire, et lui verse
de nouveau vin.*

Causons.

14. Comme il faut.
15. Noms de deux villes d'Espagne, dont aucune ne fait de vin.

À part.

Il a déjà la prunelle allumée.

Haut et s'étendant sur sa chaise.

L'homme, mon cher ami, n'est que de la fumée,
Noire, et qui sort du feu des passions. Voilà.

Il lui verse à boire.

C'est bête comme tout, ce que je te dis là.
Et d'abord la fumée, au ciel bleu ramenée,
Se comporte autrement dans une cheminée.
Elle monte gaîment, et nous dégringolons.

Il se frotte la jambe.

L'homme n'est qu'un plomb vil.

Il remplit les deux verres.

Buvons. Tous tes doublons
Ne valent pas le chant d'un ivrogne qui passe.

Se rapprochant d'un air mystérieux.

1710 Vois-tu, soyons prudents. Trop chargé, l'essieu casse.
Le mur sans fondement s'écroule subito[16].
Mon cher, raccroche-moi le col de mon manteau.

LE LAQUAIS, *fièrement.*
Seigneur, je ne suis pas valet de chambre.

*Avant que don César ait pu l'en empêcher, il secoue
la sonnette posée sur la table.*

DON CÉSAR, *à part, effrayé.*

Il sonne !
Le maître va peut-être arriver en personne.
Je suis pris !

*Entre un des noirs. Don César, en proie à la plus
vive anxiété, se retourne du côté opposé, comme ne
sachant que devenir.*

16. Tout d'un coup.

LE LAQUAIS, *au nègre.*
Remettez l'agrafe à monseigneur.

*Le nègre s'approche gravement de don César, qui
le regarde faire d'un air stupéfait, puis il rattache
l'agrafe du manteau, salue, et sort, laissant don
César pétrifié.*

DON CÉSAR, *se levant de table.*

À part.

Je suis chez Belzébuth [17], ma parole d'honneur !

Il vient sur le devant et se promène à grands pas.

Ma foi, laissons-nous faire, et prenons ce qui s'offre.
Donc je vais remuer les écus à plein coffre.
J'ai de l'argent ! que vais-je en faire ?

*Se retournant vers le laquais attablé, qui continue
à boire et qui commence à chanceler sur sa chaise.*

Attends, pardon !

Rêvant, à part.

1720 Voyons, – si je payais mes créanciers ? – fi donc !
– Du moins, pour les calmer, âmes à s'aigrir promptes,
Si je les arrosais avec quelques acomptes ?
– À quoi bon arroser ces vilaines fleurs-là ?
Où diable mon esprit va-t-il chercher cela ?
Rien n'est tel que l'argent pour vous corrompre un
[homme,
Et fût-il descendant d'Annibal qui prit Rome [18],
L'emplir jusqu'au goulot de sentiments bourgeois !
Que dirait-on ? me voir payer ce que je dois !
Ah !

LE LAQUAIS, *vidant son verre.*
Que m'ordonnez-vous ?

17. Satan.
18. Don César, un peu ivre, prend d'étranges libertés avec
l'histoire !

DON CÉSAR

                              Laisse-moi, je médite.
1730 Bois en m'attendant.

> *Le laquais se remet à boire. Lui continue de rêver,*
> *et tout à coup se frappe le front comme ayant trouvé*
> *une idée.*

                        Oui !

Au laquais.

                              Lève-toi tout de suite.
Voici ce qu'il faut faire. Emplis tes poches d'or.

> *Le laquais se lève en trébuchant, et emplit d'or les*
> *poches de son justaucorps. Don César l'y aide, tout*
> *en continuant.*

Dans la ruelle, au bout de la Place Mayor[19],
Entre au numéro neuf. Une maison étroite.
Beau logis, si ce n'est que la fenêtre à droite
A sur le cristallin une taie en papier.

LE LAQUAIS

Maison borgne ?

DON CÉSAR

                        Non, louche. On peut s'estropier
En montant l'escalier. Prends-y garde.

LE LAQUAIS

                                        Une échelle ?

DON CÉSAR

À peu près. C'est plus roide. – En haut loge une belle
Facile à reconnaître, un bonnet de six sous
1740 Avec de gros cheveux ébouriffés dessous,
Un peu courte, un peu rousse... – une femme
                                        [charmante !
Sois très respectueux, mon cher, c'est mon amante.
Lucinda[20], qui jadis, blonde à l'œil indigo,

---

19. Grande place de Madrid.
20. Voir note 18, p. 43.

Chez le pape, le soir, dansait le fandango[21].
Compte-lui cent ducats en mon nom. – Dans un bouge
À côté, tu verras un gros diable au nez rouge,
Coiffé jusqu'aux sourcils d'un vieux feutre fané
Où pend tragiquement un plumeau consterné,
La rapière à l'échine et la loque à l'épaule.
1750 Donne de notre part six piastres à ce drôle. –
Plus loin, tu trouveras un trou noir comme un four,
Un cabaret qui chante au coin d'un carrefour.
Sur le seuil boit et fume un vivant qui le hante.
C'est un homme fort doux et de vie élégante,
Un seigneur dont jamais un juron ne tomba,
Et mon ami de cœur, nommé Goulatromba.
– Trente écus ! – Et dis-lui, pour toutes patenôtres[22],
Qu'il les boive bien vite et qu'il en aura d'autres.
Donne à tous ces faquins ton argent le plus rond[23],
1760 Et ne t'ébahis pas des yeux qu'ils ouvriront.

LE LAQUAIS

Après ?

DON CÉSAR

Garde le reste. Et pour dernier chapitre...

LE LAQUAIS

Qu'ordonne monseigneur ?

DON CÉSAR

Va te soûler, bélître[24] !
Casse beaucoup de pots et fais beaucoup de bruit,
Et ne rentre chez toi que demain – dans la nuit.

LE LAQUAIS

Suffit, mon prince.

Il se dirige vers la porte en faisant des zigzags.

___

21. Danse espagnole rythmée par des castagnettes. Anne Ubersfeld voit dans cette scène curieuse le souvenir de « *La journée du Vatican,* pièce jouée en 1793, où l'héroïne, telle la Lucinda de César de Bazan, danse le fandango chez le pape ».
22. Prières.
23. Pièces ni usées ni rognées.
24. Imbécile.

DON CÉSAR, *le regardant marcher.*

À part.

Il est effroyablement ivre !

Le rappelant. L'autre se rapproche.

Ah !... – Quand tu sortiras, les oisifs vont te suivre.
Fais par ta contenance honneur à la boisson.
Sache te comporter d'une noble façon.
S'il tombe par hasard des écus de tes chausses,
1770 Laisse tomber, – et si des essayeurs de sauces[25],
Des clercs, des écoliers, des gueux qu'on voit passer,
Les ramassent, – mon cher, laisse-les ramasser.
Ne sois pas un mortel de trop farouche approche.
Si même ils en prenaient quelques-uns dans ta poche,
Sois indulgent. Ce sont des hommes comme nous.
Et puis il faut, vois-tu, c'est une loi pour tous,
Dans ce monde, rempli de sombres aventures,
Donner parfois un peu de joie aux créatures.

Avec mélancolie.

Tous ces gens-là seront peut-être un jour pendus !
1780 Ayons donc les égards pour eux qui leur sont dus !
– Va-t'en.

*Le laquais sort. Resté seul, don César se rassied,
s'accoude sur la table, et paraît plongé dans de pro-
fondes réflexions.*

C'est le devoir du chrétien et du sage,
Quand il a de l'argent, d'en faire un bon usage.
J'ai de quoi vivre au moins huit jours ! Je les vivrai.
Et, s'il me reste un peu d'argent, je l'emploierai
À des fondations pieuses. Mais je n'ose
M'y fier, car on va me reprendre la chose.
C'est méprise sans doute, et ce mal-adressé
Aura mal entendu, j'aurai mal prononcé...

25. Des gâte-sauce.

La porte du fond se rouvre. Entre une duègne,
vieille, cheveux gris ; basquine[26] *et mantille noires,*
éventail.

SCÈNE 4
Don César, une duègne.

LA DUÈGNE, *sur le seuil de la porte.*
Don César de Bazan ?

Don César, absorbé dans ses méditations, relève
brusquement la tête.

DON CÉSAR
Pour le coup !

À part.

Oh ! femelle !

Pendant que la duègne accomplit une profonde
révérence au fond, il vient stupéfait sur le devant.

1790 Mais il faut que le diable ou Salluste s'en mêle !
Gageons que je vais voir arriver mon cousin.
Une duègne !

Haut.

C'est moi, don César. – Quel dessein ?...

À part.

D'ordinaire une vieille en annonce une jeune.

LA DUÈGNE *(Révérence avec un signe de croix.)*
Seigneur, je vous salue, aujourd'hui jour de jeûne,
En Jésus Dieu le fils, sur qui rien ne prévaut.

DON CÉSAR, *à part.*
À galant dénouement commencement dévot.

---

26. Jupe de dessus.

Haut.

Ainsi soit-il ! Bonjour.

LA DUÈGNE
Dieu vous maintienne en joie !

Mystérieusement.

Avez-vous à quelqu'un, qui jusqu'à vous m'envoie,
Donné pour cette nuit un rendez-vous secret ?

DON CÉSAR
1800 Mais j'en suis fort capable.

LA DUÈGNE. *Elle tire de son garde-infante* [27] *un billet plié*
et le lui présente, mais sans le lui laisser prendre.
Ainsi, mon beau discret,
C'est bien vous qui venez, et pour cette nuit même,
D'adresser ce message à quelqu'un qui vous aime,
Et que vous savez bien ?

DON CÉSAR
Ce doit être moi.

LA DUÈGNE
Bon.
La dame, mariée à quelque vieux barbon,
À des ménagements sans doute est obligée,
Et de me renseigner céans [28] on m'a chargée.
Je ne la connais pas, mais vous la connaissez.
La soubrette m'a dit les choses. C'est assez,
Sans les noms.

DON CÉSAR
Hors le mien.

LA DUÈGNE
C'est tout simple. Une dame
1810 Reçoit un rendez-vous de l'ami de son âme,
Mais on craint de tomber dans quelque piège, mais
Trop de précautions ne gâtent rien jamais.

27. Ceinture.
28. Voir note 9, p. 136.

Bref, ici l'on m'envoie avoir de votre bouche
La confirmation...

DON CÉSAR

Oh ! la vieille farouche !
Vrai Dieu ! quelle broussaille autour d'un billet doux !
Oui, c'est moi, moi, te dis-je !

LA DUÈGNE. *Elle pose sur la table le billet plié,*
que don César examine avec curiosité.

En ce cas, si c'est vous,
Vous écrirez : *Venez,* au dos de cette lettre.
Mais pas de votre main, pour ne rien compromettre.

DON CÉSAR

Peste ! au fait, de ma main !

À part.

Message bien rempli !

Il tend la main pour prendre la lettre ; mais elle est
recachetée, et la duègne ne la lui laisse pas toucher.

LA DUÈGNE

1820 N'ouvrez pas. Vous devez reconnaître le pli.

DON CÉSAR

Pardieu !

À part.

Moi qui brûlais de voir !... jouons mon rôle !

Il agite la sonnette. Entre un des noirs.

Tu sais écrire ?

Le noir fait un signe de tête affirmatif. Étonnement
de don César.

À part.

Un signe !

Haut.

Es-tu muet, mon drôle ?

Le noir fait un nouveau signe d'affirmation. Nou-
velle stupéfaction de don César.

À part.

Fort bien ! continuez ! des muets à présent !

Au muet, en lui montrant la lettre, que la vieille tient
appliquée sur la table.

— Écris-moi là : *Venez.*

Le muet écrit. Don César fait signe à la duègne de
reprendre la lettre, et au muet de sortir. Le muet
sort.

À part.

Il est obéissant !

LA DUÈGNE, *remettant d'un air mystérieux le billet dans*
son garde-infante, et se rapprochant de don César.
Vous la verrez ce soir. Est-elle bien jolie ?

DON CÉSAR

Charmante !

LA DUÈGNE
La suivante est d'abord accomplie.
Elle m'a prise à part au milieu du sermon.
Mais belle ! un profil d'ange avec l'œil d'un démon.
Puis aux choses d'amour elle paraît savante.

DON CÉSAR, *à part.*
1830 Je me contenterais fort bien de la servante.

LA DUÈGNE
Nous jugeons, – car toujours le beau fait peur au laid, –
La sultane à l'esclave et le maître au valet.
La vôtre est, à coup sûr, fort belle.

DON CÉSAR

Je m'en flatte !

LA DUÈGNE, *faisant une révérence pour se retirer.*
Je vous baise la main.

DON CÉSAR, *lui donnant une poignée de doublons.*
                              Je te graisse la patte.

Tiens, vieille !

        LA DUÈGNE, *empochant.*
                    La jeunesse est gaie aujourd'hui !

        DON CÉSAR, *la congédiant.*

                                 Va.

       LA DUÈGNE *(Révérences.)*
Si vous aviez besoin... J'ai nom dame Oliva.
Couvent San-lsidro [29] –

Elle sort. Puis la porte se rouvre, et l'on voit sa tête reparaître.

                        Toujours à droite assise
Au troisième pilier en entrant dans l'église.

Don César se retourne avec impatience. La porte retombe ; puis elle se rouvre encore, et la vieille reparaît.

Vous la verrez ce soir ! monsieur, pensez à moi
1840 Dans vos prières.

       DON CÉSAR, *la chassant avec colère.*
        Ah !

La duègne disparaît. La porte se referme.

       DON CÉSAR, *seul.*
                Je me résous, ma foi,
À ne plus m'étonner. J'habite dans la lune.
Me voici maintenant une bonne fortune ;
Et je vais contenter mon cœur après ma faim.

   Rêvant.

Tout cela me paraît bien beau. – Gare la fin.

La porte du fond se rouvre. Paraît don Guritan avec deux longues épées nues sous le bras.

29. Patron de Madrid.

SCÈNE 5
Don César, Don Guritan.

DON GURITAN, *du fond.*

Don César de Bazan ?

DON CÉSAR

Il se retourne et aperçoit don Guritan et les deux
épées.

Enfin ! à la bonne heure !
L'aventure était bonne, elle devient meilleure.
Bon dîner, de l'argent, un rendez-vous, – un duel !
Je redeviens César à l'état naturel !

Il aborde gaiement, avec force salutations empres-
sées, don Guritan, qui fixe sur lui un œil inquiétant
et s'avance d'un pas roide sur le devant.

C'est ici, cher seigneur. Veuillez prendre la peine

Il lui présente un fauteuil. Don Guritan reste debout.

1850 D'entrer, de vous asseoir. – Comme chez vous, – sans
                                                [gêne.
Enchanté de vous voir. Çà, causons un moment.
Que fait-on à Madrid ? Ah ! quel séjour charmant !
Moi, je ne sais plus rien ; je pense qu'on admire
Toujours Matalobos et toujours Lindamire [30].
Pour moi, je craindrais plus, comme péril urgent,
La voleuse de cœurs que le voleur d'argent.
Oh ! les femmes, monsieur ! Cette engeance endiablée
Me tient, et j'ai la tête à leur endroit fêlée.
Parlez, remettez-moi l'esprit en bon chemin.
1860 Je ne suis plus vivant, je n'ai plus rien d'humain,

30. Voir note 19, p. 43, v. 566.

Je suis un être absurde, un mort qui se réveille,
Un bœuf, un hidalgo de la Castille-Vieille[31].
On m'a volé ma plume et j'ai perdu mes gants[32].
J'arrive des pays les plus extravagants.

DON GURITAN

Vous arrivez, mon cher monsieur ? Eh bien, j'arrive
Encor bien plus que vous !

DON CÉSAR, *épanoui.*
De quelle illustre rive ?

DON GURITAN

De là-bas, dans le nord.

DON CÉSAR
Et moi, de tout là-bas,

Dans le midi.

DON GURITAN
Je suis furieux !

DON CÉSAR
N'est-ce pas ?

Moi, je suis enragé !

DON GURITAN
J'ai fait douze cents lieues !

DON CÉSAR

1870   Moi, deux mille ! J'ai vu des femmes jaunes, bleues,
Noires, vertes. J'ai vu des lieux du ciel bénis,
Alger, la ville heureuse, et l'aimable Tunis,
Où l'on voit, tant ces Turcs ont des façons accortes,
Force gens empalés accrochés sur les portes.

DON GURITAN

On m'a joué, monsieur !

DON CÉSAR
Et moi, l'on m'a vendu !

31. Noble de vieille souche. La Castille-Vieille était une province aride et sauvage.
32. Accessoires indispensables du vêtement aristocratique.

DON GURITAN

L'on m'a presque exilé !

[handwritten note: il compris que Guritan est jalouse]

DON CÉSAR

L'on m'a presque pendu !

DON GURITAN

On m'envoie à Neubourg, d'une manière adroite,
Porter ces quatre mots écrits dans une boîte :
« Gardez le plus longtemps possible ce vieux fou. »

DON CÉSAR, *éclatant de rire.*

1880 Parfait ! qui donc cela ?

DON GURITAN

Mais je tordrai le cou

À César de Bazan !

DON CÉSAR, *gravement.*

Ah !

DON GURITAN

Pour comble d'audace,

Tout à l'heure il m'envoie un laquais à sa place.
Pour l'excuser ! dit-il. Un dresseur de buffet !
Je n'ai point voulu voir le valet. Je l'ai fait
Chez moi mettre en prison, et je viens chez le maître.
Ce César de Bazan ! cet impudent ! ce traître !
Voyons, que je le tue ! Où donc est-il ?

DON CÉSAR, *toujours avec gravité.*

C'est moi.

DON GURITAN

Vous ! – Raillez-vous, monsieur ?

DON CÉSAR

Je suis don César.

DON GURITAN

Quoi !

Encor !

DON CÉSAR

Sans doute, encor !

DON GURITAN

Mon cher, quittez ce rôle.
1890 Vous m'ennuyez beaucoup si vous vous croyez drôle.

DON CÉSAR

Vous, vous m'amusez fort et vous m'avez tout l'air
D'un jaloux. Je vous plains énormément, mon cher.
Car le mal qui nous vient des vices qui sont nôtres
Est pire que le mal que nous font ceux des autres.
J'aimerais mieux encore, et je le dis à vous,
Être pauvre qu'avare et cocu que jaloux.
Vous êtes l'un et l'autre, au reste. Sur mon âme,
J'attends encor ce soir madame votre femme.

DON GURITAN

Ma femme !

DON CÉSAR

Oui, votre femme !

DON GURITAN

Allons ! je ne suis pas
1900 Marié.

DON CÉSAR

Vous venez faire cet embarras !
Point marié ! Monsieur prend depuis un quart d'heure
L'air d'un mari qui hurle ou d'un tigre qui pleure,
Si bien que je lui donne, avec simplicité,
Un tas de bons conseils en cette qualité !
Mais, si vous n'êtes pas marié, par Hercule !
De quel droit êtes-vous à ce point ridicule ?

DON GURITAN

Savez-vous bien, monsieur, que vous m'exaspérez ?

DON CÉSAR

Bah !

DON GURITAN

Que c'est trop fort !

DON CÉSAR

Vrai ?

DON GURITAN

Que vous me le paierez !

DON CÉSAR. *Il examine d'un air goguenard les souliers*
de don Guritan, qui disparaissent sous des flots
de rubans, selon la nouvelle mode.
Jadis on se mettait des rubans sur la tête.
1910 Aujourd'hui, je le vois, c'est une mode honnête,
On en met sur sa botte, on se coiffe les pieds.
C'est charmant !

DON GURITAN

Nous allons nous battre !

DON CÉSAR, *impassible.*

Vous croyez ?

DON GURITAN

Vous n'êtes pas César, la chose me regarde ;
Mais je vais commencer par vous.

DON CÉSAR

Bon. Prenez garde
De finir par moi.

DON GURITAN. *Il lui présente une des deux épées.*
Fat ! Sur-le-champ !

DON CÉSAR, *prenant l'épée.*

De ce pas.
Quand je tiens un bon duel, je ne le lâche pas !

DON GURITAN

Où ?

DON CÉSAR

Derrière le mur. Cette rue est déserte.

DON GURITAN, *essayant la pointe de l'épée sur le parquet.*
Pour César, je le tue ensuite !

DON CÉSAR

Vraiment ?

DON GURITAN

Certe[33] !

DON CÉSAR, *faisant aussi ployer son épée.*
Bah ! l'un de nous deux mort, je vous défie après
1920 De tuer don César.

DON GURITAN
Sortons !

Ils sortent. On entend le bruit de leurs pas qui s'éloignent. Une petite porte masquée s'ouvre à droite dans le mur, et donne passage à don Salluste.

SCÈNE 6
Don Salluste,
vêtu d'un habit vert sombre, presque noir.

Il paraît soucieux et préoccupé. Il regarde et écoute avec inquiétude.

Aucuns apprêts !

Apercevant la table chargée de mets.

Que veut dire ceci ?

Écoutant le bruit des pas de César et de Guritan.

Quel est donc ce tapage ?

Il se promène rêveur.

Gudiel ce matin a vu sortir le page,
Et l'a suivi. – Le page allait chez Guritan. –
Je ne vois pas Ruy Blas. – Et ce page... – Satan !
C'est quelque contre-mine[34] ! oui, quelque avis fidèle
Dont il aura chargé don Guritan pour elle !

_____

33. Licence orthographique justifiée par la rime.
34. Mine pratiquée pour détruire une mine ennemie. D'où : manœuvre défensive.

– On ne peut rien savoir des muets ! – C'est cela !
Je n'avais pas prévu ce don Guritan-là !

> *Rentre don César. Il tient à la main l'épée nue, qu'il*
> *jette en entrant sur un fauteuil.*

SCÈNE 7
Don Salluste, Don César.

Comédien

DON CÉSAR, *du seuil de la porte.*
Ah ! j'en étais bien sûr ! vous voilà donc, vieux diable !

DON SALLUSTE, *se retournant, pétrifié.*
1930 Don César !

DON CÉSAR, *croisant les bras avec un grand éclat de rire.*
                    Vous tramez quelque histoire effroyable !
Mais je dérange tout, pas vrai, dans ce moment ?
Je viens au beau milieu m'épater[35] lourdement !

DON SALLUSTE, *à part.*
Tout est perdu !

DON CÉSAR, *riant.*
                Depuis toute la matinée,
Je patauge à travers vos toiles d'araignée.
Aucun de vos projets ne doit être debout.
Je m'y vautre au hasard. Je vous démolis tout.
C'est très réjouissant.

DON SALLUSTE, *à part.*
                    Démon ! qu'a-t-il pu faire ?

DON CÉSAR, *riant de plus en plus fort.*
Votre homme au sac d'argent, – qui venait pour
                                        [l'affaire !
– Pour ce que vous savez ! – qui vous savez ! –

_____
35. M'étaler.

Il rit.

                                                    Parfait !

DON SALLUSTE

1940 Eh bien ?

DON CÉSAR

           Je l'ai soûlé.

DON SALLUSTE

                        Mais l'argent qu'il avait ?

DON CÉSAR, *majestueusement.*

J'en ai fait des cadeaux à diverses personnes.
Dame ! on a des amis.

DON SALLUSTE

                    À tort tu me soupçonnes...

Je...

DON CÉSAR, *faisant sonner ses grègues* [36].

           J'ai d'abord rempli mes poches, vous pensez.

Il se remet à rire.

Vous savez bien ? la dame !...

DON SALLUSTE

                Oh !

DON CÉSAR, *qui remarque son anxiété.*

                   Que vous connaissez, –

Don Salluste écoute avec un redoublement d'angoisse. Don César poursuit en riant.

Qui m'envoie une duègne, affreuse compagnonne,
Dont la barbe fleurit et dont le nez trognonne [37]...

DON SALLUSTE

Pourquoi ?

---

36. Culottes.
37. Ressemble à un trognon. Ces deux vers (que Balzac jugeait « horribles ») contiennent une allusion plaisante aux auteurs connus de manuels d'histoire, MM. Fleury et Trognon.

DON CÉSAR

Pour demander, par prudence et sans bruit,
Si c'est bien don César qui l'attend cette nuit...

DON SALLUSTE

À part.

Ciel !

Haut.

Qu'as-tu répondu ?

DON CÉSAR

J'ai dit que oui, mon maître !
1950 Que je l'attendais !

DON SALLUSTE, *à part.*

Tout n'est pas perdu peut-être !

DON CÉSAR

Enfin, votre tueur, votre grand capitan,
Qui m'a dit sur le pré s'appeler – Guritan,

Mouvement de don Salluste.

Qui ce matin n'a pas voulu voir, l'homme sage,
Un laquais de César lui portant un message,
Et qui venait céans m'en demander raison...

DON SALLUSTE

Eh bien, qu'en as-tu fait ?

DON CÉSAR

J'ai tué cet oison.

DON SALLUSTE

Vrai ?

DON CÉSAR

Vrai. Là, sous le mur, à cette heure il expire.

DON SALLUSTE

Es-tu sûr qu'il soit mort ?

DON CÉSAR

J'en ai peur.

DON SALLUSTE, *à part.*

Je respire !

Allons ! bonté du ciel ! il n'a rien dérangé !
1960 Au contraire. Pourtant donnons-lui son congé.
Débarrassons-nous-en ! Quel rude auxiliaire !
Pour l'argent, ce n'est rien.

Haut.

L'histoire est singulière.
Et vous n'avez pas vu d'autres personnes ?

DON CÉSAR

Non.

Mais j'en verrai. Je veux continuer. Mon nom,
Je compte en faire éclat tout à travers la ville.
Je vais faire un scandale affreux. Soyez tranquille.

DON SALLUSTE

À part.

Diable !

Vivement et se rapprochant de don César.

Garde l'argent, mais quitte la maison.

DON CÉSAR

Oui ! Vous me feriez suivre ! on sait votre façon.
Puis je retournerais, aimable destinée,
1970 Contempler ton azur, ô Méditerranée !
Point.

DON SALLUSTE

Crois-moi.

DON CÉSAR

Non. D'ailleurs, dans ce palais-prison,
Je sens quelqu'un en proie à votre trahison.
Toute intrigue de cour est une échelle double.
D'un côté, bras liés, morne et le regard trouble,
Monte le patient ; de l'autre, le bourreau.
– Or vous êtes bourreau – nécessairement.

DON SALLUSTE

— Oh !

DON CÉSAR

Moi ! je tire l'échelle, et patatras !

DON SALLUSTE

Je jure...

DON CÉSAR

Je veux, pour tout gâter, rester dans l'aventure.
Je vous sais assez fort, cousin, assez subtil,
1980 Pour pendre deux ou trois pantins au même fil.
Tiens, j'en suis un ! Je reste !

DON SALLUSTE

Écoute...

DON CÉSAR

Rhétorique !
Ah ! vous me faites vendre aux pirates d'Afrique !
Ah ! vous me fabriquez ici des faux César !
Ah ! vous compromettez mon nom !

DON SALLUSTE

Hasard !

DON CÉSAR

Hasard ?
Mets que font les fripons pour les sots qui le mangent.
Point de hasard ! Tant pis si vos plans se dérangent !
Mais je prétends sauver ceux qu'ici vous perdez.
Je vais crier mon nom sur les toits.

Il monte sur l'appui de la fenêtre et regarde au dehors.

Attendez !
Juste ! des alguazils passent sous la fenêtre.

Il passe son bras à travers les barreaux, et l'agite en criant.

1990 Holà !

DON SALLUSTE, *effaré, sur le devant du théâtre. À part.*
Tout est perdu s'il se fait reconnaître !

Entrent les alguazils précédés d'un alcade. Don Salluste paraît en proie à une vive perplexité. Don César va vers l'alcade d'un air de triomphe.

SCÈNE 8
Les mêmes, un alcade, des alguazils.

DON CÉSAR, *à l'alcade.*
Vous allez consigner dans vos procès-verbaux...

DON SALLUSTE, *montrant don César à l'alcade.*
Que voici le fameux voleur Matalobos !

DON CÉSAR, *stupéfait.*
Comment !

DON SALLUSTE, *à part.*
Je gagne tout en gagnant vingt-quatre heures.

À l'alcade.

Cet homme ose en plein jour entrer dans les demeures.
Saisissez ce voleur.

Les alguazils saisissent don César au collet.

DON CÉSAR, *furieux, à don Salluste.*
Je suis votre valet,
Vous mentez hardiment !

L'ALCADE
Qui donc nous appelait ?

DON SALLUSTE
C'est moi.

DON CÉSAR
Pardieu ! c'est fort !

L'ALCADE
> Paix ! je crois qu'il raisonne.

DON CÉSAR
Mais je suis don César de Bazan en personne !

DON SALLUSTE
Don César ? – Regardez son manteau, s'il vous plaît.
2000 Vous trouverez SALLUSTE écrit sous le collet.
C'est un manteau qu'il vient de me voler.

> *Les alguazils arrachent le manteau, l'alcade*
> *l'examine.*

L'ALCADE
> C'est juste.

DON SALLUSTE
Et le pourpoint qu'il porte...

DON CÉSAR, *à part.*
> Oh ! le damné Salluste !

DON SALLUSTE, *continuant.*
Il est au comte d'Albe, auquel il fut volé... –

> *Montrant un écusson brodé sur le parement de la*
> *manche gauche.*

Dont voici le blason !

DON CÉSAR, *à part.*
> Il est ensorcelé !

L'ALCADE, *examinant le blason.*
Oui, les deux châteaux d'or...

DON SALLUSTE
> Et puis, les deux chaudières[38].
Enriquez et Gusman.

> *En se débattant, don César fait tomber quelques*
> *doublons de ses poches. Don Salluste montre à*
> *l'alcade la façon dont elles sont remplies.*

---

38. Motif héraldique réservé aux plus nobles familles.

> > > Sont-ce là les manières
> Dont les honnêtes gens portent l'argent qu'ils ont ?

> > L'ALCADE, *hochant la tête.*

Hum !

> > > DON CÉSAR, *à part.*
> > Je suis pris !

> > *Les alguazils le fouillent et lui prennent son argent.*

> > UN ALGUAZIL, *fouillant.*
> > > Voilà des papiers.

> > > DON CÉSAR, *à part.*

> > > > > Ils y sont !
> Oh ! pauvres billets doux sauvés dans mes traverses [39] !

> > L'ALCADE, *examinant les papiers.*
2010 Des lettres... qu'est cela ? – d'écritures diverses ?...

> DON SALLUSTE, *lui faisant remarquer les suscriptions.*
> Toutes au comte d'Albe !

> > > L'ALCADE
> > > > Oui.

> > > DON CÉSAR
> > > > > Mais...

> > LES ALGUAZILS, *lui liant les mains.*
> > > > > > Pris ! quel bonheur !

> > UN ALGUAZIL, *entrant, à l'alcade.*
> Un homme est là qu'on vient d'assassiner, seigneur.

> > > L'ALCADE
> Quel est l'assassin ?

> > DON SALLUSTE, *montrant don César.*
> > > > Lui !

> > > DON CÉSAR, *à part.*
> > > > > Ce duel ! quelle équipée !

---

39. Aventures.

DON SALLUSTE

En entrant, il tenait à la main une épée.
La voilà.

L'ALCADE, *examinant l'épée.*

Du sang. – Bien.

À don César.

Allons, marche avec eux !

DON SALLUSTE, *à don César, que les alguazils emmènent.*

Bonsoir, Matalobos.

DON CÉSAR, *faisant un pas vers lui et le regardant
fixement.*

Vous êtes un fier gueux !

ACTE V

LE TIGRE ET LE LION

Même chambre. C'est la nuit. Une lampe est posée sur la table.

Au lever du rideau, Ruy Blas est seul. Une sorte de longue robe noire cache ses vêtements.

SCÈNE I
Ruy Blas, *seul.*

C'est fini. Rêve éteint ! Visions disparues !
Jusqu'au soir au hasard j'ai marché dans les rues.
J'espère en ce moment. Je suis calme. La nuit,
2020 On pense mieux, la tête est moins pleine de bruit.
Rien de trop effrayant sur ces murailles noires ;
Les meubles sont rangés ; les clefs sont aux armoires ;
Les muets sont là-haut qui dorment ; la maison
Est vraiment bien tranquille. Oh ! oui, pas de raison
D'alarme. Tout va bien. Mon page est très fidèle.
Don Guritan est sûr alors qu'il s'agit d'elle.
Ô mon Dieu ! n'est-ce pas que je puis vous bénir,
Que vous avez laissé l'avis lui parvenir,
Que vous m'avez aidé, vous, Dieu bon, vous, Dieu
                           [juste,
2030 À protéger cet ange, à déjouer Salluste,
Qu'elle n'a rien à craindre, hélas, rien à souffrir,
Et qu'elle est bien sauvée, – et que je puis mourir ?

Il tire de sa poitrine une fiole qu'il pose sur la table.

Oui, meurs maintenant, lâche ! et tombe dans l'abîme !
Meurs comme on doit mourir quand on expie un
[crime !
Meurs dans cette maison, vil, misérable et seul !

Il écarte sa robe noire, sous laquelle on entrevoit la livrée qu'il portait au premier acte.

Meurs avec ta livrée enfin sous ton linceul !
– Dieu ! si ce démon vient voir sa victime morte,

Il pousse un meuble de façon à barricader la porte secrète.

Qu'il n'entre pas du moins par cette horrible porte !

Il revient vers la table.

– Oh ! le page a trouvé Guritan, c'est certain,
2040 Il n'était pas encor huit heures du matin.

Il fixe son regard sur la fiole.

– Pour moi, j'ai prononcé mon arrêt, et j'apprête
Mon supplice, et je vais moi-même sur ma tête
Faire choir du tombeau le couvercle pesant.
J'ai du moins le plaisir de penser qu'à présent
Personne n'y peut rien. Ma chute est sans remède.

Tombant sur le fauteuil.

Elle m'aimait pourtant ! – Que Dieu me soit en aide !
Je n'ai pas de courage !

Il pleure.

                    Oh ! l'on aurait bien dû
Nous laisser en paix !

Il cache sa tête dans ses mains et pleure à sanglots.

                  Dieu !

Relevant la tête et comme égaré, regardant la fiole.

                    L'homme, qui m'a vendu

Ceci, me demandait quel jour du mois nous sommes.
2050 Je ne sais pas. J'ai mal dans la tête. Les hommes
Sont méchants. Vous mourez, personne ne s'émeut.
Je souffre ! – Elle m'aimait ! – Et dire qu'on ne peut
Jamais rien ressaisir d'une chose passée ! –
Je ne la verrai plus ! – Sa main que j'ai pressée,
Sa bouche qui toucha mon front... – Ange adoré !
Pauvre ange ! – Il faut mourir, mourir désespéré !
Sa robe où tous les plis contenaient de la grâce,
Son pied qui fait trembler mon âme quand il passe,
Son œil où s'enivraient mes yeux irrésolus,
2060 Son sourire, sa voix... – Je ne la verrai plus !
Je ne l'entendrai plus ! – Enfin c'est donc possible ?
Jamais !

> *Il avance avec angoisse sa main vers la fiole ; au moment où il la saisit convulsivement, la porte du fond s'ouvre. La reine paraît, vêtue de blanc, avec une mante de couleur sombre, dont le capuchon, rejeté sur ses épaules, laisse voir sa tête pâle. Elle tient une lanterne sourde à la main, elle la pose à terre, et marche rapidement vers Ruy Blas.*

SCÈNE 2
Ruy Blas, la Reine.

LA REINE, *entrant.*
Don César !

RUY BLAS, *se retournant avec un mouvement d'épouvante,
et fermant précipitamment la robe qui cache sa livrée.*
                          Dieu ! c'est elle ! – Au piège horrible
Elle est prise !

Haut.

                Madame !...

Voir *Au fil du texte*, p. 203.

LA REINE

Eh bien ! quel cri d'effroi !
César...

RUY BLAS

Qui vous a dit de venir ici ?

LA REINE

Toi.

RUY BLAS

Moi ? – Comment ?

LA REINE

J'ai reçu de vous...

RUY BLAS, *haletant.*

Parlez donc vite !

LA REINE

Une lettre.

RUY BLAS

De moi !

LA REINE

De votre main écrite.

RUY BLAS

Mais c'est à se briser le front contre le mur !
Mais je n'ai pas écrit, pardieu, j'en suis bien sûr !

LA REINE, *tirant de sa poitrine un billet*
qu'elle lui présente.

Lisez donc.

Ruy Blas prend la lettre avec emportement, et se
penche vers la lampe et lit.

RUY BLAS, *lisant.*

« Un danger terrible est sur ma tête.
2070 « Ma reine seule peut conjurer la tempête... »

Il regarde la lettre avec stupeur, comme ne pouvant
aller plus loin.

LA REINE, *continuant, et lui montrant du doigt*
la ligne qu'elle lit.

« En venant me trouver ce soir dans ma maison.
« Sinon, je suis perdu. »

RUY BLAS, *d'une voix éteinte.*

Ho ! quelle trahison !

Ce billet !

LA REINE, *continuant de lire.*

« Par la porte au bas de l'avenue,
« Vous entrerez la nuit sans être reconnue.
« Quelqu'un de dévoué vous ouvrira. »

RUY BLAS, *à part.*

J'avais

Oublié ce billet.

À la reine, d'une voix terrible.

Allez-vous-en !

LA REINE

Je vais

M'en aller, don César. Ô mon Dieu ! que vous êtes
Méchant ! qu'ai-je donc fait ?

RUY BLAS

Ô ciel ! ce que vous faites ?

Vous vous perdez !

LA REINE

Comment ?

RUY BLAS

Je ne puis l'expliquer.

2080 Fuyez vite.

LA REINE

J'ai même, et pour ne rien manquer,
Eu le soin d'envoyer ce matin une duègne...

RUY BLAS

Dieu ! – mais, à chaque instant, comme d'un cœur qui
[saigne,
Je sens que votre vie à flots coule et s'en va.
Partez !

LA REINE, *comme frappée d'une idée subite.*
Le dévouement que mon amour rêva
M'inspire. Vous touchez à quelque instant funeste.
Vous voulez m'écarter de vos dangers ! – Je reste.

RUY BLAS

Ah ! Voilà, par exemple, une idée ! Ô mon Dieu !
Rester à pareille heure et dans un pareil lieu !

LA REINE

La lettre est bien de vous. Ainsi...

RUY BLAS, *levant les bras au ciel de désespoir.*
                                        Bonté divine !

LA REINE
2090 Vous voulez m'éloigner.

                RUY BLAS, *lui prenant les mains.*
                                        Comprenez !

LA REINE

                                        Je devine.
Dans le premier moment vous m'écrivez, et puis...

RUY BLAS

Je ne t'ai pas écrit. Je suis un démon. Fuis !
Mais c'est toi, pauvre enfant, qui te prends dans un
                                        [piège !
Mais c'est vrai ! mais l'enfer de tous côtés t'assiège !
Pour te persuader je ne trouve donc rien ?
Écoute, comprends donc, je t'aime, tu sais bien.
Pour sauver ton esprit de ce qu'il imagine,
Je voudrais arracher mon cœur de ma poitrine !
Oh ! je t'aime. Va-t'en !

LA REINE
                Don César...

RUY BLAS

                                        Oh ! va-t'en !
2100 – Mais, j'y songe, on a dû t'ouvrir ?

LA REINE

Mais oui.

RUY BLAS

Satan !

Qui ?

LA REINE

Quelqu'un de masqué, caché par la muraille.

RUY BLAS

Masqué ! Qu'a dit cet homme ? est-il de haute taille ?
Cet homme, quel est-il ? Mais parle donc ! j'attends !

*Un homme en noir et masqué paraît à la porte du
fond.*

L'HOMME MASQUÉ

C'est moi !

*Il ôte son masque. C'est don Salluste. La reine et
Ruy Blas le reconnaissent avec terreur.*

SCÈNE 3
Les mêmes, Don Salluste.

RUY BLAS

Grand Dieu ! fuyez, madame !

DON SALLUSTE

Il n'est plus temps.
Madame de Neubourg n'est plus reine d'Espagne.

LA REINE, *avec horreur.*

Don Salluste !

DON SALLUSTE, *montrant Ruy Blas.*

À jamais vous êtes la compagne
De cet homme.

LA REINE

Grand Dieu ! c'est un piège, en effet !
Et don César...

RUY BLAS, *désespéré.*
                    Madame, hélas ! qu'avez-vous fait ?

DON SALLUSTE, *s'avançant à pas lents vers la reine.*
Je vous tiens. – Mais je vais parler, sans lui déplaire,
2110 À votre majesté, car je suis sans colère.
Je vous trouve, – écoutez, ne faisons pas de bruit, –
Seule avec don César, dans sa chambre, à minuit.
Ce fait, – pour une reine, – étant public, – en somme,
Suffit pour annuler le mariage à Rome.
Le saint-père en serait informé promptement
Mais on supplée au fait par le consentement[1].
Tout peut rester secret.

    Il tire de sa poche un parchemin qu'il déroule et
    qu'il présente à la reine.

                    Signez-moi cette lettre
Au seigneur notre roi. Je la ferai remettre
Par le grand écuyer au notaire mayor[2].
2120 Ensuite, – une voiture, où j'ai mis beaucoup d'or,

    Désignant le dehors.

Est là. – Partez tous deux sur-le-champ. Je vous aide.
Sans être inquiétés, vous pourrez par Tolède
Et par Alcantara[3] gagner le Portugal.
Allez où vous voudrez, cela nous est égal.
Nous fermerons les yeux. – Obéissez. Je jure
Que seul en ce moment je connais l'aventure ;
Mais, si vous refusez, Madrid sait tout demain.
Ne nous emportons pas. Vous êtes dans ma main.

    Montrant la table, sur laquelle il y a une écritoire.

Voilà tout ce qu'il faut pour écrire, madame.

    LA REINE, *atterrée, tombant sur le fauteuil.*
2130 Je suis en son pouvoir !

---

1. Le consentement de la reine à l'annulation de son mariage
permettrait d'éviter le scandale.
2. Premier notaire, établissant les actes publics.
3. Ville située sur le Tage, proche de la frontière. Salluste indique la route la plus directe.

DON SALLUSTE
>De vous je ne réclame
Que ce consentement pour le porter au roi.

Bas à Ruy Blas, qui écoute tout, immobile et comme frappé de la foudre.

Laisse-moi faire, ami, je travaille pour toi.

À la reine.

Signez.

LA REINE, *tremblante, à part.*
>Que faire ?

DON SALLUSTE, *se penchant à son oreille*
et lui présentant une plume.
>Allons ! qu'est-ce qu'une couronne ?
Vous gagnez le bonheur, si vous perdez le trône.
Tous mes gens sont restés dehors. On ne sait rien
De ceci. Tout se passe entre nous trois.

Essayant de lui mettre la plume entre les doigts sans qu'elle la repousse ni la prenne.

>Eh bien ?

La reine, indécise et égarée, le regarde avec angoisse.

Si vous ne signez point, vous vous frappez vous-même.
Le scandale et le cloître !

LA REINE, *accablée.*
>Ô Dieu !

DON SALLUSTE, *montrant Ruy Blas.*
>César vous aime.
Il est digne de vous. Il est, sur mon honneur,
2140 De fort grande maison. Presque un prince. Un seigneur
Ayant donjon sur roche et fief dans la campagne.
Il est duc d'Olmedo, Bazan, et grand d'Espagne...

Il pousse sur le parchemin la main de la reine éperdue et tremblante, et qui semble prête à signer.

RUY BLAS, *comme se réveillant tout à coup.*
Je m'appelle Ruy Blas, et je suis un laquais !

Arrachant des mains de la reine la plume, et le par-
chemin qu'il déchire.

Ne signez pas, madame ! – Enfin ! – Je suffoquais !

LA REINE
Que dit-il ? don César !

RUY BLAS, *laissant tomber sa robe et se montrant*
vêtu de la livrée ; sans épée.
                              Je dis que je me nomme
Ruy Blas, et que je suis le valet de cet homme !

Se retournant vers don Salluste.

Je dis que c'est assez de trahison ainsi,
Et que je ne veux pas de mon bonheur ! – Merci !
– Ah ! vous avez eu beau me parler à l'oreille ! –
2150 Je dis qu'il est bien temps qu'enfin je me réveille,
Quoique tout garrotté dans vos complots hideux,
Et que je n'irai pas plus loin, et qu'à nous deux,
Monseigneur, nous faisons un assemblage infâme.
J'ai l'habit d'un laquais, et vous en avez l'âme !

DON SALLUSTE, *à la reine, froidement.*
Cet homme est en effet mon valet.

À Ruy Blas avec autorité.

                                        Plus un mot.

LA REINE, *laissant enfin échapper un cri de désespoir*
et se tordant les mains.
Juste ciel !

DON SALLUSTE, *poursuivant.*
          Seulement il a parlé trop tôt.

Il croise les bras et se redresse, avec une voix
tonnante.

Eh bien, oui ! maintenant disons tout. Il n'importe !
Ma vengeance est assez complète de la sorte.

À la reine.

Qu'en pensez-vous ? – Madrid va rire, sur ma foi !
Ah ! vous m'avez cassé ! je vous détrône, moi.
Ah ! vous m'avez banni ! je vous chasse, et m'en
vante !
Ah ! vous m'avez pour femme offert votre suivante !

Il éclate de rire.

Moi, je vous ai donné mon laquais pour amant.
Vous pourrez l'épouser aussi ! certainement.
Le roi s'en va ! – Son cœur sera votre richesse,

Il rit.

Et vous l'aurez fait duc afin d'être duchesse !

Grinçant des dents.

Ah ! vous m'avez brisé, flétri, mis sous vos pieds,
Et vous dormiez en paix, folle que vous étiez !

*Pendant qu'il a parlé, Ruy Blas est allé à la porte
du fond et en a poussé le verrou, puis il s'est approché de lui sans qu'il s'en soit aperçu, par-derrière,
à pas lents. Au moment où don Salluste achève,
fixant des yeux pleins de haine et de triomphe sur
la reine anéantie, Ruy Blas saisit l'épée du marquis
par la poignée et la tire vivement.*

RUY BLAS, *terrible, l'épée de don Salluste à la main.*
Je crois que vous venez d'insulter votre reine !

*Don Salluste se précipite vers la porte. Ruy Blas la
lui barre.*

– Oh ! n'allez point par là, ce n'en est pas la peine,
J'ai poussé le verrou depuis longtemps déjà. –
Marquis, jusqu'à ce jour Satan te protégea,
Mais, s'il veut t'arracher de mes mains, qu'il se montre.
– À mon tour ! – On écrase un serpent qu'on rencontre.
– Personne n'entrera, ni tes gens, ni l'enfer !
Je te tiens écumant sous mon talon de fer !
– Cet homme vous parlait insolemment, madame ?
Je vais vous expliquer. Cet homme n'a point d'âme,
C'est un monstre. En riant hier il m'étouffait.
Il m'a broyé le cœur à plaisir. Il m'a fait

Fermer une fenêtre, et j'étais au martyre !
Je priais ! je pleurais ! je ne peux pas vous dire.

Au marquis.

Vous contiez vos griefs dans ces derniers moments.
Je ne répondrai pas à vos raisonnements,
Et d'ailleurs – je n'ai pas compris. – Ah ! misérable !
Vous osez, – votre reine, une femme adorable !
Vous osez l'outrager quand je suis là ! – Tenez,
Pour un homme d'esprit, vraiment, vous m'étonnez !
Et vous vous figurez que je vous verrai faire
2190 Sans rien dire ! – Écoutez, quelle que soit sa sphère,
Monseigneur, lorsqu'un traître, un fourbe tortueux,
Commet de certains faits rares et monstrueux,
Noble ou manant, tout homme a droit, sur son passage,
De venir lui cracher sa sentence au visage,
Et de prendre une épée, une hache, un couteau !... –
Pardieu ! j'étais laquais ! quand je serais bourreau ?

LA REINE

Vous n'allez pas frapper cet homme ?

RUY BLAS

                              Je me blâme
D'accomplir devant vous ma fonction, madame,
Mais il faut étouffer cette affaire en ce lieu.

Il pousse don Salluste vers le cabinet.

2200 – C'est dit, monsieur ! allez là-dedans prier Dieu !

DON SALLUSTE

C'est un assassinat !

RUY BLAS
Crois-tu ?

DON SALLUSTE, *désarmé, et jetant un regard plein de rage
autour de lui.*

                              Sur ces murailles
Rien ! pas d'arme !

À Ruy Blas.

                              Une épée au moins !

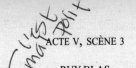

RUY BLAS

Marquis ! tu railles !
Maître ! est-ce que je suis un gentilhomme, moi ?
Un duel ! fi donc ! je suis un de tes gens à toi,
Valetaille de rouge et de galons vêtue,
Un maraud qu'on châtie et qu'on fouette, – et qui tue !
Oui, je vais te tuer, monseigneur, vois-tu bien ?
Comme un infâme ! comme un lâche ! comme un
[chien !

LA REINE

Grâce pour lui !

RUY BLAS, à la reine, saisissant le marquis.

Madame, ici chacun se venge.
2210 Le démon ne peut plus être sauvé par l'ange !

LA REINE, à genoux.

Grâce !

DON SALLUSTE, appelant.

Au meurtre ! au secours !

RUY BLAS, levant l'épée.

As-tu bientôt fini ?

DON SALLUSTE, se jetant sur lui en criant.

Je meurs assassiné ! Démon !

RUY BLAS, le poussant dans le cabinet.

Tu meurs puni !

Ils disparaissent dans le cabinet, dont la porte se
referme sur eux.

LA REINE, <i>restée seule, tombant demi-morte sur le fauteuil.</i>
Ciel !

Un moment de silence. Rentre Ruy Blas, pâle, sans
épée.

tragédie pure

SCÈNE 4
La Reine, Ruy Blas.

Ruy Blas fait quelques pas en chancelant vers la
reine immobile et glacée, puis il tombe à deux
genoux, l'œil fixé à terre, comme s'il n'osait lever
les yeux jusqu'à elle.

RUY BLAS, *d'une voix grave et basse.*

Maintenant, madame, il faut que je vous dise.
– Je n'approcherai pas. – Je parle avec franchise.
Je ne suis point coupable autant que vous croyez.
Je sens, ma trahison, comme vous la voyez,
Doit vous paraître horrible. Oh ! ce n'est pas facile
À raconter. Pourtant je n'ai pas l'âme vile,
Je suis honnête au fond. – Cet amour m'a perdu. –
2220 Je ne me défends pas ; je sais bien, j'aurais dû
Trouver quelque moyen. La faute est consommée !
– C'est égal, voyez-vous, je vous ai bien aimée.

LA REINE

Monsieur...

RUY BLAS, *toujours à genoux.*

N'ayez pas peur. Je n'approcherai point.
À votre majesté je vais de point en point
Tout dire. Oh ! croyez-moi, je n'ai pas l'âme vile ! –
Aujourd'hui tout le jour j'ai couru par la ville
Comme un fou. Bien souvent même on m'a regardé.
Auprès de l'hôpital que vous avez fondé,
J'ai senti vaguement, à travers mon délire,
2230 Une femme du peuple essuyer sans rien dire
Les gouttes de sueur qui tombaient de mon front[4].
Ayez pitié de moi, mon Dieu ! mon cœur se rompt !

---

4. Comme Véronique le visage du Christ montant au calvaire.
☞Voir *Au fil du texte,* p. 203-204.

LA REINE

Que voulez-vous ?

RUY BLAS, *joignant les mains.*
Que vous me pardonniez, madame !

LA REINE

Jamais.

RUY BLAS

Jamais !

Il se lève et marche lentement vers la table.

Bien sûr ?

LA REINE
Non, jamais !

RUY BLAS. *Il prend la fiole posée sur la table,*
la porte à ses lèvres et la vide d'un trait.
Triste flamme,

Éteins-toi !

LA REINE, *se levant et courant à lui.*
Que fait-il ?

RUY BLAS, *posant la fiole.*
Rien. Mes maux sont finis.
Rien. Vous me maudissez, et moi je vous bénis.
Voilà tout.

LA REINE, *éperdue.*
Don César !

RUY BLAS

Quand je pense, pauvre ange,
Que vous m'avez aimé !

LA REINE

Quel est ce philtre étrange ?
Qu'avez-vous fait ? Dis-moi ! réponds-moi ! parle-moi !
2240   César ! je te pardonne et t'aime, et je te croi[5] !

5. Licence orthographique. Voir note 1, p. 36.

RUY BLAS

Je m'appelle Ruy Blas.

LA REINE, *l'entourant de ses bras.*

Ruy Blas, je vous pardonne !
Mais qu'avez-vous fait là ? Parle, je te l'ordonne !
Ce n'est pas du poison, cette affreuse liqueur ?
Dis ?

RUY BLAS

Si ! c'est du poison. Mais j'ai la joie au cœur.

Tenant la reine embrassée et levant les yeux au ciel.

Permettez, ô mon Dieu, justice souveraine,
Que ce pauvre laquais bénisse cette reine,
Car elle a consolé mon cœur crucifié,
Vivant, par son amour, mourant, par sa pitié !

LA REINE

Du poison ! Dieu ! c'est moi qui l'ai tué ! – Je t'aime !
2250 Si j'avais pardonné ?...

RUY BLAS, *défaillant.*

J'aurais agi de même.

Sa voix s'éteint. La reine le soutient dans ses bras.

Je ne pouvais plus vivre. Adieu !

Montrant la porte.

Fuyez d'ici !
– Tout restera secret. – Je meurs.

Il tombe.

LA REINE, *se jetant sur son corps.*
Ruy Blas !

RUY BLAS, *qui allait mourir, se réveille à son nom
prononcé par la reine.*

Merci !

Note de Victor Hugo

Il est arrivé à l'auteur de voir représenter en province *Angelo tyran de Padoue*[1] par des acteurs qui prononçaient *Tisbe, Dafne,* fort satisfaisants, du reste, sous d'autres rapports. Il lui paraît donc utile d'indiquer ici, pour ceux qui pourraient l'ignorer, que, dans les noms espagnols et italiens, les *e* doivent se prononcer *é*. Quand on lit *Teve, Camporeal, Oñate,* il faut dire *Tévé, Camporéal, Ognâté.* Après cette observation, qui s'adresse particulièrement aux régisseurs des théâtres de province où l'on pourrait monter *Ruy Blas,* l'auteur croit à propos d'expliquer, pour le lecteur, deux ou trois mots spéciaux employés dans ce drame. Ainsi *almojarifazgo*[2] est le mot arabe par lequel on désignait, dans l'ancienne monarchie espagnole, le tribut de cinq pour cent que payaient au roi toutes les marchandises qui allaient d'Espagne aux Indes ; ainsi l'impôt des *ports secs*[3] signifie le droit de douane des villes frontières. Du reste, et cela va sans dire, il n'y a pas dans *Ruy Blas* un détail de vie privée ou publique, d'intérieur, d'ameublement, de blason, d'étiquette, de biographie, de chiffre, ou de topographie, qui ne soit scrupuleusement exact[4]. Ainsi, quand le comte de Camporeal dit : *La maison de la reine, ordinaire et civile, coûte par an*

1. Drame en prose, représenté en 1835.
2. Voir note 13, p. 105.
3. Voir v. 1047.
4. Sur l'effort de documentation de Hugo, voir le dossier historique et littéraire.

six cent soixante-quatre mille soixante-six ducats[5], on peut consulter *Solo Madrid es corte*[6], on y trouvera cette somme pour le règne de Charles II, sans un mara-vedis[7] de plus ou de moins. Quand don Salluste dit : *Sandoval porte d'or à la bande de sable*[8], on n'a qu'à recourir au registre de la grandesse pour s'assurer que don Salluste ne change rien au blason de Sandoval. Quand le laquais du quatrième acte dit : *L'or est en souverains, bons quadruples pesant sept gros trente-six grains, ou bons doublons au marc*[9], on peut ouvrir le livre des monnaies publié sous Philippe IV, *en la imprenta real*[10]. De même pour le reste. L'auteur pour-rait multiplier à l'infini ce genre d'observations, mais on comprendra qu'il s'arrête ici. Toutes ses pièces pour-raient être escortées d'un volume de notes dont il se dispense et dont il dispense le lecteur. Il l'a déjà dit ailleurs[11], et il espère qu'on s'en souvient peut-être, *à défaut de talent, il a la conscience*. Et cette conscience, il veut la porter en tout, dans les petites choses comme dans les grandes, dans la citation d'un chiffre comme dans la peinture des cœurs et des âmes, dans le dessin d'un blason comme dans l'analyse des caractères et des passions. Seulement il croit devoir maintenir rigoureu-sement chaque chose dans sa proportion, et ne jamais souffrir que le petit détail sorte de sa place. Les petits détails d'histoire et de vie domestique doivent être scru-puleusement étudiés et reproduits par le poëte, mais uniquement comme des moyens d'accroître la réalité de l'ensemble, et de faire pénétrer jusque dans les coins

5. Voir v. 1017-1019.
6. *Seul Madrid est une cour* d'Alonso Nuñez de Castro. Ouvrage dont Anne Ubersfeld suppose qu'il n'a pas été utilisé directement mais à travers le livre de l'abbé de Vayrac.
7. Petite pièce de peu de valeur.
8. Voir v. 1330.
9. Voir v. 1683-1685.
10. À l'imprimerie royale.
11. Dans la Préface de *Marie Tudor*. À celui qui créera le drame idéal « il faudra deux qualités : conscience et génie. L'auteur qui parle ici n'a que la première, il le sait ».

les plus obscurs de l'œuvre cette vie générale et puissante au milieu de laquelle les personnages sont plus vrais et les catastrophes, par conséquent, plus poignantes. Tout doit être subordonné à ce but. L'homme sur le premier plan, le reste au fond.

Pour en finir avec les observations minutieuses, notons encore en passant que Ruy Blas, au théâtre, dit (IIIe acte) [12] : M. de Priego, *comme sujet du roi,* etc., et que dans le livre il dit : *comme noble du roi.* Le livre donne l'expression juste. En Espagne, il y avait deux espèces de nobles, les *nobles du royaume,* c'est-à-dire tous les gentilshommes, et les *nobles du roi,* c'est-à-dire les grands d'Espagne. Or M. de Priego est grand d'Espagne, et, par conséquent, noble du roi. Mais l'expression aurait pu paraître obscure à quelques spectateurs peu lettrés ; et, comme au théâtre deux ou trois personnes qui ne comprennent pas se croient parfois le droit de troubler deux mille personnes qui comprennent, l'auteur a fait dire à Ruy Blas *sujet du roi* pour *noble du roi,* comme il avait déjà fait dire à Angelo Malipieri [13] la *croix rouge* au lieu de la *croix de gueules.* Il en offre ici toutes ses excuses aux spectateurs intelligents.

Maintenant, qu'on lui permette d'accomplir un devoir qui est pour lui un plaisir, c'est-à-dire d'adresser un remerciement public à cette troupe excellente qui vient de se révéler tout à coup par *Ruy Blas* au public parisien dans la belle salle Ventadour [14], qui a tout à la fois l'éclat des troupes neuves et l'ensemble des troupes anciennes. Il n'est pas un personnage de cette pièce, si petit qu'il soit, qui ne soit remarquablement bien représenté, et plusieurs des rôles secondaires laissent entrevoir aux connaisseurs, par des ouvertures trop étroites à la vérité, des talents fort distingués. Grâce, en grande partie, à cette troupe si intelligente et si bien

12. Voir v. 1336.
13. Le podesta d'*Angelo tyran de Padoue* (troisième journée IIe partie, scène 1).
14. Le Théâtre de la Renaissance.

faite, de hautes destinées attendent, nous n'en doutons pas, ce magnifique théâtre, déjà aussi royal qu'aucun des théâtres royaux, et plus utile aux lettres qu'aucun des théâtres subventionnés.

Quant à nous, pour nous borner aux rôles principaux, félicitons M. Féréol de cette science d'excellent comédien avec laquelle il a reproduit la figure chevaleresque et gravement bouffonne de don Guritan. Au dix-septième siècle, il restait encore en Espagne quelques don Quichottes malgré Cervantès. M. Féréol s'en est spirituellement souvenu.

M. Alexandre Mauzin a supérieurement compris et composé don Salluste. Don Salluste, c'est Satan, mais c'est Satan grand d'Espagne de première classe ; c'est l'orgueil du démon sous la fierté du marquis ; du bronze sous de l'or ; un personnage poli, sérieux, contenu, sobrement railleur, froid, lettré, homme du monde, avec des éclairs infernaux. Il faut à l'acteur qui aborde ce rôle, et c'est ce que tous les connaisseurs ont trouvé dans M. Alexandre, une manière tranquille, sinistre et grande, avec deux explosions terribles, l'une au commencement [15], l'autre à la fin [16].

Le rôle de don César a naturellement eu beaucoup d'aventures dont les journaux et les tribunaux ont entretenu le public [17]. En somme, le résultat a été le plus heureux du monde. Don César a fort cavalièrement pris au boulevard et fort légitimement donné à la comédie un bien qui lui appartenait, c'est-à-dire le talent vrai, fin, souple, charmant, irrésistiblement gai et singulièrement littéraire de M. Saint-Firmin.

La reine est un ange, et la reine est une femme. Le double aspect de cette chaste figure a été reproduit par Mlle Louise Baudouin avec une intelligence rare et exquise. Au cinquième acte, Marie de Neubourg

---

15. Acte I, scène 1.
16. Acte V, scène 3.
17. Saint Firmin appartenait à la troupe du Théâtre de la Gaîté. Son engagement par le Théâtre de la Renaissance fut l'occasion d'un procès.

repousse le laquais et s'attendrit sur le mourant ; reine devant la faute, elle redevient femme devant l'expiation. Aucune de ces nuances n'a échappé à Mlle Baudouin, qui s'est élevée très haut dans ce rôle. Elle a eu la pureté, la dignité et le pathétique.

Quant à M. Frédérick Lemaître [18], qu'en dire ? Les acclamations enthousiastes de la foule le saisissent à son entrée en scène et le suivent jusqu'après le dénouement. Rêveur et profond au premier acte, mélancolique au deuxième, grand, passionné et sublime au troisième, il s'élève au cinquième acte à l'un de ces prodigieux effets tragiques du haut desquels l'acteur rayonnant domine tous les souvenirs de son art. Pour les vieillards, c'est Lekain [19] et Garrick [20] mêlés dans un seul homme ; pour nous, contemporains, c'est l'action de Kean [21] combinée avec l'émotion de Talma [22]. Et puis, partout, à travers les éclairs éblouissants de son jeu, M. Frédérick a des larmes, de ces vraies larmes qui font pleurer les autres, de ces larmes dont parle Horace : *Si vis me flere, dolendum est primum ipse tibi* [23]. Dans *Ruy Blas,* M. Frédérick réalise pour nous l'idéal du grand acteur. Il est certain que toute sa vie de théâtre, le passé comme l'avenir, sera illuminée par cette création radieuse. Pour M. Frédérick, la soirée du 8 novembre 1838 n'a pas été une représentation, mais une transfiguration.

18. Grand acteur (1800-1876), que rendit célèbre le rôle de Robert Macaire dans *L'Auberge des Adrets.*
19. Grand acteur du XVIIIe siècle (1728-1778), créa les rôles principaux des tragédies de Voltaire.
20. Acteur anglais (1717-1779), interprète de Shakespeare.
21. Célèbre acteur anglais, au jeu romantique (1787-1833).
22. Tragédien célèbre (1763-1826).
23. « Si tu veux que je pleure, il faut déjà pleurer toi-même. » Horace, *Art poétique,* v. 102-103. Le latin dit « ipsi ».

LES CLÉS DE L'ŒUVRE

I - AU FIL DU TEXTE

II - DOSSIER HISTORIQUE ET LITTÉRAIRE

Pour approfondir votre lecture, LIRE vous propose une sélection commentée :
• de morceaux « classiques » devenus incontournables, signalés par ➜ (droit au but).
• d'extraits représentatifs de l'œuvre, signalés par ➝ (en flânant)

AU FIL DU TEXTE

par Gérard Gengembre,
professeur de littérature française à l'université de Caen

I - DÉCOUVRIR

<table>
<tr><td>

La phrase clé

« Et que m'ordonnez-vous, seigneur, présentement ?
– De plaire à cette femme et d'être son amant. »

(Ruy Blas et don Salluste, I, 5, v. 583-584)
</td></tr>
</table>

• LA DATE

Le drame a été joué pour la première fois le 8 novembre 1838. Sur les circonstances de la composition et de la première représentation, voir la Préface.

L'ŒUVRE THÉÂTRALE DE HUGO

Titre	Date de la 1re représentation	Lieu	Réception
Le Château du diable (mélodrame)	1812 non joué		
L'Enfer sur terre (comédie)	1812 non joué		
Irtamène (tragédie)	1816 non jouée		
Athélie ou Les Scandinaves (tragédie dont seuls 2 actes sont écrits)	1817 non jouée		
Iñez de Castro (mélodrame)	1818 (?) interdit en 1821	acceptée par le Panorama-Dramatique en 1821	
Amy Robsart	3 actes écrits en 1822 ; joué en 1828		
Cromwell	1827 non joué		

Amy Robsart pièce attribuée à Paul Foucher, beau-frère de Hugo	1828	Odéon	échec
Marion de Lorme	censurée en 1829	reçu à la Comédie- Française	
Hernani	1830	Comédie-Française	succès
Marion de Lorme	1831	Porte-Saint-Martin	succès
Le roi s'amuse	1832	Comédie-Française	censuré après la première
Lucrèce Borgia	1833	Porte-Saint-Martin	triomphe
Marie Tudor	1833	Porte-Saint-Martin	succès mitigé
Angelo tyran de Padoue	1835	Comédie-Française	succès
Esmeralda poème lyrique tiré de *Notre-Dame de Paris*	1836	Opéra	échec
Ruy Blas	1838	Théâtre de la Renaissance	succès
Les Jumeaux inachevé	1839		
Les Burgraves	1843	Comédie-Française	échec
La Forêt mouillée pièce bouffonne et sérieuse	1854 non jouée		
La Grand'Mère un acte	1865 non jouée		
Mille francs de récompense L'Intervention (comédies)	1866 non joués		
Margarita L'Épée Esca Torquemada	1867 non joués		
Sur la lisière d'un bois	1873 non joué		
Torquemada	publié en 1882 non joué		

Théâtre en liberté	publié en 1886 (posthume) pièces non représentées avant le XXe siècle		

CHRONOLOGIE DU DRAME ROMANTIQUE
REPRÉSENTÉ OU PUBLIÉ

Année	Auteur et Titre	Lieu de représentation (* = échec]
1827	Hugo, *Cromwell*	non joué
1828	Hugo, *Amy Robsart*	Odéon*
1829	Dumas, *Henri III et sa cour* Vigny, *Le More de Venise* (adaptation d'*Othello* de Shakespeare)	Comédie-Française Comédie-Française
1829	Hugo, *Marion de Lorme*	Reçue à la Comédie-Française Censurée
1830	Hugo, *Hernani* Musset, *La Nuit vénitienne* Dumas, *Christine* Vigny, *La Maréchale d'Ancre*	Comédie-Française Odéon* Odéon Odéon
1831	Dumas, *Antony* Dumas, *Richard Darlington* Dumas, *Napoléon Bonaparte ou Trente Ans de l'histoire de France* Hugo, *Marion de Lorme*	Odéon Porte-Saint-Martin Porte-Saint-Martin Porte-Saint-Martin
1832	Hugo, *Le roi s'amuse* Dumas, *La Tour de Nesle*	Comédie-Française Interdit Porte-Saint-Martin
1833	Hugo, *Marie Tudor* Hugo, *Lucrèce Borgia*	Porte-Saint-Martin Porte-Saint-Martin
1834	Dumas, *Angèle* Musset, *Lorenzaccio*	Porte-Saint-Martin Non joué
1835	Vigny, *Chatterton* Hugo, *Angelo, tyran de Padoue*	Comédie-Française Comédie-Française
1836	Dumas, *Kean* Dumas, *Don Juan de Marana*	Variétés Porte-Saint-Martin
1837	Dumas, *Caligula*	Comédie-Française

1838	Hugo, *Hernani* (reprise)	Comédie-Française
	Marion de Lorme (id.)	Comédie-Française
	Ruy Blas	Renaissance
1839	Dumas, *L'Alchimiste*	Renaissance
	Nerval, *Leo Burckart*	Porte-Saint-Martin*
1843	Hugo, *Les Burgraves*	Comédie-Française*

• LE TITRE

Hugo fait figurer dans son nom la contradiction du héros : « Ruy » est dans la tradition espagnole un nom noble, alors que « Blas » est un nom roturier (voir le roman picaresque de Lesage, *Gil Blas de Santillane*).

• COMPOSITION

Point de vue de l'auteur

Le pacte de lecture

C'est celui de toute pièce de théâtre.

Les objectifs d'écriture

Voir la préface de la pièce et les thèmes clés.

Structure de l'œuvre

Acte 1. « Don Salluste. » Un salon dans le palais du roi, à Madrid. Don Salluste de Bazan, ministre de la Police du roi Charles II (fin du XVIIe siècle), disgracié par la reine d'Espagne, doña Maria de Neubourg, médite sa vengeance. Il veut se servir d'un cousin dévoyé, don César, qui refuse dans un sursaut d'honneur. « Ver de terre amoureux d'une étoile », Ruy Blas, valet de don Salluste, resté seul avec don César, lui avoue son amour pour la reine. Ayant tout entendu, don Salluste fait enlever don César, dicte des lettres compromettantes à Ruy Blas et, le couvrant de son manteau, le présente à la cour comme son cousin César. Il lui ordonne de plaire à la reine et d'être son amant.

Cet acte I est placé sous le signe du mystère, doublé d'une sourde angoisse. On voit comment se met en place le thème du masque et du déguisement. Ruy Blas accepte de jouer un rôle dans une sorte de pacte diabolique. De son côté, don César refuse le rôle et se voit dépouillé de sa vie. Au début de la pièce, il fait figure de revenant, privé de son identité. Son arrestation le replonge dans le néant, et permet à Ruy Blas de prendre son nom, ce qui constitue une deuxième mort. On conçoit enfin que le démasquage devra intervenir au moment dramatique le plus fort.

Dès *Cromwell,* Hugo donne un titre aux actes de ses drames. Leur liste indique la hiérarchie des personnages. Nous en relevons bien quatre principaux, donnant leur nom aux actes I à IV. Le cinquième rassemble le trio des survivants.

Acte II. « La Reine d'Espagne. » Un salon contigu à la chambre de la reine. Délaissée par son époux et prisonnière d'une étiquette tyrannique, la reine s'ennuie. Restée seule pour ses dévotions, elle rêve à l'inconnu qui lui a déposé des fleurs et un billet, laissant un bout de dentelle sur une grille. Entre Ruy Blas, devenu écuyer de la reine, porteur d'une lettre du roi. Grâce à la dentelle, la reine reconnaît en lui son mystérieux amoureux, que don Guritan, vieil aristocrate épris de la reine, provoque en duel, mais celle-ci, prévenue, envoie le jaloux en mission chez ses parents à Neubourg, en Allemagne.

Marquant une détente grâce au comique des fantoches comme la camerera mayor et Guritan, et à la relation entre les amants, l'acte II marque la réussite du déguisement et annonce celle de l'amour, fondée sur l'usurpation d'identité.

Acte III. « Ruy Blas. » La salle du gouvernement dans le palais royal. Six mois plus tard, les conseillers commentent l'ascension de Ruy Blas (portant toujours le nom de don César), devenu Premier ministre, et se disputent les biens de l'Espagne. Ruy Blas les fustige de sa tirade méprisante : « Bon appétit, messieurs ! » La reine qui, cachée, a tout entendu, lui avoue son amour et lui demande de sauver le royaume. Resté seul, Ruy Blas s'émerveille de cette déclaration quand paraît don Salluste habillé en valet, qui, humiliant son domestique, lui commande de se rendre dans une maison secrète et d'y attendre ses ordres.

La réussite du déguisement est complète, et assure la déclaration d'amour mutuelle, mais le démasquage va bientôt intervenir. Le spectateur jubile devant l'écrasement des ministres prévaricateurs et devant la réunion des amants, où la vertu touche au sublime, mais l'arrivée de Salluste remet tout en cause.

Acte IV. « Don César. » Une petite chambre dans la mystérieuse demeure. Ruy Blas envoie un page demander à don Guritan de prévenir la reine : elle ne doit pas sortir. Dégringolant par la cheminée, don César, tout en se restaurant, raconte ses picaresques aventures. Un laquais apporte de l'argent pour le faux don César : le vrai l'empoche. Une duègne vient ensuite confirmer de la part de la Reine le rendez-vous, organisé en fait par don Salluste. Don Guritan vient pour tuer Ruy Blas en duel : don César le tue. Arrive don Salluste, inquiet. Don César lui apprend la mort de Guritan et la confirmation du rendez-vous. Don Salluste s'en débarrasse en le faisant passer pour le bandit Matalobos auprès des alguazils, qui l'arrêtent.

C'est le second retour d'« outre-tombe » de don César, qui croit pouvoir redevenir lui-même, suivi d'une deuxième disparition par arrestation. L'acte IV retarde le dénouement mais n'en change pas le principe. La dramaturgie du contraste amorcée dans l'acte III est ici très prononcée avec le mélange du comique et du tragique.

Acte V. « Le tigre et le lion. » La même chambre, la nuit. Ruy Blas croit avoir sauvé la reine et veut s'empoisonner. Elle paraît cependant, ainsi que don Salluste, qui, savourant sa vengeance, prétend la faire abdiquer et fuir avec Ruy Blas, qui se découvre pour ce qu'il est aux yeux de son amante. Révolté, le domestique tue don Salluste, avale le poison et meurt dans les bras de la reine, qui, se jetant sur son corps, lui pardonne et l'appelle de son véritable nom, Ruy Blas.

Ruy Blas refuse le rôle et retourne le démasquage imposé par don Salluste en sacrifice sublime, qui sauve son identité et l'amour, éternisé par la mort. La dramaturgie du contraste se poursuit avec le mélange du pathétique et du lyrique. Cet agencement épouse de très près non seulement la logique des schémas structuraux mais aussi la nature double du système des personnages, répartis entre le bien et le mal ou irrémédiablement partagés.

Le *Victor Hugo raconté par un témoin de sa vie* d'Adèle Hugo – l'épouse – évoque ce que fut la conception initiale :

> « Sa première idée avait été que la pièce commençât par le IIIe acte de Ruy Blas, Premier ministre, duc d'Olmedo, tout-puissant, aimé de la reine : un laquais entre, donne des ordres à ce tout-puissant, lui fait fermer une fenêtre et ramasser son mouchoir. Tout se serait expliqué après. L'auteur, en y réfléchissant aima mieux commencer par le commencement ; faire un effet de gradation plutôt qu'un effet d'étonnement et montrer d'abord le ministre en ministre et le laquais en laquais. »

C'est dire que le démasquage occupe une place centrale, et qu'il doit intervenir au moment dramatique le plus fort, « au moment même où Ruy Blas marche vivant dans son rêve étoilé et s'envole ébloui dans l'amour, dans la royauté » (*Journal*

d'Adèle Hugo – la fille –), ce qui définit le héros comme roi
dépossédé, ce que toute la structure de la pièce démontre.

Les schémas de base

Si l'on retrouve dans *Ruy Blas* un thème assez banal du revers
de fortune, et plus profondément celui du démasquage, Hugo
organise en fait son drame en fonction de l'« intégration manquée » comme le dit Anne Ubersfeld, à qui nous empruntons le
schéma suivant, illustrant bien la combinaison de deux structures, celle de l'intégration manquée, celle de l'homme démasqué :

1. Acceptation du rôle	1. Déguisement	Acte I
	2. Réussite	Acte II
2. Refus du rôle et révolte	3. Démasquage	Acte III
		Acte IV
3. Échec et mort		Acte V

La place de don César et le schéma complet

Apparaît nettement la spécificité de la fin de l'acte III, faux
dénouement, « pivot et centre de l'œuvre » (A. Ubersfeld).
Apparaît également l'absence de don César. Incarnant le grotesque aristocratique, celui-ci ne peut se réduire à la simple fonction
de refus obligeant Salluste à se tourner vers son laquais pour
réussir son stratagème. D'une part, les versions initiales orien-
taient la pièce sur lui, ce qui lui confère une importance décisive ; d'autre part, il connaît une « double mort » et un « double
essai de résurrection, chaque fois voué à l'échec » (A. Ubersfeld). Au début de la pièce, il fait figure de revenant, privé de
son identité. Son arrestation le replonge dans le néant, et permet
à Ruy Blas de prendre son nom, ce qui constitue une deuxième
mort. Dès lors, le retour de don César, outre sa valeur dramatique, devient celui d'un fantôme, revêtant un aspect « vampirique » (A. Ubersfeld). Une première disparition avec perte du
nom (il s'appelle Zafari), avant la pièce, un premier retour, une
deuxième disparition sous forme d'exil, aggravée par la
deuxième perte d'identité par Ruy Blas interposé (acte I), un
second retour d'« outre-tombe », où il croit pouvoir redevenir
don César (acte IV), une deuxième disparition par arrestation.
Si César ne meurt pas, au contraire de Guritan, Salluste et Ruy
Blas, c'est qu'il est déjà mort. Mort vivant donc, et double fra-
ternel de Ruy Blas : Anne Ubersfeld résume ainsi le statut de ce
personnage hors pair. Un tel rôle complique la structure de la
pièce, comme le montre le schéma suivant, lui aussi emprunté
à Anne Ubersfeld :

RUY BLAS	RUY BLAS	DON CÉSAR
1. Acceptation du rôle (I)	1. Déguisement (I)	1. Le mort vivant refuse le rôle et est dépouillé de sa vie (I)
	2. Réussite (II-III) 3. Démasquage (III)	2. Retour et démasquage (IV) 3. Disparition (IV)
2. Refus du rôle et retournement (V) 3. Mort (V)		

On mesure le parallélisme, qui illustre la fraternité des deux personnages, fraternité « caïnique », comme le montre Anne Ubersfeld, ainsi que l'importance du grotesque, puisque la marginalité de César se retrouve dans la condition du héros.

Le rôle structurant de la passion et de la condition

Si, selon Hugo lui-même, le sujet humain recoupe le sujet dramatique, un homme aimant une femme, un laquais aimant une reine, la passion amoureuse contredite par l'obstacle de la condition organise la pièce et lui donne sa cohérence autant que le déguisement, la question du rôle à jouer et le problème de l'intégration manquée. Le *Journal* d'Adèle souligne que « *Ruy Blas* incarne à chaque pas cette idée d'un laquais amoureux d'une reine ». L'amour définit le héros dès le départ. Pouvant approcher la reine, il se trouve dans une situation déchirante. Il partage l'amour, il exerce le pouvoir, mais ces deux accomplissements se font par le moyen d'une imposture. En d'autres termes, la réussite n'est pas synonyme de conquête de l'identité. L'ascension se paie d'une chute. L'héroïsme conduit Ruy Blas à inverser cette chute, qui pourrait signifier son anéantissement, en une élévation sublime, où s'abolit le grotesque du valet déguisé, et où s'accomplit une double dépossession, celle de l'être aimé, celle de la vie. Enfin nommé pour ce qu'il est, Ruy Blas meurt réconcilié avec lui-même, le nom noble, Ruy, se liant ultimement avec le nom vil, Blas, l'amour triomphant entre deux êtres se reconnaissant tels qu'en eux-mêmes.

Par ailleurs, la passion de la vengeance déclenche toute l'action, et tout en procède. Passion maléfique et délétère, elle offre à la passion amoureuse le moyen de se réaliser. Elle se trouve également liée à la condition moralement dégradée d'un grand qui nie ce qui devrait le définir, le service du roi et de l'État, et qui refuse la condition rabaissée que lui vaut la disgrâce de la reine. La subtilité de Hugo consiste à reproduire le motif de la vengeance – une disgrâce entraînée par l'amour de don Salluste incompatible avec sa condition – dans son mécanisme, compromettre la reine dans un amour incompatible avec sa condition. Comme l'amour authentique de Ruy Blas lui interdit de tout révéler et comme celui de la reine lui commande de tout faire pour sauver son amant, le plan apparaît dans toute sa force machiavélique. De ce point de vue, les péripéties – le double retour de don César et de don Guritan – ne peuvent être que des coups de théâtre destinés à avorter et à n'avoir d'autre efficacité que de retarder l'échéance.

Intrigue (la machination de Salluste) et action (l'ascension et la chute de Ruy Blas) se trouvent donc déterminées par la passion. La différence tient en ce que les retours des grotesques n'influe pas sur le cours des choses, alors que le retour du diabolique Salluste fait parfaitement se rejoindre intrigue et action, puisqu'il conclut le stratagème et doit permettre son parachèvement et qu'il met fin au rêve de Ruy Blas, nécessairement condamné à être brisé.

Les procédés utilisés par Hugo valent donc uniquement comme outils, et peu importe leur vraisemblance. À vrai dire, il s'agit presque exclusivement de la lettre, dont les réapparitions piègent Ruy Blas, et des retours. Tout cela sert le véritable agencement de la pièce, la gradation des émotions.

II - LIRE

Pour approfondir votre lecture, LIRE *vous propose une sélection commentée :*
* *de morceaux « classiques » devenus incontournables, signalés par* ➡ *(droit au but).*
* *d'extraits représentatifs de l'œuvre, signalés par* ↪ *(en flânant).*

➡ 1 - **La vengeance de don Salluste**
    Acte I, scène 1
    Intégralité
pp. 35-39

* Cette scène d'exposition dresse d'abord un décor. L'esthétique est proche du baroque, et chacun des éléments a une valeur symbolique. On s'intéressera à trois de ces éléments : l'information historique sur l'Espagne ; la création d'une atmosphère ; la signification des costumes.
* On comparera le rapport maître/serviteur avec celui de la comédie moliéresque (Dom Juan et Sganarelle, *Dom Juan*, même collection, nº 6079) ou celui qui organise le théâtre de Beaumarchais (nº 6168).
* Dans ce rapport, on s'intéressera aux raisons qui expliquent que don Salluste fasse sortir Ruy Blas pendant une partie de la scène, à l'attitude du domestique, à la manière dont le maître affirme son autorité.
* La vengeance : quelles en sont les motivations ? Y a-t-il un mystère ? Comment la colère du noble s'exprime-t-elle ?

➡ 2 - **L'acte de la reine**
    Acte II
    Intégralité
pp. 69-99

* Pour l'ensemble de l'acte II, on étudiera l'évolution de la reine. Peut-on parler de métamorphose ? Quelle est ici l'image de la femme ?
* On s'intéressera à la structure de l'acte en étudiant la manière dont se disposent les scènes publiques et les scènes privées.
* On s'intéressera également à l'opposition de la jeunesse et de la vieillesse. En quoi s'agit-il d'un thème romantique ?

• Quelle importance est-elle accordée à tout ce qui ne relève pas de la communication verbale ?

⇒ 3 - *Le piège*
Acte V, scène 2
Intégralité
pp. 169-173

• On étudiera les procédés dramatiques : le quiproquo, le coup de théâtre. Comment est créée une atmosphère de crise ?
• On remarquera la désarticulation de l'alexandrin : où sont les effets les plus remarquables (rejets, enjambements, contre-rejets) ?

⇒ 4 - *« Bon appétit, messieurs !... »*
Acte III, scène 2
Vers 1058-1158
pp. 106-110

• Une tirade célèbre : analysez la structure du discours de Ruy Blas.
• Quels sont les thèmes essentiels ? Quelle image de l'Espagne se dégage-t-elle ?
• L'homme du peuple ministre : au nom de qui Ruy Blas parle-t-il ?
• Quel rapport peut-on faire avec la représentation romantique de la France du XIXe siècle ?

⇒ 5 - *L'acte du grotesque*
Acte IV
Intégralité
pp. 127-166

• Montrez comment cet acte reprend pour l'essentiel des scènes des actes précédents. De quelle manière ? Précisez la part de la bouffonnerie.
• En quoi cette stratégie dramaturgique de Hugo favorise-t-elle le jeu des doubles ?
• Le personnage de don César : situez-le par rapport aux autres personnages. Quelles en sont les ambiguïtés principales ? Étudiez la combinaison du gueux et du noble chez ce personnage.
• Analysez plus précisément le monologue de la scène 2 : déclamation, jeux de scène, etc.

⇒ 6 - *Un dénouement typiquement romantique*
Acte V, scène 4
Intégralité
pp. 180-182

- Comment la fatalité s'exerce-t-elle ? En quoi diffère-t-elle du destin à l'œuvre dans la tragédie ?
- On passe de la malédiction à la bénédiction : quelle est la signification de cette progression ?
- Le thème du nom : quelle est son importance ?
- La rhétorique de la passion : comment s'exprime-t-elle ?

• LES THÈMES CLÉS

1. Le héros romantique.
2. La passion amoureuse.
3. Le drame de la femme.
4. Le double et le masque.
5. Individu et société.
6. Individu et histoire.
7. La décadence d'un grand royaume.

III - POURSUIVRE

• LECTURES CROISÉES

On comparera ce drame de Hugo à d'autres pièces du même auteur, notamment *Hernani* où se lève la puissance espagnole. On pourra également se référer au *Roi s'amuse* et comparer Ruy Blas à Triboulet.

On suivra l'influence de *Ruy Blas* jusqu'à *Cyrano de Bergerac* d'Edmond Rostand (Pocket Classiques, n° 6007).

Le héros romantique

Outre les autres héros hugoliens, le personnage de Ruy Blas peut être situé par rapport à Lorenzo dans *Lorenzaccio* (n° 6081), à Antony dans la pièce du même nom de Dumas ou à Chatterton dans la pièce de Vigny.

La thématique du rapport entre maître et valet

On prendra comme corpus *Dom Juan* de Molière, *Crispin rival de son maître* de Lesage, *L'Île des esclaves* de Marivaux, *Le Mariage de Figaro* de Beaumarchais (n° 6168), *Maître Puntila et son valet Matti* de Brecht.

On comparera également Ruy Blas au type du valet de comédie (Palestrio dans le *Miles gloriosus* de Plaute ; Scapin dans *Les Fourberies de Scapin* de Molière, n° 6169 ; Arlequin dans *Le Prince travesti* de Marivaux ; Figaro dans *Le Barbier de Séville* de Beaumarchais, n° 6168).

Le cinéma a traité ce thème :

La Règle du jeu, Jean Renoir, 1939.
The Servant, Joseph Losey, 1963.
Les Vestiges du jour, James Ivory, 1994.

• PISTES DE RECHERCHES

HUGO ET LE DRAME ROMANTIQUE

I. La question du drame avant Hugo

A. *Le drame au XVIIIᵉ siècle*

Définition

Le mot grec *drama* désigne l'action théâtrale et, plus généralement, toute pièce de théâtre. Il n'est utilisé pour un genre théâtral qu'au XVIIIᵉ siècle, chez les théoriciens du « genre sérieux », qui tente de trouver sa place entre la tragédie et la comédie, en reflétant la nouvelle sensibilité, en accordant toute sa place à l'individu moderne, au conflit de la nature et de la vie sociale, aux rapports éventuellement contradictoires entre le destin de chacun et la vie collective.

Les théoriciens et les œuvres

Vers le milieu du siècle, se fait de plus en plus jour le besoin de changer l'écriture théâtrale et le dispositif scénique. Diderot (*Entretiens avec Dorval,* 1757), Beaumarchais (*Essai sur le genre dramatique sérieux,* 1767), Sébastien Mercier (*Du théâtre ou Nouvel Essai sur l'art dramatique,* 1773) apportent leurs réponses et leurs propositions.

Ils attaquent les genres institués, et surtout la tragédie, inadaptés au monde contemporain. Privilégiant le tableau, ils mettent l'accent sur la gestuelle de l'acteur, la fidélité des décors à la réalité, le pouvoir d'illusion de la scène, le langage en prose, les nouveaux sujets empruntés à la vie bourgeoise. La famille, la fable privée, la mise en scène des sentiments vertueux, le rôle de l'argent, l'ouverture sur la scène du monde : autant de nouveautés pour un théâtre qui prend désormais en charge la question des conditions sociales. Le drame romantique prendra la suite.

B. *La situation avant le drame romantique*

La liberté totale promise par la loi du 13 janvier 1791 n'a duré qu'une seule année. La réglementation napoléonienne va régir en grande partie pendant toutes les années romantiques l'exercice même du théâtre, et les salles obéissent au système du privilège, car elles ne peuvent représenter qu'un seul type de pièces. Si l'on passe de huit établissements sous l'Empire à une quinzaine sous la Restauration, et une trentaine sous la monarchie de Juillet, il faudra attendre 1830 pour que soit abolie la censure, qui sera rétablie en 1835. Il en ira de même en 1848 et 1850. Ces contraintes s'opposent évidemment à la revendication de liberté énoncée par le romantisme, ainsi qu'au renouvellement ou au mélange des genres. Pourtant, le public répond présent.

La Révolution a popularisé le théâtre, tout en lui donnant la rue comme scène immense pour une histoire bouleversée et en action. Les salles traditionnelles, comme le Théâtre-Français et l'Odéon, se vident au bénéfice des théâtres des boulevards. Là, une foule hétérogène trouve son bonheur dans les lieux réservés au mélodrame, comme la Gaîté, l'Ambigu-Comique, la Porte-Saint-Martin. On y joue le mélodrame, ce « tableau véritable du monde que la société nous a fait et la seule tragédie populaire qui convienne à notre époque » (Charles Nodier).

Le mélodrame ou l'école du peuple

Il remonte au dernier tiers du XVIIIe siècle, où il n'est qu'une variante de la pantomime et de l'opéra-comique, mais il prend son essor et son caractère avec les succès de Guilbert de Pixérécourt (1773-1844), *Victor ou l'Enfant de la forêt* (1799) et *Cœlina ou l'Enfant du mystère* (1800). Ce prolifique auteur (94 mélodrames totalisant 30 000 représentations) déclarait écrire pour ceux qui ne savent pas lire : « Le mélodrame sera toujours un moyen d'instruction pour le peuple, parce que, au moins ce genre est à sa portée. » Le genre met en scène des thèmes et des personnages manichéens selon une structure sinon immuable du moins presque obligée. Un ordre établi (acte I) est menacé (acte II) puis rétabli et conforté (acte III). Le Mal (brigands, méchants et traîtres) ne parvient pas à détruire une société fondée sur la vertu et la morale (enfants abandonnés, femmes persécutées, naïfs). Grâce à un jeune héros, la famille et les valeurs sont respectées, et la ou les victimes sont rétablies dans leur bon droit et leur propriété. Le mélodrame se donne comme la « moralité de la Révolution » (Nodier, 1841). Haletant, pathétique, grandiloquent, le mélodrame contribue de manière décisive à forger le drame romantique.

Ses outrances procèdent de ses intentions pédagogiques. Les personnages sont des essences (le bon, le méchant), le temps est un retour au bonheur initial, l'espace investit les lieux de l'imagination populaire (forêts, grottes, souterrains, châteaux...). À l'origine, le mélodrame conserve pour l'essentiel la poétique classique (en la simplifiant), mais privilégie le spectaculaire, ce qui le conduira à rompre avec l'esthétique classique en multipliant les tableaux. À partir de 1823, il promeut le bandit au rang de héros (*L'Auberge des Adrets*) et glorifie la figure de Robert Macaire.

Sa langue est simple, et même pauvre. Son unité se manifeste en ce que le héros et le traître ont recours au même langage moralisant, ce qui renvoie à l'unité foncière de la société mise

en scène, société prise dans une vision policière, surveillance,
espionnage, crimes...

> « Inutile de dire que le drame romantique, qui utilise cer-
> tains des outils du mélodrame (reconnaissances, poison,
> objets-symboles, espions...), en prend le contrepied. Au mélo
> tout s'arrange, dans le drame rien ne s'arrange. Le mélo est
> d'une chasteté absolue, ce que n'est pas le drame, et l'homme
> du peuple apparaît dans le drame comme le contraire du Niais
> du mélodrame. Le point commun entre les deux genres est
> la volonté de parler à toutes les classes de la société » (Anne
> Ubersfeld, *Le Drame romantique,* Belin, 1993).

Le mélodrame s'impose comme le genre le plus fécond du
siècle romantique, et doit défendre sa place contre le drame
romantique, après avoir combattu la tragédie.

Un mélodrame archétypal : Pixérécourt (1773-1844), Cœlina
ou l'enfant du mystère, *1800*

Honnête bourgeois savoyard, Dufour a recueilli chez lui sa
nièce Cœlina dont il administre la fortune. Par délicatesse, il
hésite à donner la main de la pure jeune fille à son fils Stephany,
alors que les jeunes gens s'aiment. Il donne aussi le gîte et le
couvert à Francisque Humbert, un pauvre muet rendu infirme à
la suite d'une agression, sur qui veille tendrement Cœlina. Un
certain Truguelin demande à être reçu par Dufour. Truguelin
reconnaît Francisque, qui identifie un de ses agresseurs.

Truguelin complote alors la mort de Francisque avec Germain, son âme damnée. Cœlina surprend leur conversation et
prévient le muet. Confondu, Truguelin est chassé par Dufour.
Le traître n'abandonne pas et convoite Cœlina et sa fortune.

Le jour des noces, Germain remet à Dufour une lettre de
dénonciation qui accuse Cœlina d'être le fruit d'un amour adultère d'Isoline, belle-sœur de Dufour, et joint à l'appui un acte
de naissance. Francisque est le vrai père de la jeune fille. En
dépit des larmes de reconnaissance, Dufour chasse Francisque
et Cœlina, malgré les protestations de Stéphany.

Un vieux médecin apprend à Dufour que Truguelin avait déjà
voulu tuer Francisque. Pris de remords, Dufour décide de retrouver les victimes et de dénoncer le crime. En fuite dans les montagnes où se cache aussi Truguelin, Cœlina et son père trouvent
refuge dans le moulin du meunier Michaud, qui a hébergé Truguelin. Celui-ci tombe dans un piège et est arrêté au moment où
Dufour et Stéphany retrouvent enfin Cœlina et Francisque.

Tout s'éclaire alors : Isoline était secrètement mariée avec
Francisque Humbert. Profitant d'une absence de Francisque,
Truguelin l'avait obligée à épouser le frère de Dufour, qui léguait
tous ses biens à ses enfants, car il espérait s'approprier le tout

en épousant Cœlina. Francisque avait repris sa fille, d'où la traîtrise et les manœuvres de Truguelin. Tout se termine par un ballet et un vaudeville.

Survivance et renouvellement de la tragédie

Tragédie populaire, le mélodrame se réfère implicitement au genre prestigieux. Le modèle reste, malgré sa décadence au cours du XVIIIe siècle, époque qui voit de nombreuses tentatives d'élargissement (Voltaire, Crébillon). Dès lors, plusieurs dramaturges s'efforcent sous l'Empire et sous la Restauration de renouveler la tragédie sans en bouleverser l'appareil formel, alors que d'autres continuent de trouver leurs sujets dans le fonds antique.

Distendant les unités, incorporant au personnel dramatique des personnages populaires, la tragédie s'ouvre à l'histoire, en traitant du Moyen Âge ou de la Renaissance, manifestant ainsi une volonté de nationalisation du tragique. De Clovis à Henri IV en passant par Jeanne d'Arc, la tragédie historique tente de s'imposer. Elle n'y parvient pas, faute d'audace dans la langue, dans la psychologie et dans l'ampleur. On reste prisonnier du carcan de la passion au détriment de la société et de la véritable couleur locale. Le drame réussira là où la tragédie échoue. À l'évolution se substitue la révolution dramatique.

Parmi les auteurs les plus représentatifs il faut citer Népomucène Lemercier (1771-1840). Il n'hésite pas à bousculer les règles dans ses tragédies historiques (*Frédégonde et Brunehaut,* 1821), à faire explicitement référence à Shakespeare (*Richard III,* 1821) à mélanger les tons. Pourtant, même s'il écrit des pièces à forte tonalité politique, comme *Pinto,* il abhorre le romantisme, et Hugo au premier chef. Le dramaturge le plus célèbre est Casimir Delavigne (1793-1843). Son succès vient de ce qu'il ne heurte aucune bienséance tout en sachant trouver le sujet qui plaît à tel moment à la majorité du public. Génie du compromis, il s'inscrit dans une perspective libérale et patriotique (*Les Vêpres siciliennes,* 1819). En 1829, ce sera *Marino Faliero* à la Porte-Saint-Martin et en 1832 *Les Enfants d'Édouard* à la Comédie-Française. Il s'intéresse aussi au romantisme, proposant même une version optimiste d'*Hernani* avec *Don Juan d'Autriche* (1835). Il offre ainsi l'exemple d'un théâtre en harmonie avec les goûts du public moyen, maintenant l'équilibre entre la tradition renouvelée et les audaces de la nouvelle école.

Les scènes historiques

Il faut mentionner ici un théâtre non représenté, qui témoigne à la fois des difficultés rencontrées par le nouveau théâtre et par les écrivains qui entreprennent de mettre en scène l'histoire. Ceux-ci avouent d'ailleurs écrire de l'histoire plutôt que du théâtre. Ainsi Ludovic Vitet (1802-1873) écrit-il dans la préface de ses *Barricades* (1826) :

« Ce n'est point une pièce de plus qu'on va lire, ce sont des faits historiques présentés sous forme dramatique, mais sans la prétention d'en composer un drame. » De son côté, Roederer (1754-1835) déclare à propos de son *Henri IV* (1827) : « Je puis affirmer que ce drame est de l'histoire toute pure. Je me suis borné à unir les textes et l'enchaînement était marqué par les faits qu'ils expriment. » Histoire en action, la scène historique se présente sous la forme de textes dialogués reposant sur un fait de l'histoire nationale. Si elle demeure difficilement représentable, principalement en raison du manque d'intérêt manifesté par les auteurs pour les contraintes théâtrales, elle procède d'une intention politique. En effet, ses auteurs sont des libéraux, et le choix de leurs sujets prouve leur hostilité à l'idéologie de la Restauration. Par exemple, le protestant Vitet écrit une trilogie intitulée *La Ligue* (1826-1829).

En dépit de leur statut de texte écrit hors de préoccupations théâtrales, ces scènes annoncent l'émergence d'un vrai théâtre historique, où la royauté serait présentée sous un jour défavorable, où le peuple deviendrait l'acteur principal. Ainsi *La Jacquerie* de Prosper Mérimée (1828) raconte une révolte paysanne du XVIe siècle contre les excès de la féodalité. La postérité des scènes se retrouve dans le *Cromwell* de Hugo et dans le *Lorenzaccio* de Musset, à qui George Sand fait cadeau en 1833 de sa scène historique, *Une conspiration en 1537*.

II. LA THÉORIE HUGOLIENNE

Écrite en septembre 1827 juste après l'ultime achèvement du drame injouable, la Préface de *Cromwell* se donne comme un manifeste et entend proposer une esthétique générale du drame. Nourrie de lectures et des débats au sein du milieu romantique, elle s'organise en une partie historique (les trois âges de l'humanité) et une théorie du genre. En voici un résumé :

La théorie des trois âges

L'évolution de la littérature reflète celle de l'humanité : « La poésie se superpose toujours à la société. » Aux temps primitifs, la vie pastorale engendre le lyrisme, cette création spontanée. Avec les États apparaissent la guerre et sa conséquence littéraire, le poème héroïque et la tragédie des temps antiques. C'est l'âge de l'épopée. Le christianisme oppose le corps à l'âme, la terre au ciel. L'homme sent le combat qui se livre en lui entre les tendances résultant de ses deux natures. De ce combat naît la forme dramatique. C'est l'âge du drame, où « tout vient aboutir dans la poésie moderne ».

La théorie du drame

Le drame doit donc illustrer l'idée chrétienne de l'homme, « composé de deux êtres, l'un périssable, l'autre immortel ; l'un charnel, l'autre éthéré ». Ses moyens principaux seront :

Le mélange des genres. Dans « l'océan du drame » se mélangent les genres, car les séparer reviendrait à isoler arbitrairement tel ou tel aspect. « Harmonie des contraires », sa poésie traduit le réel, « combinaison toute naturelle de deux types, le sublime et le grotesque. »

L'abandon des unités. Contre « l'ancien régime littéraire », la critique se focalise essentiellement sur la tragédie. Acceptant l'unité d'action, « la seule vraie et fondée », mais la définissant comme unité d'ensemble, « loi de perspective du théâtre », elle récuse l'unité de lieu, invraisemblable et mortelle pour l'action tragique et le spectacle historique. L'unité de temps, quant à elle, mutile : « La cage des unités ne renferme qu'un squelette ». Retournant contre les classiques leur argumentation, Hugo dénonce tout ce qui s'oppose à la raison et au goût.

La couleur locale. Contre les conventions restrictives et stérilisantes, le drame déploie en toute liberté les dimensions de l'histoire. « Miroir de concentration », « point d'optique », ne reconnaissant d'autres règles que les « lois générales de la nature », car « tout ce qui est dans la nature est dans l'art », il élabore une réalité supérieure. La couleur locale, cette « sève », imprègne et nourrit l'œuvre entière.

La liberté dans l'art. La difficulté : voilà le critère suprême, la clé du domaine de l'art. D'où l'exaltation du vers, « libre, franc, loyal », « prenant comme Protée, mille formes ». Parcours de « toute la gamme poétique », l'écriture du drame « rend chaque mot sacré », et « l'idée, trempée dans le vers, prend soudain quelque chose de plus incisif et de plus éclatant. C'est le fer qui devient acier ».

Il s'agit donc pour Hugo d'affirmer hautement l'ambition d'une poétique de la totalité. Tout en exhibant les prestiges du grotesque, forme multiple des forces souterraines, il exprime le génie, cette « raison infinie, absolue du créateur », dont le *William Shakespeare* de 1864 approfondira la théorie. Le grotesque est polysémique. Il désigne d'une part « le difforme et l'horrible », et de l'autre « le comique et le bouffon ». « Détail d'un grand ensemble qui s'harmonise, non pas avec l'homme, mais avec la création tout entière », allié au sublime, il est l'ombre mêlée à la lumière. Le sublime est plus difficile à définir, et ne saurait se réduire au plan supérieur de la beauté conçue comme idéale harmonie des éléments. Il implique le dépassement de la simple nature, tant vers l'élévation que vers l'horreur. Hugo

complétera sa définition du drame romantique dans les préfaces
de ses pièces postérieures.

Après ce texte de 1827, Émile Deschamps (1791-1871), fondateur avec Victor Hugo de *La Muse française* en 1823, publie
en 1828 *Préface des études françaises et étrangères,* manifeste
romantique où il souhaite la venue d'un Shakespeare français.
Enfin, Vigny publie en 1829 une *Lettre à Lord*** sur la soirée
du 24 octobre 1829 et sur un système dramatique.* Il y défend
le principe de la traduction et, reprenant les idées hugoliennes,
définit la tragédie moderne comme tableau large de la vie,
mélange des genres, des tons et des styles.

Le drame ou la révolution sur la scène

L'invention romantique du drame consiste à changer le système et non à l'amender. Ainsi s'explique la priorité d'abord
accordée à la définition du drame avant sa réalisation. Malgré
leurs divergences, une esthétique prend corps chez des théoriciens fort différents : Stendhal (*Racine et Shakespeare*, 1823 et
1825), Manzoni (*Lettre à M. Chauvet sur l'unité de lieu et de
temps dans la tragédie,* 1823), Hugo (préface de *Cromwell,*
1827), Vigny (*Lettre à Lord*** sur la soirée du 24 octobre 1829
et sur un système dramatique,* 1830). On a trop souvent réduit
le débat à la question des règles. En fait, les romantiques récu-
sent la tragédie parce qu'elle a cessé de plaire, prouvant ainsi
que le décalage est devenu insurmontable entre le spectacle et
le spectateur. Anachronique, la tragédie ne saurait convenir à
l'époque. Cohérents avec eux-mêmes, les romantiques veulent
un théâtre où la poésie « se superpose toujours à la société »
(Hugo). De là le refus des règles, hormis l'unité d'action, le rejet
des modèles, l'abandon d'un langage asservi à une fausse bienséance et à une rhétorique poussiéreuse, la transgression du cloi-
sonnement des genres.

Le drame se veut théâtre libre, théâtre de la liberté. Cela ne
signifie nullement l'absence de lois. Elles sont placées au service
d'une vérité (et non plus de la vérité éternelle). La réflexion
romantique privilégie la mise en scène d'une illusion chargée de
couleur locale et d'histoire. S'élabore alors le rêve d'un théâtre
total, où décors, costumes, espace et temps dilatés participent
d'une ambition exaltante, représenter « tout ce qui existe dans
le monde, dans l'histoire, dans la vie, dans l'homme » (Hugo).

Ce programme ne fut pas rempli. Pour un *Lorenzaccio*
(1834), sans doute le meilleur drame romantique français, mais
injouable à l'époque (*Chatterton* s'imposant en 1835 pour les
sujets non historiques), il faut compter bien des réalisations où
l'histoire n'est qu'un prétexte, où le destin individuel prime sur
la situation collective, où l'esthétique n'est au fond que celle du
mélodrame magnifié. Souvent manichéen, ayant recours à une

psychologie simpliste, le drame romantique n'est qu'une parenthèse au théâtre, entre *Henri III et sa cour* de Dumas (1829) et *Les Burgraves* de Hugo (1843), marquée par quelques soirées mémorables, comme la bataille d'*Hernani* du 24 février 1830, et le triomphe d'*Antony* de Dumas (1831). Il faudra attendre une autre scène pour consacrer *Lorenzaccio*. D'ailleurs, même pendant la décennie de sa domination, le drame se heurte à une rivale, dont peu de productions nous sont parvenues mais dont le succès ne se dément pas : la comédie.

Quatre drames en guise de panorama
Nous n'évoquerons pas ici les trois drames les plus célèbres et les plus étudiés, *Hernani, Ruy Blas* et *Lorenzaccio,* mais quatre autres titres allant des débuts à la fin du genre.

– Victor Hugo, *Marion de Lorme*, 1829, drame censuré
Éprise d'un jeune inconnu, Didier, un enfant trouvé, Marion s'enfuit de Paris pour échapper à ses amants. À la suite d'un duel, Didier laisse pour mort le marquis de Saverny, ancien amant de Marion. Les duels étant interdits par Richelieu, Didier risque la mort. Arrêté, il s'échappe. Saverny révèle à Didier la véritable identité de la courtisane, en qui le jeune homme voyait une pure jeune fille. Désespéré, Didier se laisse arrêter. Malgré l'intervention de Saverny qui montre qu'il est vivant, les duellistes sont condamnés. Marion obtient du roi leur grâce, que le cardinal annule. Marion se prostitue alors au lieutenant de police pour qu'il laisse s'évader Didier. Mais celui-ci préfère aller au supplice, ne pouvant supporter la trahison de celle qu'il aime. Marion supplie une dernière fois Richelieu, invisible dans sa litière. En vain. Elle crie alors : « Regardez tous ! voilà l'homme rouge qui passe ! »

– Alexandre Dumas, *Antony,* 1831
Bâtard d'une grande famille qui l'entretient mais refuse de le reconnaître, Antony aime Adèle, mais ne peut l'épouser en raison de son statut social. Il la retrouve mariée au comte d'Hervey et lui fait la cour. Adèle tente d'échapper à ses propres sentiments auprès de son mari, nommé en province. Antony la rattrape sur la route et, dans une auberge, devient son amant. De retour à Paris, ils sont en butte à la médisance. Le mari revient, et Adèle supplie Antony de la tuer pour lui sauver l'honneur. Au moment où le comte entre dans la pièce, Antony s'écrie : « Elle me résistait, je l'ai assassinée ! »

– Alfred de Vigny, *Chatterton,* 1835
Jeune poète dans la misère, Chatterton a loué une chambre chez un riche industriel, John Bell, exploiteur brutal, qui tantôt invite le poète à sa table, tantôt veut le chasser. Kitty, sa jeune épouse, est tombée sans le savoir amoureuse du jeune homme,

qui l'aime en secret. Elle tente de l'aider en s'aidant de ses enfants, d'un autre locataire, un bon quaker, et de lord Talbot, ancien ami de Chatterton. Celui-ci ne parvient pas à achever un manuscrit. Menacé de la prison pour dettes, accusé de plagiat, insulté par la proposition du lord-maire qui lui offre une place de valet de chambre, il se suicide en déchirant ses œuvres. Kitty meurt d'amour et de saisissement.

– Victor Hugo, *Les Burgraves,* 1843

Deux frères, l'un légitime, l'autre bâtard : l'un pense avoir tué l'autre. L'un, Job, baron rhénan, est le plus grand des féodaux opposés à l'empereur Barberousse, qui est l'autre. Une femme, Guanhumara, fut l'objet de leur conflit. Job l'a vendue comme esclave. Les deux frères se retrouvent centenaires, et retrouvent leur victime, qui meurt après avoir tenté de faire tuer Job par son propre fils, qu'il ne connaît pas. Les frères finissent par se réconcilier.

RUY BLAS DRAME ROMANTIQUE

Le rapport du public et du genre

Résumant certains points de la préface de *Cromwell,* celle de *Ruy Blas* expose la loi du genre : il « tient de la tragédie par la peinture des passions, et de la comédie par la peinture des caractères ». De plus, il s'adresse à trois publics, qu'il satisfait différemment : les femmes, les penseurs et la foule proprement dite. « La foule demande surtout au théâtre des sensations ; la femme des émotions ; le penseur, des méditations. » Comment donc traduire ces demandes ? De l'action naît la sensation, de la passion l'émotion, des caractères les méditations : « De là, sur notre scène, trois espèces d'œuvres bien distinctes, l'une vulgaire et inférieure, les deux autres illustres et supérieures, mais qui toutes les trois satisfont un besoin : le mélodrame pour la foule ; pour les femmes, la tragédie qui analyse la passion ; pour les penseurs, la comédie qui peint l'humanité. »

Hugo affirme que sa pièce présente une variété propre à satisfaire tout le monde, ce qui revient à dire qu'elle respecte la charte tracée dans la préface de *Cromwell,* avec le mélange, c'est-à-dire la complémentarité et l'interaction, du sublime et du grotesque, du tragique et du comique, de l'épique et du lyrique. En définitive, « tous ces aspects sont justes et vrais, mais aucun d'eux n'est complet. La vérité absolue n'est que dans l'ensemble de l'œuvre. Que chacun y trouve ce qu'il y cherche, et le poète, qui ne s'en flatte pas du reste, aura atteint son but ».

Une pièce sur l'histoire

Aux penseurs donc d'appréhender la représentation et l'interprétation de l'histoire dans *Ruy Blas.* « Le sujet philosophique

[...] c'est le peuple aspirant aux régions élevées » : une telle prise de position implique un jugement sur l'évolution d'une histoire réduite à son mouvement essentiel, lié à la perspective révolutionnaire. Le drame illustre parfaitement la proposition énoncée dans la préface de *Marie Tudor* : « le passé ressuscité au profit du présent ; [...] l'histoire que nos pères ont faite confrontée avec l'histoire que nous faisons ». Comme l'affirmait cette même préface, le drame « explique » l'histoire. En prenant comme sujet essentiel la question du pouvoir, de la royauté soumise à une inéluctable décadence, et en posant la question de son remplacement par d'autres forces sociales, Hugo pose l'un des problèmes majeurs que le romantisme politique affronte.

Des personnages romantiques

La préface de Hugo nous donne de précieuses lignes directrices pour situer les personnages : « Le sujet philosophique de *Ruy Blas,* c'est le peuple aspirant aux régions élevées ; le sujet humain, c'est un homme qui aime une femme ; le sujet dramatique, c'est un laquais qui aime une reine. » L'intrigue obéit donc à une triple dynamique. Elle implique d'abord que les conditions sociales dressent des barrières entre les personnages principaux et ensuite que ceux-ci soient condamnés à jouer des rôles qui ne coïncident pas avec leur être véritable. Homme de génie, le laquais est moins qu'un homme du fait de sa position sociale. Reine, doña Maria ne peut échapper aux préjugés de son rang qui s'opposent à son cœur de femme.

Les personnages de *Ruy Blas* pourraient être considérés comme des exilés. Figure romantique par excellence, la reine incarne le sublime de l'amour auquel jeunesse, beauté, caractère, tout la destine. Femme délaissée, amoureuse passionnée, mais aussi tête politique, elle n'a besoin que d'un homme pour accomplir son destin. Pure victime, elle accède à la douleur tragique.

Don Salluste, « ou l'égoïsme absolu et le souci sans repos » (préface) est lui aussi un exilé. Par le bannissement d'abord. Par son enfermement dans la vengeance ensuite.

Don César, « ou le désintéressement et l'insouciance » (préface), prince du verbe, poète du grotesque, est une sorte d'exilé volontaire de la société ayant conservé le sens de l'honneur.

Don Guritan, « héron » comique, est, par l'âge et le ridicule, exilé de l'amour.

Ruy Blas enfin, « ou le génie et la passion bridés par la société » (préface), déchiré entre sa noblesse morale et la bassesse de sa condition, vit un rêve, qui se brise sur le rappel d'une contrainte : l'identité du laquais et celle de César sont incompatibles.

Une pièce sur la passion

L'intrigue (la machination de Salluste) et l'action (l'ascension et la chute de Ruy Blas) se trouvent donc déterminées par la passion. Dans le drame romantique, l'amour devient une valeur absolue, opposée à la corruption du monde. Il entre en conflit avec une société, ses lois, ses conventions et ses contraintes. Il se distingue de l'amour passion traité par la tragédie, qui doit se soumettre à la loi divine ou politique.

Individu et société

Si, selon Hugo lui-même, le sujet humain recoupe le sujet dramatique, un homme aimant une femme, un laquais aimant une reine, la passion amoureuse contredite par l'obstacle de la condition organise la pièce et lui donne sa cohérence autant que le déguisement, la question du rôle à jouer et le problème de l'intégration manquée.

Ruy Blas redéfinit en le compliquant le conflit obligé dans la littérature romantique entre individu et société. Nous n'avons pas en effet affaire à une simple opposition entre deux entités, mais à un clivage qui partage l'être lui-même entre sa dimension individuelle et sa dimension sociale et à une décomposition sociale. Un être problématique d'un côté, une collectivité douteuse de l'autre.

Ruy Blas, *drame du double*

Le jeu de la dualité et la tension des contraires permettent de saisir le drame dans sa cohérence fondamentale. L'action se dédouble par les désirs opposés qui motivent Ruy Blas et Salluste. Si Hugo reprend apparemment le schéma d'*Hernani*, « tres para una », trois hommes pour une femme, on voit bien que Guritan n'occupe qu'une place et une fonction accessoires. Ici, nous aurions plutôt un « dos para una ». Ruy Blas devient la doublure de son maître et celle de César, de là le jeu de masques et la possibilité de quiproquo, procédé favori du théâtre à la rentabilité dramatique garantie. Ainsi le héros se trouve-t-il placé devant un choix douloureux : continuer ou non de jouer les doublures ?

La couleur locale

« La couleur locale est ce qui caractérise essentiellement l'état de la société que les compositions dramatiques ont pour but de peindre » : cette définition de Benjamin Constant (*Réflexions sur la tragédie,* 1829), qui continue celle d'August Wilhelm Schlegel dans son *Cours de littérature dramatique* (1808), souligne que l'intention de véracité exemplaire dans la représentation d'une époque dépasse de très loin le seul souci du pittoresque. Il ne s'agit pas d'un simple vernis, mais de « ce qu'au XVIIe siècle on appelait les mœurs » (Prosper Mérimée).

Cette notion opposée à l'abstraction classique est ainsi définie par Hugo dans la préface de *Cromwell* (1827) : « Ce n'est point à la surface du drame que doit être la couleur locale, mais au fond, dans le cœur même de l'œuvre, d'où elle se répand au-dehors d'elle-même ».

SUJETS D'EXPOSÉS OU DE DOSSIERS

- Le destin
- Le satanisme
- Le grotesque
- Objets, costumes et couleurs
- La temporalité dramatique
- La corruption et la décadence
- L'espace
- La figure féminine
- La poésie

• PARCOURS CRITIQUE

Aux textes critiques figurant dans le dossier historique et littéraire, on peut ajouter :

« Cette volonté totalisante [la synthèse entre l'individuel et le social, le sentimental et le politique, le pathétique et le bouffon] marche dans deux sens à la fois : elle est reprise de tout un héritage culturel, et le plus large possible ; elle est en même temps effort de synthèse entre les éléments opposés du code culturel : mélodrame et tragédie, grotesque et sublime devront se fondre dans le creuset du théâtre total » (Anne Ubersfeld, *Le Roi et le Bouffon,* Corti, 1974).

« C'est la beauté et la signification de *Ruy Blas* que de montrer à côté de l'échec politique et social de Hugo, traduction du profond pessimisme politique et social de Hugo, la force des valeurs intérieures de l'amour et du sacrifice : il est beau, il est juste que dans *Ruy Blas* l'amour l'emporte si hautement sur les valeurs historiques et politiques qui ne peuvent être dans ce contexte que de fausses valeurs, il est juste que l'amour soit dans *Ruy Blas* la seule voie du salut, toutes les autres portes étant fermées. Maladroitement, encore confusément, Ruy Blas préfigure Jean Valjean » (Anne Ubersfeld, *Ruy Blas, édition critique*, les Belles Lettres, 1971, tome 1).

« Le héros qui a eu au cours de la pièce une illusion de pouvoir, grâce au miroir déformant, se trouve dépouillé de tout ce qui n'est pas cet amour. Le rêve étoilé de Ruy Blas vient mourir dans l'épisode sordide qui termine la pièce. Dans un monde grisâtre, vidé de tous les prestiges de la vie, le stupéfiant amour vient apporter un instant l'éclat factice qui permet d'affronter la mort. Pauvre sortilège en vérité ! » (Jean Gaudon, *Hugo et le théâtre. Stratégie et drama-turgie,* Pauvert, 1985).

• UN LIVRE/UN FILM

Il existe deux adaptations de *Ruy Blas,* l'une pour le cinéma, l'autre pour la télévision :
- *Ruy Blas,* film français de 1947, adaptation de Jean Cocteau, réalisation de Pierre Billon, avec Jean Marais, jouant à la fois Ruy Blas et don César.
- *Ruy Blas,* télévision française, 1972, adaptation de Claude Barma et Raymond Rouleau, avec François Beaulieu (Ruy Blas) et Claude Winter (la reine).

On ajoutera :
- *La Folie des grandeurs,* film français de 1971, libre adaptation de Gérard Oury, Camille Jullian, Danièle Thompson, réalisation de Gérard Oury, avec Yves Montand (Ruy Blas) et Louis de Funès (don Salluste).

• DISCOGRAPHIE

- *Ruy Blas,* collection des sélections sonores Bordas, avec Jean-Louis Trintignant, Nelly Borgeaud, Jean Topart, Jean Piat, Denise Gence (Bordas SSB 101).

DOSSIER HISTORIQUE
ET LITTÉRAIRE

REPÈRES BIOGRAPHIQUES

1797   Mariage de Léopold Hugo et Sophie Trébuchet. Né à Nancy, il est officier. Elle est issue d'une famille républicaine de Nantes.

1798   Naissance d'Abel, leur premier fils.

1800   Naissance d'Eugène.
        Au théâtre le mélodrame connaît une faveur croissante : Pixérécourt, *Coelina ou l'enfant du mystère*.

1802   Naissance le 26 février de Victor-Marie à Besançon.

1803   Naissance d'Adèle Foucher, future femme de Victor Hugo.

1806   Naissance de Julienne Gauvain, la future Juliette Drouet.

1808   Le colonel Léopold Hugo suit Joseph en Espagne.

1809   Installation dans la maison des Feuillantines.

1810   Le roi Joseph fait Léopold comte de Siguenza.

1811   Mme Hugo et ses enfants rejoignent Léopold en Espagne. Installation au palais Masserano, puis séjour au collège des Nobles.

1812   Retour en France. Victor et Eugène retrouvent les Feuillantines. Le général Lahorie, ami de Mme Hugo, est exécuté pour avoir conspiré contre Napoléon.

1814   Le désaccord des parents conduit à un jugement qui ôte Eugène et Victor à leur mère. Victor est placé à la pension Cordier où il restera jusqu'en 1818.

1815   Le général Hugo est mis en demi-solde, après avoir défendu énergiquement Thionville.

1816   Léopold Hugo s'installe à Blois. Victor et Eugène sont élèves à Louis-le-Grand. Victor note : « Je veux être Chateaubriand ou rien. »

1817   Premier succès littéraire : Victor participe au concours organisé par l'Académie française et traite du *Bonheur que procure l'étude dans toutes les situations de la vie*. Il reçoit une mention d'encouragement.

1818   Séparation légale des époux Hugo. Victor renonce à préparer Polytechnique et s'inscrit à la faculté de droit. Rédaction de la première version de *Bug-Jargal*.

1819   Victor est couronné par l'Académie des jeux floraux de Toulouse pour le *Rétablissement de la statue de Henri IV*. Il fonde avec Abel et Eugène *Le Conservateur littéraire* qui durera jusqu'en mars 1821.

1820   Victor et Adèle Foucher, amoureux, s'écrivent régulièrement. Leurs familles interdisent toutes relations. Victor reçoit une gratification de Louis XVIII pour son *Ode sur la mort du duc de Berry*.

1821   Mort de Mme Hugo. Victor se réconcilie avec son père qui se remarie peu après avec Catherine Thomas, sa compagne depuis 1803.
         Guizot, *Vie de Shakespeare*.

1822   Le 8 juin publication des *Odes et poésies diverses*. En octobre mariage de Victor et Adèle Foucher.

1823   Hugo perd son premier enfant, Léopold, à l'âge de deux mois et demi.
         Han d'Islande.
         Frédérick Lemaître triomphe dans *L'Auberge des Adrets*. Stendhal, *Racine et Shakespeare*.

1824   Naissance de Léopoldine. Publication des *Nouvelles Odes*.
         Mérimée, *Théâtre de Clara Gazul*.

1825   Victor Hugo reçoit la Légion d'honneur. Se rend à Reims pour assister au sacre de Charles X. En juin, *Ode sur le sacre de Charles X*.

1826   *Bug-Jargal* (seconde version). *Odes et Ballades*. Naissance de Charles.

1827   L'*Ode à la colonne de la place Vendôme* traduit une évolution politique.
         Publication de *Cromwell* et de sa Préface. Hugo se présente comme le théoricien du drame romantique.

Tournée triomphale des acteurs anglais, dont le célèbre Kean. J.-G. Deburau aux Funambules.

1828 Mort de Léopold Hugo. Échec d'*Amy Robsart*. Naissance de François-Victor.

1829 *Les Orientales. Le Dernier Jour d'un condamné. Marion de Lorme* est interdite par la censure.
A. Dumas, *Henri III et sa cour* (Comédie-Française). Vigny, *Lettre à Lord****.

1830 À partir du 25 février, *Hernani* est jouée à la Comédie-Française. Fameuse « bataille » : chaque représentation voit s'affronter les tenants du goût classique et les partisans du jeune théâtre. Le 28 juillet naissance d'Adèle.
Échec de *La Nuit vénitienne* de Musset (Odéon).

1831 *Notre-Dame de Paris*. Première de *Marion de Lorme. Les Feuilles d'automne*.
Le 3 mai première triomphale d'*Antony,* de Dumas, à l'Odéon : « Elle me résistait, je l'ai assassinée... »

1832 Double projet dramatique : Hugo donne *Le roi s'amuse* (tragédie grotesque, mais en cinq actes et en vers) au Théâtre-Français, et travaille à *Lucrèce Borgia* (drame en prose). *Le roi s'amuse* est interdit le lendemain de la première, le 22 novembre.
Dumas, *Teresa, La Tour de Nesle* à la Porte-Saint-Martin avec Mlle George et Frédérick Lemaître.

1833 Le 2 février, *Lucrèce Borgia,* au théâtre de la Porte-Saint-Martin, est un triomphe. Juliette y tient le rôle de la princesse Négroni. Elle devient sa maîtresse le 16 février. Harel, le directeur de la Porte-Saint-Martin, interrompt les représentations de *Lucrèce Borgia* en avril. *Marie Tudor* est écrite pendant l'été, et jouée le 6 novembre. C'est un succès moyen.

1834 Premier voyage avec Juliette.
Musset, *Un spectacle dans un fauteuil, Lorenzaccio*. Dumas, *Angèle, Catherine Howard*.

1835 *Angelo tyran de Padoue* est joué à la Comédie-Française et avec succès du 28 avril au 20 juin. *Les Chants du crépuscule*.
Delavigne, *Don Juan d'Autriche*. Vigny, *Chatterton*.

1836 Hugo travaille, en collaboration avec Louise Bertin, à tirer un livret d'opéra de *Notre-Dame de Paris*. Berlioz dirige les répétitions. *La Esmeralda* est représentée pour
la première fois le 14 novembre. L'accueil de la presse, hostile à Louise Bertin, est mauvais.
Toute l'année Hugo insiste pour que la Comédie-Française reprenne *Hernani* et *Marion de Lorme,* comme le prévoit le contrat signé en février 1835. Il finit par recourir à la justice.
Dumas, *Kean* aux Variétés, *Don Juan de Marana* à la Porte-Saint-Martin.

1837 Mort d'Eugène à Charenton. *Les Voix intérieures*. Hugo est reçu par le duc et la duchesse d'Orléans, en raison de leur libéralisme politique. Hugo gagne son procès.

1838 Reprises d'*Hernani* et de *Marion de Lorme* à la Comédie-Française (avec Marie Dorval). *Ruy Blas*.

1839 Hugo obtient la grâce de Barbès, condamné à mort. *Les Jumeaux :* la rédaction de la pièce est interrompue au cours de l'été et ne sera pas reprise. Victor Hugo voyage avec Juliette, qui quitte le théâtre. Ils se lient par une sorte de « mariage » secret, et il s'engage à ne jamais l'abandonner.

1840 Président de la Société des gens de lettres. *Les Rayons et les ombres*. D'août à novembre Hugo voyage en Allemagne.

1841 Janvier : Après trois échecs, Hugo est enfin élu à l'Académie française.

1842 *Le Rhin,* journal de voyage.

1843 Le 15 février Léopoldine épouse Charles Vacquerie. *Les Burgraves* à la Comédie-Française. C'est un échec. Voyage dans les Pyrénées avec Juliette. Le 4 septembre les jeunes époux se noient à Villequier. Hugo l'apprend en lisant le journal, quelques jours plus tard.

1844 Entretiens avec Louis-Philippe. Début de la liaison avec Léonie Biard.

1845 Pair de France. Hugo est pris en flagrant délit d'adultère avec Léonie, qui est emprisonnée. Il commence à travailler à un roman, *Les Misères,* qui deviendra *Les Misérables*.

1846   Premiers discours à la Chambre des pairs. Mort de Claire Pradier, fille de Juliette. Travaille toujours aux *Misères*.

1847   Poursuit ce roman.

1848   Révolution. Hugo tente de faire accorder la régence à la duchesse d'Orléans. Il est élu député le 4 juin. Le 31 juillet paraît le premier numéro de *L'Événement*, journal dirigé par ses fils, Auguste Vacquerie et Paul Meurice. Hugo soutient la candidature de Lamartine, puis, pour s'opposer à Cavaignac, celle de Louis-Napoléon Bonaparte.
        Musset, *Il ne faut jurer de rien, André del Sarto*.

1849   Élection à l'Assemblée législative. Voyage encore avec Juliette. Préside le congrès des Amis de la paix. Rompt avec la majorité qui soutient le pape contre les républicains italiens.

1850   Hugo s'éloigne de plus en plus de la droite. Il prononce l'éloge funèbre de Balzac. *L'Événement* est de plus en plus hostile à Louis-Napoléon Bonaparte.

1851   Hugo prend position contre Louis-Napoléon, ses fils sont arrêtés, *L'Événement* interdit. Après le coup d'État du 2 décembre, il doit quitter Paris et se réfugier à Bruxelles, où Juliette le suit.
        Musset, *Les Caprices de Marianne*.

1852   Finit à Bruxelles *L'Histoire d'un crime*. *Napoléon le Petit*. Installation à Jersey en juillet à Marine-Terrace.

1853   *Les Châtiments*. Mme de Girardin initie la famille Hugo au spiritisme.

1854   Hugo compose de nombreux poèmes. Travaille *Les Misérables* et *Les Contemplations*.

1855   Mort d'Abel. La famille Hugo s'installe à Guernesey. Elle est réunie, mais Adèle et ses enfants feront sur le continent des séjours de plus en plus prolongés. Juliette habite à proximité.

1856   *Les Contemplations* paraissent en avril. Achat d'une maison, Hauteville-House.

1857-58 Hugo travaille toujours beaucoup. Achève *L'Âne*.

1859   Refus de l'amnistie accordée par Napoléon III. *La Légende des siècles* (première série).

1860   Poursuit la rédaction des *Misérables*.

1861   Voyage en Belgique et en Hollande avec Juliette. Hugo
        met la dernière main aux *Misérables*. Il accepte le
        mariage de sa fille Adèle avec le lieutenant Pinson.

1862   Parution des *Misérables,* un immense succès.

1863   *Victor Hugo raconté par un témoin de sa vie.* Adèle
        part à la recherche du lieutenant Pinson. Hugo pense
        de nouveau au théâtre.

1864   *William Shakespeare.* Cet essai devait à l'origine
        constituer l'introduction de la traduction entreprise par
        François-Victor.

1865   Rédaction d'une comédie, *La Grand'mère. Les Chan-
        sons des rues et des bois.*

1866   *Les Travailleurs de la mer.* Le 1er février Hugo a
        l'intention d'écrire deux drames : *Cinq cents francs de
        récompense* et *Torquemada*. La première pièce, deve-
        nue *Mille francs...*, est achevée en mars. Du 7 au 14
        mai rédige *L'Intervention*.

1867   *Mangeront-ils ?* En juin reprise d'*Hernani* au Théâtre-
        Français. C'est un tel succès que le gouvernement inter-
        dit *Ruy Blas.*

1868   Mme Hugo meurt à Bruxelles. Hugo revient à ses pro-
        jets dramatiques. Du 21 septembre au 4 octobre, il écrit
        Zut dit Mémorency, comédie en prose, aujourd'hui per-
        due. Faute de pouvoir faire jouer ses pièces, Hugo
        pense à les publier. Le premier volume du *Théâtre en
        liberté* comprendrait *La Grand'mère, Mangeront-ils ?,
        L'Intervention* et *Zut dit Mémorency.*

1869   Au début de l'année Hugo termine *Margarita.
        L'Homme qui rit*. De mai à juillet, rédaction de *Tor-
        quemada.*

1870   En février reprise avec succès de *Lucrèce Borgia,* au
        théâtre de la Porte-Saint-Martin. Le *Théâtre en liberté*
        comprend alors une dizaine de pièces. Hugo rentre à
        Paris le 5 septembre.

1871   Élu à l'Assemblée nationale qui siège à Bordeaux, il
        donne sa démission de député. Mort de Charles. Départ
        pour Bruxelles, où Hugo donne asile à des commu-
        nards exilés. Rentre à Paris en septembre.

1872 Échec aux élections. Adèle, de retour d'un long périple, est internée.
Reprise de *Ruy Blas* avec Sarah Bernhardt. *L'Année terrible*. En août, Hugo regagne Hauteville-House.

1873 Retour à Paris en juillet. Mort de François-Victor.

1874 *Quatrevingt-treize, Mes fils.*

1875 *Actes et Paroles*, I et II.

1876 Élu sénateur de Paris, Hugo prône l'amnistie en faveur des communards.
Actes et Paroles, III.

1877 *La Légende des siècles* (2ᵉ série). Publie *L'Art d'être grand-père* et *Histoire d'un crime* (1ʳᵉ partie).

1878 *Histoire d'un crime* (2ᵉ partie). *Le Pape.*
Congestion cérébrale. Dernier séjour à Guernesey, de juillet à novembre.

1879 *La Pitié suprême.*

1880 Le 26 février, un banquet célèbre le cinquantenaire d'*Hernani*. *Religions et Religion. L'Âne.*

1881 *Les Quatre Vents de l'esprit.*

1882 Publication de *Torquemada*, dédié aux juifs de Russie persécutés.

1883 Le 11 mai mort de Juliette Drouet. *La Légende des siècles* (3ᵉ série).

1884 Court voyage en Suisse.

1885 Victor Hugo meurt le 22 mai d'une congestion pulmonaire. Son testament disait : « Je refuse l'oraison de toutes les Églises, je demande une prière à toutes les âmes, je crois en Dieu. » Ses obsèques ont lieu le 1ᵉʳ juin. Il est enterré au Panthéon.

1886 Publication posthume du *Théâtre en liberté.*

RELIQUAT DE *RUY BLAS*[1]

Le reliquat de *Ruy Blas* se compose de cinq ou six feuillets, sur lesquels Victor Hugo a écrit un commencement de la pièce tout à fait différent du commencement définitif.

En haut de la page, à gauche, la date : *5 juillet 1838*.

L'indication du décor est exactement la même que celle du manuscrit. À la marge de cette description, Victor Hugo a jeté ce charmant croquis du décor même :

Dans la scène I de ce premier jet, le personnage de Gudiel, nécessaire pour faire expliquer par don Salluste sa disgrâce et ses projets de vengeance, n'existe pas encore. La scène est seulement entre Salluste et Ruy Blas. Dans cette version, le premier ordre donné par don Salluste :

---

1. D'après l'édition de l'Imprimerie nationale.

– Ruy Blas, fermez la porte ; ouvrez cette fenêtre.
s'enchaîne sans interruption aux autres, jusqu'à l'entrée de don
César. Don Salluste surprend le regard que César échange avec
Ruy Blas et se demande :

On dirait que César et Ruy Blas se connaissent ?

Victor Hugo entamait d'abord ainsi la scène entre don Salluste et Zafari (dont le nom était provisoirement indiqué par un
simple Z majuscule) :

DON SALLUSTE, *allant à Zafari les bras ouverts.*

Hé bonjour donc ! voilà ce cher César ! venez,
Mon cousin.

Z.

Mon cousin ? Vous vous en souvenez.

Mais il modifiait cette vive entrée en matière et la reprenait
sur un autre feuillet :

SCÈNE II. – DON SALLUSTE, Z.

Z.

*Après que Ruy Blas est sorti,
il s'avance gravement vers don Salluste.*

Don Salluste, hier soir, le front sur un pavé,
Devant l'ancien palais des comtes de Teve,
– C'est là, depuis vingt ans, que la nuit je m'arrête, –
Je m'endormais, avec le ciel bleu sur ma tête,
Lorsqu'un homme a passé qui m'a dit, parlant bas,
De venir chez monsieur le marquis de Finlas,
Président du conseil de justice suprême,
Dans le palais-royal, ici, ce matin même,
Avant l'aube. Cet homme, ayant ainsi parlé,
M'a donné votre passe et puis s'en est allé.
Or, moi qui n'ai pas peur de votre âme profonde,
Et qui n'ai fait de mal à personne en ce monde,
Moi, le gueux Zafari, ce libre compagnon,
Dont vous seul à Madrid connaissez le vrai nom,
Je viens, puisqu'à venir votre grâce m'invite.
Si c'est pour m'envoyer en prison, faites vite.

DON SALLUSTE, *allant à lui.*

Don César, donnez-moi votre main.

Z.

Quoi !

DON SALLUSTE, *lui tendant la main.*
>   Donnez,
Mon cousin !

Z.
>   Mon cousin ! Vous vous en souvenez !

....

Ici, un blanc, réservé sans doute pour le détail donné par don
Salluste de sa parenté avec César et des deux branches de leur
famille, détail se terminant ainsi :

Je suis le fruit de l'une, et vous la fleur de l'autre.

Z.

Fleur fanée en ce cas ! mais le sort est changeant.

DON SALLUSTE.

Dites-moi, vous devez avoir besoin d'argent ?

Z.

Mon pourpoint a beaucoup de bouches qui le disent.
Car sous l'ample surtout dont les plis me déguisent,
Le démon fait sortir, avec son doigt railleur,
Mon linge par des trous non prévus du tailleur.
Et sans Matalobos...

DON SALLUSTE.
>   Ce voleur de Galice
Qui désole Madrid ?

Z.
>   Malgré votre police.
Il est de mes amis. Sans lui, c'est presque nu
Que César chez Salluste ici serait venu.

DON SALLUSTE.

Comment ?

Z.
>   Il m'a donné le justaucorps du comte
D'Alva.

DON SALLUSTE.

Vous le portez ?

Z.
>   Je n'aurai jamais honte
De mettre un bon habit brodé, passementé,

Qui l'hiver me réchauffe et me pare l'été.
– Voyez, il est tout neuf. – Les poches en sont pleines
De billets doux au comte adressés par centaines.
Souvent, fort amoureux, n'ayant rien sous la dent,
J'avise une cuisine au soupirail ardent
D'où la vapeur des mets aux narines me monte.
Je m'assieds là. J'y lis les billets doux du comte,
Et pauvre et vieux, lisant et flairant tout le jour,
J'ai l'odeur du festin et l'ombre de l'amour !
Quant à l'argent, jamais je n'ai vu l'eau plus basse.
Je n'en ai plus besoin depuis que je m'en passe.
Certes, le roi Carlos, votre maître et le mien,
Vous estimerait fort et vous paierait très bien,
Si vous pouviez, pourtant vous êtes à la source,
Marquis, si vous pouviez, pour un jour de ressource,
Trouver des courtisans aussi plats que ma bourse.

En reprenant le feuillet du premier projet, on y trouve cet
autre développement :

....

Z.

Don Salluste, la fleur se fane, que je crois.

DON SALLUSTE.

faisiez
Quel charmant cavalier vous étiez autrefois !

Z.

Oui, j'eus aussi mes jours de richesse et de joie !
Mon pourpoint de drap d'or et ma cape de soie !
Oh ! comme le front haut et vivant à pleins bords
J'allais dans les jardins ! oh ! j'avais tout alors,
qui sonnait
Botte à large éperon résonnant sur les marbres,
Grand feutre dont la plume effarouchait les arbres,
Rubans prodigieux, rabats extravagants,
Brette à vaste coquille où je mettais mes gants,
Au dos une guitare, au cœur une étincelle.
À force de tirer ce que Dieu mit en elle
De folle volupté, de plaisir étourdi,
Une piastre à la fin devient maravédi.
Moi, je suis devenu ceci. – Vraiment, les belles
D'autrefois, – oui, vraiment, j'en ris, – que diraient-elles,
Elles qui de César se disputaient l'amour,
En voyant au Prado, vers la chute du jour,
Marcher, sous un chapeau sans plume aux bords énormes,

Un grand manteau troué sur des bottes difformes !
Bah ! ne regrettons rien. Ces temps sont loin de moi.
Vous avez désiré me parler ?

DON SALLUSTE.

Oui.

Z.

Pourquoi ?

DON SALLUSTE.

César, je vous admire ! il est resté le même.
Aimant les femmes !

Z.

Oui, Salluste, je les aime –
Toujours. – De près jadis, aujourd'hui de fort loin.
Leur ombre maintenant me suffit. J'ai besoin
D'aller voir tous les soirs, plaisir pour vous bien mince,
Les Lucindes sortir du théâtre du Prince.
Je leur dis dans mon cœur : Vivez ! c'est votre tour !
Riez ! chantez ! ayez la joie ! ayez l'amour !
Mais, visages charmants, mais, folles que vous êtes,
Belles folles, vraiment, croyez-moi, pas de dettes !
Voyez le bel état où les dettes m'ont mis !
J'avais un nom illustre, un palais, des amis.
Hé bien ! je n'ai plus rien, ô mes belles Lucindes !
Madrid depuis vingt ans me croit mort dans les Indes.
Je suis sorti du monde et des plaisirs brillants
Et de mon nom, pour fuir vingt créanciers hurlants !
Oh ! tremblez quand le soir, passant, le rire aux lèvres,
Vous rencontrez la vitre ardente des orfèvres.
Non, vous ne tremblez pas, et vous achèterez !
Sans argent, à crédit. – Eh bien, ces riens dorés,
Cette mante en satin dont l'agrafe vous tente,
Ce bouquet émaillé, cette perle éclatante,
Tous ces objets exquis dont le moindre est charmant,
Dans un an, dans un mois, prendront subitement
                    horrible,
La forme épouvantable, infâme, monstrueuse,
D'un créancier ! d'un être à face vertueuse,
Aux manières d'abord mielleuses, qui viendra
                    faillite,
Vous parler gêne, ennuis, commerce, et cætera,
Mais qui, changeant bientôt et voulant son salaire,
Fera chez vous le bruit d'une hyène en colère !
Alors autant on vit de hochets, de bijoux

Reluire à vos bras blancs
Luire à vos bras de neige et jouer sur vos cous,
                    démons,
Autant de gnomes vils, vendeurs, marchands, cloportes,
Viendront grouiller chez vous et cogner à vos portes,
Marcher sur vos tapis, compter vos diamants
Et dire à vos portiers le nom de vos amants !
                    affreux
Vous les amadouerez ? Mais c'est honteux à dire,
Dépenser pour cela votre divin sourire !
Puis, le beau résultat ! vous avez maintenant
Un tas d'êtres hideux toujours vous talonnant,
Et qui prennent le droit, dans vos jeux, dans vos fêtes,
De se mêler sans cesse à tout ce que vous faites ;
Si bien que leur personne et leur accoutrement,
Leur gros ventre d'où sort un gros rire assommant,
Leurs yeux gris, leur nez rouge, et leur fraise et leurs chausses
Font à tous vos plaisirs d'abominables sauces !

VICTOR HUGO RACONTÉ
PAR UN TÉMOIN DE SA VIE

Le livre d'Adèle Hugo fut publié en 1863. Le principal inté-
ressé y avait collaboré, et le récit vivant, bien mené, constitue
une source précieuse (édition moderne : *Victor Hugo raconté
par Adèle Hugo,* Paris, Plon, 1985). Plusieurs épisodes peuvent
éclairer la genèse de *Ruy Blas.*

L'ESPAGNE ET LE COLLÈGE DES NOBLES

Donc, le lundi qui suivit l'arrivée de leur père, Eugène et
Victor montèrent dans la voiture du prince, qui leur parut moins
rayonnante ce jour-là. Leur mère y monta avec eux ; la voiture
alla rue Ortaleza, longea de grands murs gris et s'arrêta devant
une lourde porte fermée.

C'était la porte du collège des Nobles.

Un homme à figure sérieuse vint au-devant de Mme Hugo.
Cet homme, qui était le majordome du collège, fit traverser à la
mère et aux enfants des couloirs peints à la chaux et délabrés
dont on ne voyait pas la fin. On n'apercevait personne ; on
s'entendait marcher et la voix faisait écho dans ces profondeurs
vides. Un jour rare tombait d'étroites ouvertures pratiquées au
haut de la muraille.

Cette morne galerie, qui ne ressemblait guère à la galerie
lumineuse du palais Masserano, aboutissait à une cour dans
laquelle le majordome montra à Mme Hugo une porte où il y
avait écrit : SEMINARIO. Il lui dit qu'il ne pouvait l'accompagner
plus loin, étant laïque et n'ayant pas le droit de pénétrer dans
les bâtiments consacrés. Il sonna à la porte, salua et s'en retourna.

Le collège des Nobles était tenu par des moines. Un moine
parut, en grande robe noire rougie par le temps, en rabat blanc
et en *sombrero.* Il avait à peu près cinquante ans, le nez en
bec-de-corbin et les yeux très enfoncés. Mais ce qui saisissait le
regard, c'était sa maigreur et sa pâleur. Il était immobile de corps

et de visage ; ses muscles avaient perdu toute leur élasticité et semblaient s'être ossifiés. On s'étonnait que cette statue d'ivoire jauni pût faire un pas.

Dom Bazile (c'était le nom du moine d'ivoire) fit visiter la maison à Mme Hugo et à ses deux nouveaux pensionnaires. Tout y était de proportions énormes, excepté les cours pour jouer qui, ensevelies entre de hautes murailles, avaient la moiteur sombre des caves. Bien qu'on fût en plein jour et en été et en Espagne, il n'y avait de lumière qu'à un angle. Les réfectoires, situés au rez-de-chaussée, étaient lugubres, recevant le jour de ces cours qui n'en avaient pas. Les dortoirs, plus élevés et où il y avait alors du soleil, furent trouvés moins tristes par les enfants, peut-être parce que c'était l'endroit où ils oublieraient.

Les pauvres enfants avaient le cœur bien gros de quitter leur palais pour cette prison, et leur mère pour ce moine sinistre ; ils se continrent tant qu'ils purent ; mais, quand leur mère fut partie et que dom Bazile les eut conduits dans la cour en leur disant que leurs études ne commenceraient que le lendemain et qu'ils avaient le reste de la journée pour jouer, le désespoir fut le plus fort et ils se mirent à sangloter.

Ils n'eurent pas faim à souper. Une chose qui n'égayait pas la morosité du réfectoire, c'était le petit nombre des élèves. Il n'y en avait alors que vingt-quatre ; tous les autres avaient été retirés par opposition à Joseph. On juge la solitude que devait faire ce nombre imperceptible dans des constructions calculées pour cinq cents.

Le dortoir ne gagna pas à être vu de nuit. Au lieu de soleil, quelques quinquets fumeux qui éclairaient mal le seul coin habité et qui expiraient au loin dans les ténèbres. C'était le dortoir des petits ; sur cent cinquante lits, il n'y en avait pas dix d'occupés. À la tête de chaque lit était pendu un Christ en croix. Après la chambre soyeuse où les trois frères s'endormaient en bavardant et où le réveil continuait les féeries des rêves, c'était une chambre sévère ce désert où les deux garçons perdus dans l'ombre sentaient sur eux ces cent cinquante gibets.

Le lendemain matin à cinq heures, ils furent réveillés par trois coups frappés sur le bois de leur lit. Ils ouvrirent les yeux et virent un bossu, rouge de visage, les cheveux tortillés, vêtu d'une veste de laine rouge, d'une culotte de peluche bleue, de bas jaunes et de souliers couleur cuir de Russie. Cet arc-en-ciel les fit rire et ils furent presque consolés.

Cet éveilleur était le souffre-douleur des élèves. Lorsqu'ils étaient mécontents de lui, ils l'appelaient durement *Corcova* (bosse). Quand il avait bien fait son service et qu'ils voulaient lui être bons, ils l'appelaient *Corcovita* (petite bosse). Le pauvre homme riait ; peut-être s'était-il habitué à sa difformité ; peut-être en souffrait-il au fond et n'osait-il pas se fâcher de peur de perdre sa place. Eugène et Victor se mêlèrent bientôt à ces plaisanteries, et, pour remercier leur valet de chambre, lui donnèrent aussi, avec la grâce cruelle de l'enfance, son petit nom. M. Victor Hugo s'en est repenti plus d'une fois depuis, et Corcovita n'a pas été étranger à l'idée qui lui a fait faire Triboulet et Quasimodo.

CHAPITRE XX

BOBINO ET LE GOÛT DU THÉÂTRE

Il n'y eut de nouveau dans leur printemps et dans leur été que Bobino. Ils s'éprirent de sa parade, des volées furieuses qu'il administrait à son Jocrisse et des hurlements risibles de celui-ci. Tout cela n'était que pour attirer un public aux marionnettes de l'intérieur. La parade finie, les enfants « *prrrenaient* leurs billets » et pour quatre sous voyaient gesticuler, rire et pleurer des marionnettes si grandioses qu'elles avaient mérité à la baraque le titre majestueux de Théâtre des Automates. Ces belles représentations inspirèrent aux deux frères l'idée d'avoir un théâtre à eux ; ils en achetèrent un magnifique, en carton avec des filets d'or, et une troupe complète de petits comédiens en bois. Chacun dut faire sa pièce, et le futur auteur de *Ruy Blas* débuta dans l'art dramatique par un *Palais enchanté* dont les répétitions allèrent bon train, mais dont la représentation fut empêchée par un incident sérieux.

En septembre, la restauration se crut assez forte pour punir ceux qui avaient résisté à l'invasion ; le général Hugo fut destitué de son commandement et mis hors d'activité, ainsi que tous les chefs sans exception qui avaient concouru à la défense de Thionville. Il vint à Paris et jugea qu'il était temps de songer à l'avenir des enfants. Eugène allait avoir quinze ans, et Victor treize ; le général, qui rêvait pour eux l'école polytechnique, leur chercha une pension préparatoire ; il en trouva une rue Sainte-Marguerite, et les y conduisit la veille du jour fixé pour la première représentation du *Palais enchanté*.

CHAPITRE XXV

RUY BLAS

M. Alexandre Dumas ne fut pas longtemps sans avoir à se plaindre, lui aussi, de M. Harel, et sans quitter la Porte-Saint-Martin. Il était, de plus, en mauvais termes avec la Comédie-Française. Il vint un jour chez M. Victor Hugo et lui raconta une conversation qu'il avait eue avec le duc d'Orléans. Le prince s'informant pourquoi il ne faisait plus rien jouer, il lui avait répondu que la littérature nouvelle n'avait pas de théâtre ; qu'elle n'avait jamais été chez elle au Théâtre-Français, qu'elle y avait été quelquefois tolérée, jamais acceptée ; que sa vraie scène eût été la Porte-Saint-Martin, mais que les procédés du directeur en avaient éloigné tout ce qui avait du talent ou seulement de la dignité, et qu'on y était tombé aux exhibitions des ménageries ambulantes ; qu'entre le Théâtre-Français, voué aux morts, et la Porte-Saint-Martin, vouée aux bêtes, l'art moderne était sur le pavé. Il avait ajouté que ce n'était pas lui seul qui se plaignait, que tous les auteurs du drame disaient comme lui, à commencer par M. Victor Hugo, qui ne faisait plus de pièces que de loin en loin et qui en aurait fait deux par an s'il avait eu un théâtre.

Le duc d'Orléans avait dit que c'était là, en effet, un état de choses impossible, que l'art contemporain avait droit à un théâtre et qu'il en parlerait à M. Guizot.

— Maintenant, conclut M. Alexandre Dumas, il faut que vous alliez voir Guizot. J'ai persuadé le prince, persuadez le ministre.

— Un théâtre, c'est très bien, dit M. Victor Hugo, mais il faudrait un directeur.

M. Alexandre Dumas n'avait personne dont il pût répondre.

— Connaissez-vous quelqu'un, vous ? demanda-t-il à M. Victor Hugo.

— Oui et non. Je reçois un journal de théâtre qui est entièrement dans nos idées et qui nous défend tous les deux, évidemment avec conviction et sans arrière-pensée, car le brave garçon qui fait ce journal ne vient pas même chercher de remercîment, et je ne l'ai pas vu quatre fois. Je crois donc en lui précisément parce que je ne le connais pas. On m'a dit que son rêve serait d'être directeur de théâtre. C'est le directeur du *Vert-Vert*.

— Anténor Joly ! dit M. Alexandre Dumas. Mais il n'a pas le sou.

— Avec un privilège il trouvera de l'argent.

M. Alexandre Dumas fit des objections ; puis, avec sa nature facile, céda. — Quand il fut sorti, M. Victor Hugo réfléchit qu'ils avaient été bien vite en disposant d'un théâtre qui n'existait pas. Les princes, sollicités de toutes parts, font des réponses polies qu'on prend pour des promesses. Il était vraisemblable que le duc d'Orléans ne pensait déjà plus à sa conversation du matin. M. Victor Hugo n'alla pas chez M. Guizot et pensa lui-même à autre chose.

À quelque temps de là, un ami commun lui dit que M. Guizot s'étonnait de ne pas le voir et avait à lui parler. Il y alla le lendemain matin.

— Eh bien, lui dit M. Guizot en le voyant entrer, vous ne voulez donc pas de votre théâtre ?

M. Guizot lui dit de la façon la plus ouverte et la plus cordiale qu'il avait eu raison de demander un théâtre, que rien n'était plus légitime, qu'à un art nouveau il fallait un théâtre nouveau, que la Comédie-Française, scène de tradition et de conservation, n'était pas l'arène qu'il fallait à la littérature originale et militante, que le gouvernement ne faisait que son devoir en créant un théâtre pour ceux qui créaient un art.

— Maintenant, ajouta M. Guizot, réglons les termes du privilège.

Le ministre et l'écrivain s'entendirent, et M. Guizot écrivit de sa main les conditions du théâtre, qui étaient très larges, mais exclusivement littéraires. M. Victor Hugo demanda le droit à la musique ; il se souvenait de l'effet produit dans *Lucrèce Borgia* par le contraste de la chanson à boire et du psaume ; il rêvait de mêler plus amplement encore le chant à la parole ; il voulait que l'art tout entier fût possible, depuis les symphonies de *La Tempête* jusqu'aux chœurs de *Prométhée*. M. Guizot accorda tout.

— Maintenant, dit-il, il ne nous manque plus que la signature du ministre de l'Intérieur. Mais je lui ai déjà parlé et nous sommes d'accord. Allez le voir demain, il vous remettra votre privilège.

— Mon privilège ? interrogea M. Victor Hugo.

— Sans doute ! c'est à vous que nous donnons le théâtre.

— Je ne le prends pas ! Je fais de l'art et non du commerce. Je ne veux d'aucun privilège pour moi, ni comme directeur, ni comme auteur. Ce n'est pas pour moi que je demande un théâtre, c'est pour toute la génération nouvelle, qui n'en a pas.

— Soit, dit M. Guizot ; mais, pour donner un théâtre, il faut que nous le donnions à quelqu'un. Avez-vous un directeur ?

— Oui ; M. Anténor Joly.

— Je ne le connais pas ; mais, si vous répondez de lui, cela suffit. Menez-le demain chez M. de Gasparin.

M. Victor Hugo, en rentrant, écrivit un mot à M. Anténor Joly, qui accourut le lendemain matin.

— J'ai une nouvelle à vous apprendre, lui dit M. Victor Hugo ; c'est que vous avez un théâtre.

La reconnaissance de M. Joly fut égale à son ébahissement. Il tenait son rêve ! M. Victor Hugo coupa court à ses remercîments en lui disant qu'on les attendait au ministère de l'Intérieur. M. Anténor Joly avait un cabriolet à la porte, ils y montèrent tous deux et furent bientôt dans le cabinet de M. de Gasparin.

Pendant qu'on allait chercher le privilège dans les bureaux, M. Victor Hugo répéta devant M. de Gasparin ce qu'il avait dit devant M. Guizot :

— Il est bien entendu que le théâtre est à la littérature et non à moi. M. Anténor Joly me demandera des pièces s'il y trouve son intérêt, mais il sera aussi libre de ne pas m'en demander que je serai libre de lui en refuser. Il sera un directeur comme un autre et je serai un auteur comme un autre. Il ne s'engage qu'à une chose, c'est à faire de son théâtre le théâtre de la littérature vivante.

On vint dire des bureaux que le privilège n'était pas prêt et ne pouvait l'être que dans une heure. Il fut convenu que M. Anténor Joly reviendrait dans la journée.

En sortant, le nouveau directeur dit à M. Victor Hugo :

— Puisque vous voulez que j'ai le droit de m'adresser à qui bon me semble, je m'adresse à vous et je vous demande ma pièce d'ouverture.

M. Victor Hugo lui répondit qu'il serait temps de penser à l'ouverture de la salle quand il y aurait une salle et une troupe, et M. Anténor Joly le quitta pour chercher de l'argent, un terrain et des acteurs.

Ceci se passait en octobre 1836. Il s'écoula cinq ou six mois sans que M. Victor Hugo entendît parler de M. Joly. Un jour, on lui annonça M. de Gasparin, qui lui dit : — Mais je croyais que c'était un théâtre de littérature que vous vouliez ! — et qui lui montra, en marge du privilège, non signé encore, une note demandant l'autorisation de jouer l'opéra-comique. M. Victor Hugo répondit qu'il y avait erreur, que c'était lui qui avait demandé la musique, mais comme collaboratrice et servante du drame, et non comme maîtresse. Le ministre dit qu'aussi la note l'avait étonné et qu'il allait aviser.

M. Victor Hugo fut un an cette fois sans entendre parler de rien. En juin 1838, M. Anténor Joly reparut. Il avait été vingt-deux mois à trouver de l'argent. Quelqu'un lui en avait offert, mais à la condition d'être codirecteur. Ce n'eût été rien, si ce quelqu'un n'avait pas été un vaudevilliste qui s'était enrichi dans les pompes funèbres et qui avait pour idéal l'opéra-comique. C'était ce vaudevilliste qui avait demandé l'autorisation que le ministre avait d'abord refusée ; mais M. Anténor Joly, ne trouvant rien d'aucun autre côté, avait dû subir cet associé et ses exigences, et obtenir du ministre, à force d'instances, le droit à l'opéra. Mais ce serait une clause morte ; l'associé comprenait lui-même qu'on attendait un théâtre de drame et que c'était par le drame qu'il fallait commencer ; une fois le drame installé, lui, Anténor Joly, serait là pour le maintenir ; l'essentiel était de prendre possession du théâtre, et tout était dans le drame d'ouverture ; il fallait absolument le nom de M. Victor Hugo, etc.

M. Victor Hugo, auquel M. Anténor Joly présenta son associé le lendemain, promit une pièce, et se mit à écrire *Ruy Blas*, dont le sujet le préoccupait depuis longtemps.

Sa première idée avait été que la pièce commençât par le

troisième acte. Ruy Blas, premier ministre, duc d'Olmedo, tout-puissant, aimé de la reine ; un laquais entre, donne des ordres à ce tout-puissant, lui fait fermer une fenêtre et ramasser son mouchoir. Tout se serait expliqué après. L'auteur, en y réfléchissant, aima mieux commencer par le commencement, faire un effet de gradation plutôt qu'un effet d'étonnement, et montrer d'abord le ministre en ministre et le laquais en laquais. Il écrivit la première scène le 4 juillet et la dernière le 11 août. Ce fut, de tous ses drames, celui qui lui prit le plus de temps. Le dernier acte, comme le quatrième de *Marion de Lorme,* fut écrit en un jour ; mais le quatrième acte de *Marion de Lorme* est beaucoup plus long que le cinquième de *Ruy Blas.*

Pendant que Victor Hugo écrivait *Ruy Blas*, M. Joly venait le voir souvent, le consultait sur l'emplacement du nouveau théâtre, lui amenait des architectes, etc. ; M. Victor Hugo était pour un terrain qui se trouvait libre près de la porte Saint-Denis, et pour appeler le théâtre *Théâtre de la Porte-Saint-Denis.* L'affaire ne se fit pas, à son grand déplaisir, et les deux directeurs en furent réduits au théâtre Ventadour, mal situé, dans une cour où il ne passe personne. Tout ce qu'on put faire pour lui, ce fut de changer son nom et d'appeler ce tombeau *Théâtre de la Renaissance.*

M. Anténor Joly vint un matin avec la maquette d'une nouvelle espèce de théâtre. Selon lui, la rampe ne s'expliquait pas ; cette rangée de quinquets qui sortait de terre était absurde ; dans la réalité, on était éclairé par en haut et non par en bas ; la rampe était un contre-sens ; les acteurs n'étaient plus des hommes, etc. – La maquette présentait un nouveau système ; les quinquets éclairaient, comme le soleil, du haut de portants dissimulés dans la coulisse ; on ne serait plus au théâtre, on serait dans la rue, dans un bois, dans une chambre. M. Victor Hugo s'opposa à la suppression de la rampe. Il répondit que la réalité crue de la représentation serait en désaccord avec la réalité poétique de la pièce, que le drame n'était pas la vie même, mais la vie transfigurée en art, qu'il était donc bon que les acteurs fussent transfigurés aussi, qu'ils l'étaient déjà par leur blanc et par leur rouge, qu'ils l'étaient mieux par la rampe, et que cette ligne de feu qui séparait la salle de la scène était la frontière naturelle du réel et de l'idéal.

Avant de promettre *Ruy Blas*, l'auteur s'était enquis de la troupe. On lui avait présenté une liste d'acteurs de vaudeville et de province. Il avait demandé M. Frédérick Lemaître. Ç'avait été, du reste, sa seule condition ; il avait voulu, à ce théâtre qu'il avait donné pour rien et dont on avait offert une fois à M. Anténor Joly soixante mille francs, le même traité qu'au Théâtre-Français et à la Porte-Saint-Martin.

M. Frédérick Lemaître faisait une tournée en province ; un mot de M. Anténor Joly le fit revenir en grande hâte. Le théâtre étant tout à refaire à l'intérieur et livré aux ouvriers, l'auteur, pour ne pas lire dans les coups de marteau, fit venir les acteurs chez lui. M. Frédérick fut radieux aux trois premiers actes, inquiet au quatrième, sombre au cinquième, et s'esquiva sans rien dire.

On ne pouvait répéter au théâtre. M. Anténor Joly avait obtenu qu'on lui prêtât la salle du Conservatoire. Ce fut là que le lendemain l'auteur distribua les rôles. M. Frédérick Lemaître reçut le sien d'un air résigné, mais il y eut à peine jeté les yeux qu'il poussa un cri d'étonnement et de joie :

– C'est donc Ruy Blas que je joue ?

Il avait cru que c'était don César. Comme il arrive toujours des grandes réussites, sa prodigieuse création de Robert Macaire lui était perpétuellement jetée au visage ; on lui répétait sans cesse qu'il ne pouvait plus jouer que cela, qu'il était incapable désormais des rôles sérieux ; en voyant les développements que prenait don César au quatrième acte, il s'était dit que M. Victor Hugo pensait comme les autres et lui destinait le rôle comique. Le rôle était beau, mais c'était encore un déguenillé. Au lieu que Ruy Blas le débarrassait des haillons de Robert Macaire, il allait être renouvelé et régénéré ; il remercia avec effusion M. Victor Hugo de le délivrer enfin de l'ironie et de la dérision et de le réconcilier avec la passion et avec la poésie.

La musique ne laissa pas longtemps le Conservatoire à la littérature. *Ruy Blas* fut prié de s'en aller. Il n'eut que la Renaissance, plus que jamais en proie aux maçons, aux serruriers, aux menuisiers, aux doreurs et aux tapissiers. Ce fut dans ce pêle-mêle et dans ce vacarme que les dernières répétitions se firent. Un jour, au commencement du troisième acte, M. Victor Hugo, trouvant que deux acteurs se plaçaient mal, se leva pour aller les placer lui-même. Il était à peine debout qu'une large barre de fer tomba de la voûte précisément sur le fauteuil qu'il quittait. Sans la faute de ses acteurs, il était tué roide.

Le drame ne courait pas moins de dangers que l'auteur. M. Anténor Joly n'avait pas résisté à la musique autant qu'il l'avait promis ; en même temps que *Ruy Blas*, on répétait un opéra-comique, et le codirecteur, qui était le vrai puisqu'il avait l'argent, fort rare aux répétitions de *Ruy Blas*, n'en manquait pas une de *L'Eau merveilleuse*.

La mélomanie de la vraie direction se révélait en tout. Une fois, en arrivant, M. Victor Hugo vit des menuisiers et des tapissiers occupés à séparer en stalles les banquettes du parterre. M. Anténor Joly lui expliqua que le théâtre, vu sa situation, ne pouvait pas compter sur le public des boulevards, que sa clientèle serait la fashion et la grande bourgeoisie, qu'il fallait donc faire un théâtre confortable et riche. M. Victor Hugo répondit que la fashion aurait les stalles d'orchestre, les stalles de balcon et les loges, mais qu'il entendait qu'on laissât au public populaire ses places c'est-à-dire le parterre et les galeries ; que c'était pour lui le vrai public, vivant, impressionnable, sans préjugés littéraires, tel qu'il le fallait à l'art libre ; que ce n'était peut-être pas le public de l'opéra, mais que c'était le public du drame ; que ce public-là n'avait pas l'habitude d'être parqué et isolé dans sa stalle, qu'il n'était jamais plus ardent, plus intelligent et plus content que lorsqu'il était entassé, mêlé, confondu, et que, quant à lui, si on lui retirait son parterre, il retirerait sa pièce. Les banquettes ne furent pas stallées.

Il n'y avait plus à compter sur les jeunes gens d'*Hernani* ; la célébrité était venue pour quelques-uns, l'âge pour tous ; parmi les rapins de 1830, les uns étaient maintenant des maîtres et pensaient à leurs propres œuvres ; les autres, n'ayant pu faire leur trouée en art, y avaient renoncé, et, commerçants, industriels, mariés, faisaient pénitence de leurs péchés d'enthousiasme et de littérature. Ceux mêmes qui étaient restés écrivains, peintres et amis avaient quitté la bohème pour la bourgeoisie, s'étaient coupé les cheveux, avaient reconnu le chapeau et la redingote de tout le monde, avaient des femmes ou des maîtresses qu'ils ne pouvaient mener au parterre ni aux combles, trouvaient de mauvais goût les acclamations forcenées et applaudissaient quelquefois du bout des gants.

Une nouvelle génération arrivait. Quelque temps auparavant, un jeune homme de seize à dix-sept ans, qui achevait ses études au collège Charlemagne voisin de la place Royale, s'était présenté chez M. Victor Hugo ; c'était M. Auguste Vacquerie. Il avait amené, bientôt après, un de ses camarades de classe, M. Paul Meurice. Tous deux devinrent, et sont restés, les plus sûrs et les plus intimes amis de M. Victor Hugo. M. Auguste Vacquerie fit quatre-vingts lieues pour assister à *Ruy Blas*.

Le soir de la première représentation, la salle n'était pas terminée ; les portes des loges, posées précipitamment, grinçaient sur leurs gonds et ne fermaient pas ; les calorifères ne chauffaient pas ; le froid de novembre glaçait les spectateurs. Les femmes furent obligées de remettre leurs manteaux, leurs fourrures et leurs chapeaux, et les hommes leurs paletots. On remarqua que le duc d'Orléans eut la politesse de rester en habit. La pièce dégela le public. Les trois premiers actes, très bien joués, et plus que très bien, par M. Frédérick, saisirent la salle. Le quatrième, que M. Saint-Firmin dit avec une verve spirituelle, fut moins heureux, mais le succès reprit plus énergique au cinquième, où M. Frédérick Lemaître dépassa les plus grands comédiens. La manière dont il arracha le pardessus de sa livrée, dont il alla tirer le verrou, dont il frappa l'épée sur la table, dont il dit à don Salluste :

> Tenez,
> Pour un homme d'esprit, vraiment, vous m'étonnez !

dont il revint demander pardon à la reine, dont il but le poison, tout fut grand, vrai, profond, splendide, et le poëte eut cette joie si rare de voir vivre la figure qu'il avait rêvée.

Un détail à noter, c'est que le parterre et les stalles applaudirent moins que les loges. Le succès, cette fois, vint plutôt du public. L'auteur avait dans la salle des amis qui ne le connaissaient plus et des amis qu'il ne connaissait pas.

Le succès du drame ne fut rien à côté de celui de l'opéra-comique, qu'on joua le lendemain. Pour l'opéra-comique, les portes fermèrent, les gonds se turent, les calorifères chauffèrent, le parterre applaudit. L'Eau merveilleuse réussit frénétiquement.

La presse fut, en général, favorable à Ruy Blas. Il y vint du monde, plus peut-être que la musique n'en aurait exigé. Dès la seconde représentation, il y eut un coup de sifflet au troisième acte, quand Ruy Blas ramasse le mouchoir de don Salluste, et il y en eut plusieurs au quatrième. Il y en eut davantage aux représentations suivantes, et le quatrième acte fut de plus en plus attaqué. Les acteurs disaient que c'était la musique qui voulait tuer le drame pour avoir le théâtre à elle seule. M. Frédérick, sortant de scène après le troisième acte, montra à l'auteur un individu assis au parterre qu'il affirma avoir vu siffler, et qui était le claqueur de L'Eau merveilleuse. À la représentation suivante, le claqueur était à la même place, quoiqu'il ne fût tenu d'y être que pour l'opéra. M. Victor Hugo, qui voulait en avoir le cœur net, alla dans la salle au troisième acte. Comme toujours, la scène entre Ruy Blas et don Salluste rencontra de la résistance. Au moment où Ruy Blas ramassa le mouchoir, M. Victor Hugo vit le claqueur porter à sa bouche un petit instrument, et un sifflement aigu retentit. L'auteur n'avait pas été le seul à voir le geste. M. Frédérick, qui avait à dire à don Salluste :

> Sauvons ce peuple ! osons être grands ! et frappons !
> Ôtons l'ombre à l'intrigue et le masque...

n'acheva pas le vers à don Salluste, s'avança jusqu'à la rampe, regarda le claqueur en face, et lui dit :

> aux fripons !

Ruy Blas eut une cinquantaine de représentations. Les sifflets persistèrent jusqu'à la dernière, mais ils s'en tinrent toujours aux troisième et quatrième actes, et le reste n'en continua pas moins de réussir. – Aux reprises, les sifflets cessèrent, et le quatrième acte ne manqua jamais d'avoir un succès éclatant.

M. Victor Hugo allait vendre le manuscrit à son éditeur d'alors, M. Renduel, lorsqu'un autre libraire, M. Delloye, vint le lui demander, ainsi que l'exploitation de ses œuvres complètes pour onze ans, au nom d'une société dont il était le gérant. M. Delloye offrait deux cent mille francs. Il en ajouta quarante mille, et M. Victor Hugo ajouta de son côté deux volumes inédits.

CHAPITRE LXIV

L'ESPAGNE AU XVIIᵉ SIÈCLE :
LES SOURCES HISTORIQUES
DE VICTOR HUGO

Dans la *Note* qui suit la pièce, Hugo affirme : « Il n'y a pas dans *Ruy Blas* un détail de vie privée ou publique, d'intérieur, d'ameublement, de blason, d'étiquette, de biographie, de chiffre, qui ne soit scrupuleusement exact. » Déclaration un peu imprudente, qui a poussé très tôt certains érudits à vérifier son bienfondé. Dès 1888, A. Morel-Fatio accuse le poète de supercherie à propos d'*Hernani*, mais ajoute : « *Ruy Blas* a été autrement et plus sérieusement préparé et conçu[1]. » Les manuscrits témoignent effectivement d'un gros travail de documentation entrepris dès la rédaction d'*Hernani* en 1829[2]. Nous possédons même deux listes d'ouvrages empruntés par Hugo à la Bibliothèque royale et à celle de l'Arsenal, dont son ami Charles Nodier était conservateur. Ces listes ne sont pas exhaustives et il semble que Hugo ait aussi travaillé à partir d'autres sources.

Ses ouvrages de référence sont des œuvres de mémorialistes français du XVIIᵉ siècle. Essentiellement les *Mémoires* de Mme d'Aulnoy, et *L'État présent de l'Espagne* de l'abbé de Vayrac.

PETITE BIBLIOGRAPHIE HISTORIQUE

MME D'AULNOY, *Mémoires de la cour d'Espagne*, et *Relation du voyage d'Espagne*, édition de Mme B. Carey, Paris, Plon, 1874-1876.

---

1. A. Morel-Fatio, *Études sur l'Espagne,* p. 92.
2. A. Ubersfeld, *Le Roi et le Bouffon,* p. 326 *sq.* À propos de la légende noire espagnole, voir le mémoire de maîtrise de Gilles Basterra, *Images de la décadence espagnole, 1665-1700,* sous la direction de Pierre Brunel et Yves Coirault, Paris IV, 1984.

LOUVILLE (marquis de), *Mémoires secrets,* Paris, Maradan, libraire rue Guénégaud, 1818.

NUÑEZ DE CASTRO Alonzo, *Libro historico-politico : Solo Madrid es corte y el cortesano en Madrid*, Madrid, 1675.

SAINT-SIMON, Claude-Henri (comte de), *Mémoires,* édition établie par Yves Coirault, tome 1, Gallimard, Bibliothèque de la Pléiade, 1983.

VAYRAC (abbé de), *État présent de l'Espagne où l'on voit une géographie du pays, l'établissement de la monarchie, ses révolutions, sa décadence, son rétablissement et ses accroissements*, Paris, A. Cailleau, 1718.

VILLARS (marquis de), *Mémoires de la cour d'Espagne de 1679 à 1681,* publiés et annotés par M. A. Morel-Fatio, Paris, Plon, 1893.

MME D'AULNOY, *Mémoires de la cour d'Espagne*

C'est dans ce texte facile et attrayant que Hugo a trouvé la matière la plus abondante et aussi la plus pittoresque. Comme le personnage de la camarera mayor, *dont le modèle est la terrible duchesse de Terranova, et non la duchesse d'Albuquerque qui lui succéda.*

Cependant, dès le 24 de janvier 1679, le Roi avait nommé ceux qui devaient remplir les charges de la maison de la nouvelle Reine. La duchesse de Terranova fut nommée *camarera mayor*, qui veut dire première dame d'honneur, et même le pouvoir en est plus étendu que celui de dame d'honneur, car elle est aussi maîtresse de toutes les femmes qui servent la Reine dans le palais. Elle est veuve du duc de Terranova, de la maison de Pignatelli et grand d'Espagne. Elle a hérité des grands biens de Fernand Cortez. Sa mère portait le nom de ce fameux capitaine qui lui a laissé un petit royaume dans les Indes occidentales ; il aurait pu lui en laisser même un plus considérable dans cette partie du monde où il fit tant de progrès. Elle est descendue d'une branche de la maison d'Aragon qui s'établit en Sicile il y a longtemps. Elle est puissamment riche ; son humeur est fière et impérieuse avec les personnes qui sont au-dessus d'elle, insupportable avec ses égales, douce et bonne avec ses inférieures ; elle a de l'esprit, de la fermeté et de la pénétration ; elle est froide et sérieuse, gardant la gravité espagnole, sans faire un pas ni une démarche qui ne soient compassés ; elle parle peu et dit un : Je le veux, ou Je ne le veux pas, à faire trembler.

C'est une femme maigre et pâle ; elle a le visage long et ridé, les yeux petits et rudes, et elle est fort dangereuse ennemie. Don Carlos d'Aragon, son cousin germain, fut assassiné par des bandits qu'elle fit venir exprès de Valence, parce qu'il lui demandait la restitution du duché de Terra Nova qui lui appartenait, et dont elle jouissait.

Mémoires, pp. 80-81

Le sort de Marie-Louise d'Orléans était donc très proche de celui qui est, dans la pièce, attribué à Maria de Neubourg.

Hélas ! que tous ces moments étaient tristes pour une jeune princesse élevée dans la plus belle cour et la plus polie de l'univers ! Elle avait toujours eu la liberté du manger en public, on ne la lui avait point ôtée pendant son voyage ; elle dansait, elle montait à cheval, elle connaissait, elle considérait ceux qui l'avaient accompagnée, et ils l'adoraient (si l'on peut se servir de ce terme-là). Elle se trouva tout d'un coup avec des personnes qu'elle ne connaissait point et qui ne pouvaient point lui paraître assez aimables pour prévenir agréablement son esprit. Elle savait si peu leur langue, qu'elle ne les entendait et ne leur répondait qu'avec peine. Il faut ajouter à cela que la manière dont on la servait avait si peu de rapport avec celle de France, qu'elle en souffrait beaucoup. Tout était cérémonie, tout était contrainte. Dès le premier jour, les Espagnols voulaient qu'elle sût et qu'elle fît ce que les Espagnols apprennent pendant toute leur vie. Ils n'entraient point dans la différence des deux nations, qui sont si opposées en tout, et comme ils croyaient qu'il fallait de bonne heure mettre Sa Majesté sur le pied où ils voulaient la tenir toute sa vie, ils ne se relâchaient sur rien, et dès ce temps-là, elle éprouva un esclavage auquel l'humeur rigide de la camarera mayor ajoutait beaucoup. Mais la douceur naturelle de la Reine et sa raison lui firent recevoir de bonne grâce les choses qui naturellement la fatiguaient et lui déplaisaient davantage.

Il semblait néanmoins que, par politique, la duchesse de Terranova dût ménager l'esprit et les bontés de la Reine. Quand elle ne l'aurait pas fait par attachement à sa personne, elle devait le faire pour s'attirer l'honneur de sa protection, car elle avait un nombre considérable d'ennemis, et la plus grande partie des femmes de la cour enviaient sa place. Le prince qui l'y avait élevée n'était plus au monde, toutes les apparences en prédisaient sa chute, et elle l'appréhendait aussi extrêmement ; mais elle prit une route tout opposée à celle que l'on croyait qu'elle dût tenir ; c'est-à-dire que, bien éloignée d'avoir de la complaisance pour sa jeune maîtresse, elle devint son espion, afin de s'en faire un mérite auprès du Roi. Elle étudiait toutes ses inclinations et son humeur ; elle entretenait et faisait entretenir souvent les femmes françaises qui suivaient la Reine à Madrid ; elle tirait des conséquences des plus légères bagatelles, et tout devenait poison entre ses mains. Elle se dressa ainsi un plan de conduite qui effectivement l'empêcha d'être ôtée de son poste. [...]

La duchesse de Terranova ayant entrepris d'ôter entièrement à la Reine le peu de liberté qui lui restait, et voulant demeurer seule maîtresse des volontés de Sa Majesté, déclara, dès qu'elle fut arrivée au Buen Retiro, que qui que ce soit ne la verrait qu'après qu'elle aurait fait son entrée publique. C'était un état bien triste et bien contraignant pour cette jeune Reine, de se trouver ainsi éloignée tout d'un coup des personnes qui auraient pu lui donner de la consolation, du plaisir et même d'utiles conseils. La camarera mayor la tenait enfermée sans la laisser même sortir de son appartement. Elle n'avait pour tout régal que de longues et ennuyeuses comédies espagnoles dont elle n'entendait presque rien, et sans cesse la redoutable camarera était devant ses yeux avec un air sévère et renfrogné, ne riant jamais et trouvant à redire à tout ; elle était l'ennemie déclarée des plaisirs et elle traitait sa maîtresse avec autant d'autorité qu'une gouvernante en a sur une petite fille.

Mémoires, pp. 123-124 et 137

*On retrouve chez Mme d'Aulnoy l'affaire des perroquets étranglés par la duègne (*Ruy Blas, II 1*) et le billet laconique envoyé par le roi. Mme d'Aulnoy a trouvé l'épisode dans le livre du marquis de Villars et l'a reproduit sans y changer grand-chose. À un détail près : l'habile narratrice a fait passer au style direct le message du roi. C'est le texte que nous retrouvons dans* Ruy Blas.

Il arriva une chose au palais que je ne laisserai pas de dire, quoiqu'elle paraisse de peu de conséquence. La Reine avait deux perroquets, les plus jolis du monde ; elle les avait apportés de France, et elle les aimait beaucoup. La vieille duchesse de Terranova crut faire une bonne œuvre de les tuer, parce qu'ils ne savaient que parler français. Un jour que la Reine était allée à la promenade, et que la duchesse, pour éviter de la suivre et faire son coup, avait feint une légère indisposition, elle demanda les petits perroquets à celle qui en avait le soin ; et sans autre façon, dès qu'elle les eut, elle leur tordit le col, quelque prière que cette femme pût lui faire pour qu'elle ne les tuât point. Ce fut une grande affliction parmi les Françaises qui servaient la Reine ; dès qu'elle fut rentrée dans son appartement, elle commanda qu'on lui apportât ses perroquets et ses chiens, comme elle faisait toujours pendant que le Roi n'y était pas, car il ne pouvait souffrir tous ces petits animaux, parce qu'ils venaient de France ; et lorsqu'il les voyait, il disait : *Fuera, fuera, perros franceses !* ce qui veut dire : Dehors, dehors, chiens français ! Toutes les femmes de la Reine, au lieu d'aller quérir ce qu'elle demandait, s'entre-regardaient, et restaient immobiles, sans oser lui rien dire ; mais enfin, après un assez long silence, une d'entre elles lui rendit compte de l'exécution que la camarera en avait faite. Elle en eut beaucoup de chagrin, quoiqu'elle ne le témoignât point ; mais lorsque la duchesse entra dans sa chambre, et que, selon la coutume, elle vint pour lui baiser la main, la Reine, sans lui dire une seule parole, lui donna deux soufflets à tour de bras. Il n'a jamais été une surprise pareille, ni une rage semblable à celle dont cette duchesse fut agitée : car elle était la plus glorieuse femme du monde, et qui le portait le plus haut. Elle avait, comme je l'ai déjà marqué, un royaume dans le Mexique, et se voir souffleter par une jeune Reine qu'elle avait traitée jusqu'alors comme une enfant, cela ne lui parut pas supportable. Elle se retira, en disant toutes les impertinences que son désespoir lui suggéra. Elle assembla ses parents, ses amis, et plus de quatre cents dames. Avec ce nombreux cortège, elle fut dans l'appartement du Roi lui demander justice de l'outrage qu'elle prétendait avoir reçu de la Reine ; elle faisait tant de bruit, et répandait tant de larmes, qu'il voulut bien en venir parler à la Reine ; et comme il lui représentait le rang que la camarera mayor tenait, la Reine l'interrompit, et lui dit sans s'embarrasser : *Señor, esto es un antojo.*

Ce peu de mots changea la face des choses ; le Roi l'embrassa avec mille témoignages de joie ; il ajouta qu'elle avait très bien fait, et que si deux soufflets ne suffisaient pas pour la satisfaire, il consentait qu'elle en donnât encore deux douzaines à la duchesse. C'est que *antojo* signifie une envie de femme grosse ; et comme on est convaincu par une longue expérience que si les femmes grosses en ce pays-là n'ont pas ce qu'elles souhaitent, et ne font pas ce qu'elles veulent, elles accouchent, avant terme, d'un enfant mort, le Roi, qui crut que la Reine était grosse, se sentit ravi ; et, malgré son amitié pour la duchesse, il approuva fort l'action de la Reine, de manière qu'elle lui dit pour toute satisfaction :

Cailla os, estas bofetades son hijas del antojo.

Ce qui veut dire : Taisez-vous, ces soufflets sont les fruits d'une femme grosse. La Reine eut l'adresse de ne point témoigner, dans la suite, qu'elle savait la mort de ses perroquets, afin que le Roi n'eût pas lieu de croire que l'*antojo* de souffleter la vieille venait de son ressentiment.

[...]

Le Roi, la Reine et la Reine mère allèrent ensemble au Buen Retiro, passer les jours de la semaine sainte. Le Roi témoigna après Pâques qu'il avait envie d'aller à Aranjuez, comme c'était la coutume de tout temps ; mais la Reine mère qui ne voulait pas s'éloigner de Madrid, parce qu'on y fait toutes les affaires, que les conseils n'en sortent jamais, et que le seul voisinage de Tolède, où elle avait été retenue malgré elle, lui faisait horreur, fit naître tant d'obstacles, que le Roi changea de dessein, demeura très peu au Buen Retiro, et fut passer quatre jours à l'Escurial. Il ne voulut être accompagné que du duc de Medina-Celi, du premier écuyer, d'un secrétaire d'État, d'un gentilhomme de la chambre, et d'un mayordome. Le lendemain qu'il fut arrivé, la Reine lui écrivit une lettre fort tendre, et lui envoya une bague de diamants. Il lui envoya à son tour un chapelet de bois de calambour, garni de diamants, dans un petit coffre de filigrane d'or, où il avait mis un billet qui contenait ces mots : Madame, il fait grand vent, et j'ai tué six loups.

Mémoires, pp. 217-219 et 220

Marie-Louise d'Orléans parvint pourtant à se défaire de sa duègne, chose qui ne s'était jamais vue jusque-là.

Le lendemain au matin, la duchesse, qui ne s'était point couchée et qui avait passé toute la nuit à se promener dans sa chambre avec les duchesses de Monteleon et d'Hijar, ses deux filles, n'attendit pas que la Reine fût levée pour aller prendre congé d'elle ; son visage était plus pâle qu'à l'ordinaire et ses yeux plus étincelants ; elle s'approcha de la Reine, lui dit, sans pleurer et sans témoigner le moindre chagrin, qu'elle était fâchée de ne l'avoir pas aussi bien servie qu'elle l'aurait souhaité. La Reine, dont la bonté était extrême, ne put s'empêcher de paraître touchée et de s'attendrir. Comme elle lui disait quelques paroles obligeantes pour la consoler, elle l'interrompit pour lui dire d'un air plein de fierté qu'une Reine d'Espagne ne devait pas pleurer pour si peu de chose ; que la camarera qui allait entrer à sa place s'acquitterait mieux de son devoir ; et, sans parler davantage, elle prit la main de la Reine qu'elle fit semblant de baiser, et se retira. Alors chacun sut dans le palais qu'elle allait en sortir ; toutes les dames se rendirent à son appartement, fondant en larmes par politique, par inclination ou par faiblesse. Elle ne leur parut point du tout affligée et, jetant les yeux de tous côtés, elle dit : « Je rends grâce au ciel, voici un lieu où je n'entrerai de ma vie ; je vais goûter du repos et trouver de la tranquillité chez moi ; j'irai en Sicile, où je n'aurai jamais de si grands déplaisirs qu'à Madrid. » En disant ces mots, elle frappa deux fois du poing sur une petite table qui était proche d'elle, et, prenant un fort bel éventail de la Chine, elle le rompit par la moitié, le jeta par terre et mit le pied dessus.

Ainsi elle fut renvoyée peu de temps après le père confesseur, elle qui croyait ne jamais sortir du palais, tant par l'ascendant qu'elle avait sur l'esprit du Roi que parce que c'était une chose sans exemple : car jusqu'alors on n'avait point vu ôter de camarera mayor d'auprès de la Reine, à moins que ce ne fût elle-même qui en priât. Il est aisé de s'imaginer le chagrin qu'elle en ressentit. Pour la consoler en quelque manière, on avait résolu de donner la vice-royauté de Galice au duc d'Hijar son gendre, et l'ordre de la Toison au prince de Monteleon, mari de sa petite-fille ; on voulait aussi lui conserver les honneurs et les appointements de sa charge ; mais lorsqu'elle sut les bonnes intentions de la Cour, elle dit hautement qu'elle refuserait tout ce qu'on lui pourrait offrir, et que ce serait lui donner de l'encens et de l'encensoir par le nez.

Dès qu'elle fut sortie du palais, la duchesse d'Albuquerque y vint prendre possession de son appartement. Bien qu'elle passât pour avoir beaucoup de fierté et de hauteur, elle ne fit pas paraître qu'elle voulût prendre une conduite semblable à celle que la duchesse de Terranova avait tenue ; au contraire, elle faisait des honnêtetés et des caresses à tout le monde, et elle témoignait avoir pour la jeune Reine le dernier attachement. Cette dame était veuve du duc d'Albuquerque, chef de la maison de la Cueva : elle avait cinquante ans. Je lui ai toujours vu porter un petit bandeau de taffetas noir qui lui descendait aussi bas que les sourcils, et qui lui serrait si fort le front qu'elle en avait les yeux enflés. Elle avait de l'esprit et beaucoup de lecture. Certains jours de la semaine, elle tenait chez elle des assemblées où tous les savants étaient bien reçus. Elle n'avait qu'une fille unique qu'elle avait mariée au cadet du feu duc d'Albuquerque, pour conserver le nom de la maison. Elle s'était attachée avec passion au parti de la Reine mère, et l'on ne doutait point qu'elle n'en usât très bien avec la jeune Reine. On se confirma dans cette opinion, sur ce que le Roi, peu de temps après qu'elle fut entrée au palais, dit à la Reine qu'il souhaitait qu'elle se divertît plus qu'elle n'avait fait ; qu'il fallait qu'elle se promenât, qu'elle montât à cheval, et qu'il voulait bien qu'elle se couchât tard, pourvu qu'il pût, à son ordinaire, se coucher à huit heures ; il résolut même, quelques jours après, de ne se coucher qu'à dix. On conjectura, par cet agréable changement de conduite, que la duchesse d'Albuquerque avait engagé la Reine mère d'agir auprès du Roi, et que la sévérité que l'on avait eue jusqu'alors pour la Reine n'avait été inspirée au Roi que par la duchesse de Terranova.

Mémoires, pp. 275-278

Deux épisodes tiennent de plus près à l'intrigue de Ruy Blas. *Le premier raconte l'ascension fulgurante et la chute de Valenzuela, le favori de la reine mère, Marie-Anne d'Autriche, femme de Philippe IV. Bien que Valenzuela soit un personnage quelque peu suspect, mi-aventurier, mi-courtisan, et qu'il n'ait rien de l'héroïsme désintéressé de Ruy Blas, son destin évoque tout naturellement celui du valet travesti.*

Mais comme ce que j'ai écrit du cardinal Nitard m'a conduite insensiblement jusqu'au temps de don Fernand de Valenzuela, il me semble que je dois aussi parler de lui.

Il était de la ville de Ronda au royaume de Grenade ; on le croyait hidalgo, c'est-à-dire gentilhomme, et non pas cavallero ; car on fait cette différence en Espagne entre un cavalier et un gentilhomme que le premier descend d'une famille ancienne ou du moins est allié de quelque maison illustre, qu'il ne paye ni taille, ni tribut ; et que l'autre n'est exempt de rien, et peut avoir acquis sa qualité de gentilhomme.

Valenzuela vint fort jeune à Madrid, où le duc de l'Infantado le prit pour son page, allant ambassadeur à Rome ; il était bien fait de sa personne, d'une physionomie agréable ; il avait beaucoup d'esprit, il aimait l'étude ; il était naturellement poète, le caractère de ses vers était tendre et passionné, on en a vu plusieurs de sa façon, et entre autres des comédies qu'il fit représenter pour divertir la Reine mère, dans le temps où il commençait d'entrer dans l'honneur de ses bonnes grâces.

Le duc de l'Infantado, étant de retour d'Italie, fit recevoir don Fernand chevalier de Santiago : c'est ordinairement par là que les grands seigneurs commencent à récompenser ceux de leurs domestiques qu'ils considèrent le plus ; mais il n'eut que ce titre pour plusieurs années de services qu'il avait rendus à son maître, parce que ce duc mourut avant de lui avoir fait aucun autre bien.

Il se trouva donc tout à coup sans protecteur, et si pauvre qu'il fut obligé de devenir *passeante en corte,* ce qui veut dire vivant d'industrie. À la vérité, il avait des talents heureux qui le mettaient assez en état de réussir dans toutes les choses qu'il entreprenait ; de sorte qu'après avoir examiné la médiocrité de sa fortune, il jugea que le meilleur moyen de se pousser était de faire connaissance avec quelques personnes qui fussent particulièrement attachées aux intérêts de la Reine, et il en chercha les moyens avec tant d'application qu'il eut accès auprès du père Nitard. Il le choisit aussitôt pour son patron, et il ne pouvait mieux choisir, de manière qu'il s'attacha à lui avec une soumission et un dévouement extraordinaires. Le père ayant reconnu qu'il avait de l'esprit et de l'adresse, et qu'il était capable d'un secret, lui fit part des siens, et dans la suite il lui confia ceux de la Reine, et lui expliqua les chagrins qu'elle avait contre don Juan d'Autriche. Il sut profiter des lumières qu'on lui donnait et des dispositions favorables du père confesseur. Il commença à se rendre si nécessaire auprès de lui qu'il ne pouvait presque plus s'en passer. Cela l'obligea de lui donner entrée au palais, afin qu'il y vînt lui rendre compte des affaires dont il le chargeait.

Dès que Valenzuela fut introduit dans le palais, il n'y

perdit pas de temps, il en savait déjà la carte, et il n'ignorait pas qu'entre toutes les femmes qui servaient la Reine, il y avait une Allemande, nommée doña Eugenia, qui possédait la confiance de sa maîtresse. Il chercha les moyens de la voir ; il s'arrêta souvent sous les fenêtres de sa chambre ; et comme il était bien fait, elle ne tarda pas à le remarquer. Enfin ils se parlèrent ; il lui plut pour le moins autant qu'elle lui plaisait, et elle lui permit de la *galantear* ; c'est le terme usité lorsque l'on s'attache à servir une dame du palais ; et c'est une chose si commune, que bien qu'un homme soit marié, il ne laisse pas de rendre publiquement à sa maîtresse les mêmes soins que l'on rend à celle dont on veut faire sa femme.

Doña Eugenia ne reçut pas avec indifférence les témoignages que le jeune Valenzuela lui donnait de sa passion ; et il la pressa tant de consentir à l'épouser qu'elle en parla à la Reine. Elle l'avait déjà remarqué et il ne lui avait point déplu, de sorte qu'elle fut bien aise de se l'attacher en consentant au mariage de sa favorite ; elle accorda même à doña Eugenia pour son nouvel époux, une charge d'écuyer ordinaire à l'écurie. Dans ce temps-là les différends de la Reine et de don Juan augmentèrent ; et comme don Fernand avait eu l'adresse de s'y intriguer, il n'omettait rien pour rendre quelques services utiles à la Reine ; elle reconnaissait son zèle avec plaisir, et elle lui en savait tant de gré qu'elle augmentait chaque jour le témoignage de sa confiance.

[...]

Un jour la Reine dit à doña Eugenia de lui amener son mari secrètement le soir, pour qu'elle pût lui parler sans témoin. Doña Eugenia ne manquait ni d'esprit, ni d'ambition ; elle fut transportée de joie de penser que Valenzuela allait avoir des conversations particulières avec la Reine, et elle obéit très exactement aux ordres qu'elle avait reçus.

La première fois qu'il entra dans la chambre de la Reine, il s'était assez tard. Il s'était armé d'un broquel, qui est une espèce de bouclier que l'on porte ordinairement en Espagne lorsque l'on va en quelque lieu où il peut y avoir du péril ; ses cheveux, qui étaient fort beaux, étaient attachés d'un grand nœud de ruban ; il n'avait point de golille, car on la quitte dès qu'il est nuit. Il n'avait rien oublié de tout ce qui pouvait le rendre agréable à la Reine. Elle parut dans un déshabillé qui lui seyait mieux que l'habit de veuve qu'elle portait tous les jours, et qui ressemble beaucoup à celui d'une religieuse.

Valenzuela se jeta d'abord à ses pieds, et après lui avoir rendu de très humbles actions de grâces pour l'honneur qu'elle lui faisait dans ce moment, il l'assura que son sang, sa vie, en un mot, tout ce qui était en son pouvoir, lui était si parfaitement dévoué, qu'il osait croire qu'aucun de ses sujets n'était à elle de la manière qu'il y était. La Reine ajouta foi à ses paroles, et depuis cette nuit, il ne s'en passa guère qu'elle ne le fît venir sans bruit dans son appartement.

Sa femme l'y conduisait, et la Reine lui ordonna d'y demeurer toujours pour que la bienséance ne fût choquée en rien. C'était là qu'il lui rendait compte de tout ce qu'il apprenait, et qu'il l'informait des choses les plus secrètes qui se passaient à la cour et à la ville, des desseins de don Juan, de ceux des seigneurs qui étaient dans les intérêts de ce prince, et des mesures que l'on prenait contre elle ; de manière qu'elle savait tout, sans qu'il parût qu'il parlât à personne. On disait communément à la cour, qu'il y avait un *duende* dans le palais, c'est-à-dire un esprit follet, qui avertissait la Reine de toutes les nouvelles et de toutes les affaires les plus secrètes. Mais au bout de quelque temps on reconnut que Valenzuela était l'esprit follet, et depuis on le nomma : *el duende de la Reina*. L'affection qu'elle avait pour lui augmenta à tel point, que tout le monde en fut informé, et les courtisans s'attachèrent à plaire au nouveau favori.

On n'obtenait plus de grâces que par son canal ; le crédit des ministres était si diminué qu'on ne les comptait déjà plus pour rien, et ils commencèrent d'en murmurer entre eux. « Qu'est-ce que ceci ? disaient-ils ; à peine a-t-on chassé le père Nitard que voici un nouveau favori qui prend sa place, avec plus d'autorité que l'autre n'en avait. »

[...]

Le Roi commanda à don Antonio de Tolède, fils du duc d'Albe, d'y aller pour arrêter Valenzuela. Il partit aussitôt avec le duc de Medina Sidonia, le marquis de Valparaiso, don Fernand de Tolède, plusieurs autres seigneurs et deux cents chevaux. Le marquis se promenait tristement dans la forêt voisine ; mais ayant entendu le grand bruit que tout le monde faisait, et reçu en même temps avis de ce qui se passait par un courrier que quelques-uns de ses amis lui avaient envoyé à toute bride, il retourna promptement à l'Escurial et fut trouver le prieur du couvent des hiéronymites, qui était un fort honnête homme, et particulièrement touché des malheurs de ce favori. Il lui dit en peu de mots le danger où il était, et les raisons qu'il avait de craindre pour sa vie s'il était pris ; il le pria avec instance de le mettre en quelque endroit de sûreté.

Le prieur fit aussitôt pratiquer une cache dans la cellule d'un religieux dont il était assuré ; cette cellule était toute lambrissée ; on en leva un des panneaux, on ménagea dans l'épaisseur du mur une espèce de niche où l'on mit un matelas, et le pauvre marquis s'y renferma.

Comme on sait qu'il s'était retiré dans le couvent, il n'y eut pas d'endroit exempt de la recherche de don Antonio de Toledo et de ceux qui l'accompagnaient ; ils eurent même si peu de respect pour les lieux les plus saints, qu'ils renversèrent presque tout dans l'église. Mais leur perquisition devenait inutile, et don Antonio ne savait à quoi se résoudre. Il voyait qu'il avait déjà passé plusieurs jours sans trouver Valenzuela, et il commençait à croire qu'il avait eu sans doute les moyens de se sauver, lorsque le marquis, n'ayant presque pas d'air dans le trou où il était et se sentant accablé de ses déplaisirs, tomba si dangereusement malade qu'il n'y avait plus d'espérance pour lui. Se trouvant dans une si grande extrémité, il lui sembla qu'il n'avait plus rien à ménager, de sorte que le père prieur ayant tiré parole du chirurgien du couvent qu'il garderait un secret inviolable, il le mena au marquis pour le soigner ; mais un quart d'heure après, ce traître le décela à don Antonio, qui entra dans le couvent ; il fut dans la cellule où était Valenzuela, parce que chaque jour il recommençait à faire chercher partout. Don Antonio fit ôter tout d'un coup le panneau qui couvrait le marquis ; il l'aperçut dormant et paraissant fort abattu ; il avait des armes auprès de lui, et s'il eût été éveillé, il se serait assurément défendu en homme de cœur. Qu'avait-il à ménager dans un état si déplorable ?

On le conduisit au château de Consuegra, qui est du grand prieuré de Castille, de l'ordre de Malte. Don Juan l'avait voulu de cette manière, parce que ce château dépendait de lui. Valenzuela y fut dangereusement malade, et il disait sans cesse à ses gardes : « Mon Dieu, n'y a-t-il point quelque espérance que je meure bientôt ? Devrais-je vivre encore après tant de malheurs ? »

Dès qu'il fut un peu mieux, on le transféra au château de los Puntales de Cadix, où il demeura dans une étroite prison ; il témoigna toujours beaucoup de fermeté dans la suite de ses disgrâces.

Enfin on l'embarqua pour l'envoyer à Chilé, aux Philippines ; ce sont des îles à l'extrémité des Indes, proche de la Chine. Il faut un temps très considérable pour y aller, et l'on y mène ordinairement les criminels, que l'on fait travailler à tirer le vif-argent. Ils n'y sont pas deux ans sans mourir, ou tout au moins sans être attaqués d'un tremblement général dans tous leurs membres qui les fait plus souffrir que la mort même.

On dit à Valenzuela, avant son départ, qu'on l'avait dégradé de tous ses honneurs, et que le Roi lui avait ôté toutes ses charges, lui laissant simplement son nom. « Je vois donc bien, dit-il froidement, que je suis beaucoup plus malheureux que lorsque je vins à la cour, et que le duc de l'Infantado me prit pour son page. » Il ne put même savoir la destinée de la Reine, ni ce que sa femme et ses enfants étaient devenus. On avait enfermé celle-ci avec eux à Talavera de la Reina, dans un couvent, et l'on avait défendu à l'abbesse de l'en laisser sortir ni parler à personne.

Mémoires, pp. 47 *sq.*

Dernier emprunt, celui du billet doux et anonyme :

La jeune Reine alla le jour de l'Annonciation au monastère de l'Incarnation. L'ambassadrice de France l'y accompagna : mais, bien qu'elle souhaitât de la pouvoir entretenir, elle n'en sut trouver le moment, et la vigilante camarera ne laissa point la Reine dans cette liberté. Au retour, elle servit neuf pauvres femmes à dîner, et leur donna à chacune un habit, et cinq pistoles dans une bourse ; ses filles d'honneur portaient les plats. La Reine mère fit la même cérémonie de son côté. Mais ce qui surprit fort la Reine, ce fut de trouver le soir dans la poche de sa robe un billet cacheté ; il y avait dessus :

Pour la Reine seule.

Elle hésita d'abord si elle devait l'ouvrir ; elle voulut ensuite le porter au Roi : néanmoins l'incertitude de ce qu'il pouvait contenir, et de la manière dont il prendrait la chose, l'obligea de l'ouvrir. Il était d'une écriture qui paraissait fort déguisée, et contenait ces mots en espagnol :

« *L'élévation suprême de Votre Majesté, et l'éloignement qui est entre nous, n'ont pu arracher de mon cœur la passion que vos admirables qualités y ont fait naître. Je vous adore, ma Reine, je meurs en vous adorant ; et j'ose dire que je ne suis pas indigne de vous adorer. Je vous vois, je soupire auprès de vous ; vous n'entendez point mes soupirs, vous ne connaissez point mes secrètes langueurs, vous ne tournez pas même vos beaux yeux sur moi. Ah ! Madame, que l'on est malheureux d'être né sujet, quand on se sent les inclinations du plus grand Roi du monde !* »

La Reine demeura surprise et rêveuse ; elle ne comprenait point qui pouvait être le téméraire assez hardi pour lui écrire en ces termes, et elle ne pouvait douter que ce billet n'eût été glissé dans sa poche par une de ces pauvres femmes qu'elle avait servies. Mais il était bien extraordinaire qu'un homme, qui apparemment devait être de grande qualité, confiât sa vie (car il n'y allait pas de moins) entre les mains d'une malheureuse telle qu'était celle qui avait pu approcher ce jour-là de la Reine. Il était vrai qu'elle avait été chez les religieuses de l'Incarnation ; et bien que quelques-unes d'elles eussent pu prendre cette commission, il n'y avait guère d'apparence, à cause des conséquences et des suites qui auraient été mortelles, si l'on s'en était aperçu. Elle pensait quelquefois que c'était peut-être une pièce que la camarera mayor lui jouait, pour voir l'usage qu'elle ferait de ce billet ; qu'elle en avertirait le Roi, et qu'elle tournerait mal la chose du monde la plus innocente. Dans ces différentes réflexions, elle jugea que le plus sûr était de s'en ouvrir à la Reine mère, et de prendre son avis. Elle alla le lendemain dîner avec elle, et ensuite elle lui montra la lettre, et la supplia de la garder, afin que si le Roi en savait quelque chose, elle eût la bonté de rendre témoignage à la vérité. Comme la Reine mère vit qu'elle s'en inquiétait, elle lui dit qu'il ne fallait pas se faire de la peine mal à propos, et que, de quelque part que vînt cette lettre, si le Roi s'en fâchait, elle lui en parlerait d'une manière à lui persuader la vérité : de sorte que la Reine la quitta plus tranquille, à cause de cette assurance. Ce jour-là était celui auquel la Reine achevait sa dix-huitième année. Elle reçut des compliments de tous les seigneurs et de toutes les dames, qui lui firent aussi des présents, et particulièrement la Reine mère, qui lui envoya une parure de diamants et de turquoises ; il y eut le soir au palais un concert de musique française.

Mémoires, pp. 193 *sq.*

Mme d'Aulnoy a aussi écrit une Relation du voyage d'Espagne. *Ce texte, qui ne semble pas avoir servi de source directe à Hugo, contient néanmoins quelques évocations piquantes de la cour de Charles II.*

Pendant que je suis sur le chapitre du palais, je dois vous dire, ma chère cousine, que j'ai appris qu'il y a certaines règles établies chez le Roi, que l'on suit depuis plus d'un siècle, sans s'en éloigner en aucune manière. On les appelle les étiquettes du palais. Elles portent que les reines d'Espagne se coucheront à dix heures l'été et à neuf l'hiver. Au commencement que la Reine fut arrivée, elle ne faisait point de réflexion à l'heure marquée, et il lui semblait que celle de son coucher devait être réglée par l'envie qu'elle aurait de dormir ; mais aussi il arrivait souvent qu'elle soupait encore que, sans lui rien dire, ses femmes commençaient à la décoiffer, d'autres la déchaussaient par-dessous la table, et on la faisait coucher d'une vitesse qui la surprenait fort.

Les Rois d'Espagne couchent dans leur appartement et les Reines dans le leur. Mais celui-ci aime trop la Reine pour vouloir se séparer d'elle. Voici comment il est marqué dans l'étiquette que le Roi doit être lorsqu'il vient la nuit de sa chambre dans celle de la Reine : il a ses souliers mis en pantoufles (car on ne fait point ici de mules), son manteau noir sur ses épaules, au lieu d'une robe de chambre dont personne ne se sert à Madrid ; son broquel passé dans son bras (c'est une espèce de bouclier dont je vous ai déjà parlé dans quelqu'une de mes lettres), la bouteille passée dans l'autre avec un cordon. Cette bouteille au moins n'est pas pour boire, elle sert à un usage tout opposé que vous devinerez. Avec tout cela, le Roi a encore sa grande épée dans l'une de ses mains et la lanterne sourde dans l'autre. Il faut qu'il aille ainsi tout seul dans la chambre de la Reine.

Il y a une autre étiquette, c'est qu'après que le Roi a eu une maîtresse, s'il vient à la quitter, il faut qu'elle se fasse religieuse, comme je vous l'ai déjà écrit. L'on m'a conté que le feu roi étant amoureux d'une dame du palais fut un soir frapper doucement à la porte de sa chambre. Comme elle comprit que c'était lui, elle ne voulut pas lui ouvrir et elle se contenta de lui dire au travers de la porte : *Vaya, vaya, con Dios, non quiero per monja* ; c'est-à-dire : Allez, allez, Dieu vous conduise, je n'ai pas envie d'être religieuse.

Relation, pp. 525-526

LES *MÉMOIRES* DU MARQUIS DE VILLARS

Pour ses travaux, Mme d'Aulnoy a très abondamment puisé dans les Mémoires *du marquis de Villars, qui fut trois fois ambassadeur de France à Madrid entre 1671 et 1681. Les* Mémoires *du marquis s'ouvrent sur le tableau d'un royaume en pleine décadence.*

Le reste de l'Espagne, c'est-à-dire les deux Castilles qui en composent la plus grande partie, sont réduites à une misère qu'il est difficile de comprendre à moins que de l'avoir vue. Ce pays, autrefois si abondant et si habité, a commencé à se dépeupler par un grand nombre de Mores qu'on a chassés en divers temps. Les Indes ont continué à attirer des colonies d'Espagnols dont la plus grande partie y sont demeurés. La nécessité d'envoyer des soldats espagnols en Flandre et en Italie a beaucoup diminué encore le nombre des habitants depuis cent ans, et le dérèglement du gouvernement a achevé par l'excès des impositions qui ont mis le peu d'habitants qui restait hors d'état de cultiver la terre.

Depuis quarante ans, ces impositions, le nombre des officiers employés à les lever et des tribunaux pour en connaître sont augmentés à l'infini. Cependant de ces prodigieuses levées d'argent le roi d'Espagne n'en tire presque rien. Tous ses revenus s'étant trouvés engagés il y a plusieurs années, il prit la *media anata,* c'est-à-dire la moitié du revenu par an sur chaque engagiste. Depuis, il a encore repris vingt pour cent ; mais l'un et l'autre s'est trouvé anéanti par les mêmes raisons qui ont causé la première ruine, de sorte que le Roi se trouve aussi pauvre qu'auparavant et les engagistes ne tirent presque plus rien des droits qu'il leur avait cédés.

Le commerce n'est pas en meilleur état et, hors les laines de Castille qui se vendent aux étrangers, il n'y a, en Espagne, ni marchandise ni manufacture qui puisse y attirer de l'argent. Le Roi n'a point de vaisseaux pour assurer la mer, les sujets n'en ont point pour trafiquer, aussi les étrangers leur en apportent de toutes sortes et les épuisent de ce si peu d'argent que les Indes leur donnent, car le principal des Indes se fait pour les étrangers et, dans ce que chaque flotte ou galions apportent d'or et d'argent, des trois parts il y en a deux qui vont directement aux étrangers sans entrer en Espagne. La troisième part se partage entre le Roi et ses sujets, auxquels les étrangers en enlèvent encore peu à peu la meilleure partie par le commerce des marchandises qu'ils apportent et par le transport actuel des espèces hors du royaume dont le profit est très considérable.

On peut encore ajouter que tous les ans, il y a plus de soixante et dix mille Français qui tirent de l'argent d'Espagne. C'est une quantité de misérables répandus dans toutes les provinces pour cultiver la terre, couper les blés, porter de l'eau, faire la brique et la tuile, la chaux, le charbon et tout ce que les Espagnols, par paresse ou faute de monde, ne peuvent ou ne veulent point faire. Tous ces gens emportent ou envoient chaque année en France l'argent qu'ils ont gagné.

Les Gênois qui occupent presque toutes les banques et beaucoup de recettes, et grand nombre de Juifs, qui sont dans les fermes du Roi ont encore mille moyens d'épuiser l'Espagne, et il semble qu'elle soit en proie à l'industrie de toute l'Europe.

On peut juger de l'état du reste de l'Espagne par celui où Séville se trouve réduite. Cette ville, puissante par sa grandeur, par le nombre de ses habitants, par des richesses amassées depuis tant de siècles, par l'abondance de son terroir, par sa rivière et le voisinage de la mer qui lui donnait de grands avantages pour le commerce de tout le monde et surtout pour celui des Indes, est, depuis l'année 1630, réduite au quart de ses habitants et n'a pas de son terroir la vingtième partie de cultivée de ce qu'il y avait alors ; de sorte qu'encore que, depuis ce temps, les droits et les impositions soient augmentés au triple, la diminution du peuple et les non-valeurs font qu'on n'en retire pas le tiers qu'on en tirait auparavant. C'est ce qu'un député du commerce de cette ville vint représenter avec beaucoup d'autres circonstances en l'année 1680. Il est à croire que si cette ville, une des plus riches du monde il y a cinquante ans et qui peut avoir tant de ressources, se trouve si accablée, le reste de l'Espagne ne l'est pas moins.

Les revenus du Roi dans l'Espagne même, compris l'argent qui vient des Indes, montent à vingt-sept millions sept cent mille ducats qui font, monnaie de France, près de soixante et dix millions de livres, dont la plus grande partie est tellement engagée qu'il n'en reste pas le tiers au Roi ; sur quoi il doit payer toutes les dépenses de sa maison, de ses armées, les *ayudes de coste*[3] qui sont immenses et les pensions, qui une fois créées ne reviennent presque jamais au Roi. D'ailleurs, il faut de temps en temps envoyer des sommes considérables en Flandre, quelquefois même à Milan et à Naples où tous les domaines sont engagés : le surplus ne suffit pas aux dépenses nécessaires et à l'avidité des vice-rois et des gouverneurs.

Il faut joindre à ces maux la malversation généralement introduite dans les finances dont la plus grande partie est consumée par plus de quatre-vingt mille hommes employés à la levée et à l'administration des impositions.

Ce désordre qui augmente toujours depuis soixante ans a mis l'Espagne dans un tel accablement que, depuis deux ans, quoique la flotte et les galions soient arrivés plus riches que jamais, il a été impossible de faire un fonds de cinq cent mille écus pour remettre en Flandre. Il ne se trouve point dans toute l'Espagne de gens d'affaires qui fassent la moindre avance d'argent. Si quelques-uns en ont le pouvoir, ils sont retenus par l'exemple de plusieurs autres ruinés par l'infidélité de la Cour, après des avances qu'ils avaient faites sur de bons traités. Ainsi le Roi demeure sans crédit, sans apparence de pouvoir faire des fonds capables de le rétablir, et le gouvernement est disposé d'une manière à ne pouvoir ni ne vouloir y apporter aucun remède.

Le Roi, par son génie et par son éducation, est un prince sans connaissance, sans aucun sentiment et sans disposition à rien.

Mémoires, pp. 5-8

Les *Mémoires* de Saint-Simon

Hugo a pu trouver également dans les Mémoires *de Saint-Simon un grand nombre de renseignements sur la cour d'Espagne, ses charges et ses mœurs politiques. Comme en témoigne cette présentation du Conseil de Castille, qui fait songer au Despacho Universal de l'acte III.*

Conseil de Castille ; son président ou gouverneur

Le conseil de Castille se tient à Madrid. Il est composé d'une vingtaine au plus de conseillers et d'un assez grand nombre de subalternes. Il n'y a qu'un seul président, qui y doit être fort assidu, et qui, pour le courant, lorsqu'il manque par maladie ou par quelque autre événement, est suppléé par le doyen, mais uniquement pour l'intérieur du conseil. Je n'en puis donner une idée plus approchante de ce qu'il est suivant les nôtres, que d'un tribunal qui rassemble en lui seul le ressort, la connaissance et la juridiction qui sont ici partagées

---

3. C'est-à-dire des gratifications.

entre tous les parlements et les chambres des comptes du
Royaume, ces derniers pour les mouvances, le grand conseil
et le conseil privé, c'est-à-dire celui où le chancelier de
France préside aux conseillers d'État et aux maîtres des
requêtes. C'est là où toutes les affaires domaniales et particulières sont portées en dernier ressort, où les érections et les
grandesses sont enregistrées, et où les édits et les déclarations
sont publiées, les traités de paix, les dons, les grâces, en un
mot où passe tout ce qui est public, et on juge tout ce qui est
litigieux. Tout s'y rapporte, rien ne s'y plaide. Avec tout ce
pouvoir, ce conseil ne rend que des sentences. Il vient une
fois la semaine dans une pièce tout au bout en entrant dans
l'appartement du roi à jour et heure fixée, le matin. Il est en
corps, et il est reçu et conduit au bas de l'escalier du palais
par le majordome de semaine. Dans cette pièce, le fauteuil
du roi est sous un dais, sur une estrade et un tapis ; vis-à-vis
et aux deux côtés, trois bancs de bois nu où se place le conseil.
Le président a la première place à droite, le plus près du roi,
et à côté du président celui qui, ce jour-là, est chargé de
rapporter les sentences de la semaine, quoique rendues au
conseil au rapport de différents conseillers. Ce rapporteur est
nommé pour chaque affaire par le président, comme ici dans
nos tribunaux, qui nomme aussi tantôt l'un, tantôt l'autre,
pour rapporter les sentences de la semaine au roi. Le conseil
placé, le roi arrive ; sa cour et son capitaine des gardes même
s'arrêtent à la porte en dehors de cette pièce. Dès que le roi
y entre, tout le conseil se met à genoux, chacun devant sa
place. Le roi s'assoit dans son fauteuil et se couvre, et tout
de suite ordonne au conseil de se lever, de s'asseoir et de se
couvrir. Alors la porte se ferme, et le roi demeure seul avec
ce conseil, dont le président n'est distingué en rien pour cette
cérémonie. Les sentences de la semaine sont là rapportées :
le nom des parties, leurs prétentions, leurs raisons, respecti-
ves et principales, et les motifs du jugement ; tout cela le
plus courtement qu'il se peut, mais sans rien oublier d'impor-
tant. Tout se rapporte de suite : après quoi le président et le
rapporteur présentent au roi chaque sentence l'une après
l'autre, qui la signe avec un paraphe, pour avoir plus tôt fait,
et de ce moment ces sentences deviennent des arrêts. Si le
roi trouve quelque chose à dire à quelque sentence, et que
l'explication qu'on lui en donne ne le satisfasse pas, il la
laisse à un nouvel examen, ou il la garde par-devers lui. Tout
étant fini, et cela dure une heure et souvent davantage, le roi
se lève, le conseil se met à genoux jusqu'à ce qu'il ait passé
la porte, et s'en va comme il est venu, excepté le président
seul, qui, au lieu de se mettre à genoux, suit le roi, qui trouve
sa cour dans une pièce voisine, y en ayant une vide entre
deux, et avec ce cortège passe une partie de son appartement.
Dans une des pièces, vers la moitié, il trouve un fauteuil, une

table à côté, et vis-à-vis du fauteuil un tabouret. Là le roi s'arrête, sa cour continue de passer, puis les portes d'entrée et de sortie se ferment, et le roi, dans son fauteuil, reste seul avec le président assis sur ce tabouret. Là il revoit les sentences qu'il a retenues, et les signe si bon lui semble, ou il les garde pour les faire examiner par qui il lui plaît, et le président lui rend un compte sommaire du grand détail public et particulier dont il est chargé. Cela dure moins d'une heure. Le roi ouvre lui-même la porte pour retrouver sa cour, qui l'attend, et s'en aller chez lui, et le président retourne, par l'autre par où il est entré, trouve un majordome qui l'accompagne à son carrosse, et s'en va chez lui. Ces sentences retenues, ceux à qui le roi les renvoie lui en rendent compte avec leur avis. Il les envoie au président de Castille, et finalement l'arrêt se rend comme le roi le veut. On voit par là qu'il est parfaitement absolu en toute affaire publique et particulière, et que les rois d'Espagne ont retenu l'effet, comme nos rois le droit, d'être les seuls juges de leurs sujets et de leur royaume. Ce n'est pas qu'il n'arrive bien aussi que le conseil de Castille, ou en corps, ou le président seul, ne fasse des remontrances au roi sur des affaires ou publiques ou particulières, auxquelles il se rend mais, s'il persiste, tout passe à l'instant sans jussions ; ni toutes les difficultés qu'on voit souvent en France.

Mémoires, pp. 836-838

LE VALET TRAVESTI
OU LES SOURCES LITTÉRAIRES
DE *RUY BLAS*

Le déguisement du valet en maître, ou de la soubrette en maîtresse, est un ressort dramatique bien connu, utilisé par Molière, Marivaux, Beaumarchais. La pièce de Hugo s'inscrit donc dans une très ancienne tradition littéraire. Mais la manière dont chacun traite le sujet est révélatrice de sa vision de l'ordre social, et au-delà, de la santé de la société. Tant que la hiérarchie est globalement reconnue et admise, le déguisement reste un leurre riche en ressources comiques : le valet est facilement reconnaissable sous les vêtements du maître, son masque tient mal. Il faut tout l'aveuglement de Cathos et de Madelon pour ne pas voir le laquais en Mascarille. Dans l'univers de Marivaux, le jeu de cache-cache est à peine plus ambigu : Silvia et Dorante se reconnaissent au premier coup d'œil sous la livrée et le tablier. En revanche, chez Beaumarchais, à la veille de la Révolution, règne une confusion presque complète. Dans la pénombre, Suzanne fait une assez jolie comtesse. Finis les jeux de masques rassurants, car confortant un ordre légitime. Hugo va plus loin. Dans *Ruy Blas,* le travestissement du valet n'est même plus comique, mais franchement subversif, puisqu'il souligne le caractère injuste et totalement arbitraire des inégalités sociales. Déplacement amusant : c'est le rôle de don César, le grand seigneur déguisé en gueux, qui récupère la charge comique du thème.

Les Précieuses ridicules de Molière peuvent donc apparaître comme le premier avant-texte de *Ruy Blas.* Les propos que La Grange tient sur son valet pourraient bien sortir de la bouche d'un don Salluste moqueur et méprisant :

« J'ai un certain valet, nommé Mascarille, qui passe, au sentiment de beaucoup de gens, pour une manière de bel esprit ; car il n'y a rien à meilleur marché que le bel esprit maintenant. C'est un extravagant, qui s'est mis dans la tête de vouloir faire l'homme de condition. Il se pique ordinairement de galanterie et de vers, et dédaigne les autres valets, jusqu'à les appeler brutaux » (Acte I, scène 1).

Certes Ruy Blas n'a pas la sotte prétention de Mascarille. Le XIXe siècle pare l'arrière-neveu des qualités que la société d'Ancien Régime refusait à son ancêtre. Mais ils sont bien tous deux de la même famille, celle des inférieurs qui tentent de s'élever subrepticement au-dessus de leur condition. Selon Auguste Vacquerie, proche de Hugo : « *Ruy Blas,* c'est *Les Précieuses ridicules* après la Révolution. »

Autre source littéraire éventuelle, l'histoire de Mme de La Pommeraye dans *Jacques le Fataliste*. Délaissée par son ami, le marquis des Arcis, Mme de La Pommeraye l'amène à épouser une jeune femme au passé chargé, la d'Aisnon. Elle obéit au même mobile que don Salluste, la vengeance, et son stratagème est identique. Comme Ruy Blas, la d'Aisnon est une déclassée ; elle a reçu une excellente éducation, tient son rôle à la perfection, et quoique faible, finit par montrer une certaine noblesse (Voir *Jacques le Fataliste,* Pocket Classiques n° 6013, p. 149-211).

Un autre texte, suivant le même schéma narratif, peut apparaître comme une source possible de *Ruy Blas* : le roman de Léon de Wailly, *Angelica Kauffmann* (1836), raconte l'aventure d'une jeune femme dont était épris le célèbre peintre anglais Reynolds. Parce qu'elle l'avait repoussé, il lui fit épouser le soi-disant comte de Hom, un ancien laquais. Démasqué, le mari d'Angelica provoque en duel Shelton, l'instigateur de la machination. Il finit par mourir sans savoir que sa femme lui a pardonné [1].

Mais *Ruy Blas* raconte aussi le drame d'un homme humilié par sa condition. De l'aveu même de Hugo (si l'on en croit le critique Auguste Vitu, et son article paru dans *Le Figaro* le 5 avril 1879), l'idée première de la pièce lui serait venue en lisant le livre III des *Confessions*. Le jeune Rousseau sert alors chez Mlle de Breil dont il souffre de ne pouvoir attirer l'attention :

« La tête ne me tournait pourtant pas au point d'être amoureux tout de bon. Je ne m'oubliais point ; je me tenais à ma place, et mes désirs même ne s'émancipaient pas. J'aimais à voir Mlle de Breil, à lui entendre dire quelques mots qui marquaient de l'esprit, du sens, de l'honnêteté : mon ambition, bornée au plaisir de la servir n'allait pas au-delà de mes droits [...]. Que n'aurais-je point fait pour qu'elle daignât m'ordonner quelque

---

1. A. Ubersfeld pense néanmoins que ce n'est pas là une source possible. Voir *Le Roi et le Bouffon*, p. 316.

chose, me regarder, me dire un seul mot ! Mais point : j'avais
la mortification d'être nul pour elle ; elle ne s'apercevait pas
même que j'étais là. »

Une occasion est enfin donnée au jeune Rousseau de montrer
son savoir, ce qui lui permet de goûter – très chastement – « un
de ces moments trop rares qui replacent les choses dans leur
ordre naturel, et vengent le mérite avili des outrages de la fortune ». Ainsi finit le texte[2].

2. G. Planche, toujours hostile, refuse cette filiation au personnage de Ruy Blas, qu'il juge « sans courage, sans dignité, entièrement dépourvu d'intérêt dramatique » : « Je sais que M. Hugo peut
invoquer, à l'appui de cette étrange création, l'exemple de Rousseau
qui a porté la livrée avant d'écrire Émile et La Nouvelle Héloïse ;
mais il me semble que la domesticité de Rousseau ne justifie pas le
personnage de Ruy Blas, car Rousseau, dans ses Confessions, se
montre à nous presqu'aussi fier que blessé de la livrée qu'il porte
[...]. L'avilissement n'est chez lui qu'une nouvelle forme de
l'orgueil. Il rêve, il est fier de sa rêverie, il comprend les intérêts
publics, il se sent appelé au gouvernement de la société, et il s'indigne d'être méconnu sans se résigner aux épreuves lentes, mais sûres,
qui doivent le mettre en évidence et forcer la société à l'estimer, à
l'employer selon son mérite. Pour se venger, il se fait laquais. [...]
Mais la livrée endossée par Ruy Blas n'a rien de commun avec la
livrée de Rousseau. Ruy Blas nous dit lui-même qu'il est devenu
laquais par oisiveté. » (Nouveaux Portraits littéraires, « Victor
Hugo », V.)

RUY BLAS JUGÉ PAR LA CRITIQUE

En 1838

Gustave Planche dans La Revue des Deux-Mondes

« Encore des antithèses ! Dans *Hernani* c'était le roi opposé au bandit, dans *Marion de Lorme* c'est la courtisane réhabilitée ; la hache du bourreau est dans l'alcôve de *Marie Tudor*, l'amour maternel dans le cœur de *Lucrèce Borgia* balance entre l'inceste et l'adultère, et maintenant voici une reine amoureuse d'un laquais ! Désolation de la désolation ! La peinture de la cour d'Espagne est une caricature puérile, la séance du Conseil une bouffonnerie digne tout au plus des tréteaux du boulevard, et, au quatrième acte, l'arrivée de don César par la cheminée, le pillage de la garde-robe et du buffet, le dialogue de don César et de la duègne, font songer à Bobèche et à Galimafré. Tout cela est d'un cynisme révoltant. M. Hugo s'est enfermé dans un dilemme impitoyable : ou *Ruy Blas* est une gageure contre le bon sens, ou c'est un acte de folie. »

Gustave Planche : Nouveaux Portraits littéraires, *« Victor Hugo »*, V

« Dans *Ruy Blas,* nous ne retrouvons ni le mérite lyrique d'*Hernani*, de *Marion de Lorme* et du *Roi s'amuse*, ni le mérite mélodramatique de *Lucrèce Borgia*, de *Marie Tudor* et d'*Angelo*. Toute la pièce n'est qu'un puéril entassement de scènes impossibles. Il semble que l'auteur se soit proposé de prendre la mesure de la patience publique. Il est vrai qu'il n'a pas abordé cette épreuve avec une entière franchise, car l'auditoire de la première représentation n'était pas composé au hasard. Pour être admis à l'inauguration du Théâtre de la Renaissance, il a fallu produire des certificats de moralité, d'orthodoxie ou de tolérance littéraire. C'est, à mon avis, un calcul très maladroit. Puisque M. Hugo, en écrivant *Ruy Blas,* était résolu à montrer que la rime peut se passer de bon sens, il devait ouvrir à la foule la porte du théâtre et ne pas escamoter furtivement des applaudissements que la foule ne confirmera pas. L'auditoire de la première représentation a fait preuve, nous l'avouons, d'une rare longanimité. Il a écouté sans murmurer une pièce qui ne relève ni de la réalité historique, ni de la réalité humaine, ni de la poésie lyrique, ni du mélodrame, dont les acteurs se traitent mutuellement comme autant de pantins incapables de sentir et de penser. Mais cette longanimité, nous l'espérons, ne sera pas imitée par la foule ; car, si *Ruy Blas* était applaudi, il faudrait proclamer la ruine de la poésie dramatique. »

Sainte-Beuve, Carnets intimes

« *Ruy Blas* vide de fond en comble la question de Hugo, si tant est qu'elle restât encore quelque peu indécise. C'est un certificat d'incurable magnifiquement armorié, historié, avec de grosses majuscules rouges galonnées d'or, comme les laquais de sa pièce.

Après *Ruy Blas,* Hugo est jugé : il peut encore y avoir pour lui des succès relatifs, il ne peut plus y en avoir de sa part pour l'art même. »

Balzac, Lettres à l'Étrangère

« Victor Hugo, Lamartine et Musset sont, à eux trois, la monnaie d'un poète, car aucun d'eux n'est complet. À propos, *Ruy Blas* est une énorme bêtise, une infamie en vers. Jamais l'odieux et l'absurde n'ont dansé de sarabande plus dévergondée. Il a retranché ces deux horribles vers : "... Affreuse compagnonne / Dont la barbe fleurit et dont le nez trognonne." Mais ils ont été dits pendant deux représentations. Je n'y suis pas encore allé : je n'irai probablement pas. À la quatrième représentation où le public est arrivé, on a sifflé d'importance. »

À LA REPRISE DE 1872

Théophile Gautier, La Gazette de Paris *(le 28 février)*

« Faisons plutôt remarquer que jamais le vers dramatique ne fut manié avec une puissance si absolue, avec une aisance si souveraine. Le poète lui fait tout exprimer, depuis les effusions les plus lyriques de l'amour jusqu'aux plus minutieux détails d'étiquette, de blason et de généalogie ; depuis la plus haute éloquence jusqu'à la plaisanterie la plus hasardeuse, passant du sublime au grotesque sans le moindre effort, mêlant tous les tons dans le plus magnifique langage que le théâtre ait jamais parlé ; la franchise de Molière, la grandesse de Corneille, l'imagination de Shakespeare, fondues au creuset d'Hugo, forment ici un airain de Corinthe supérieur à tous les métaux. »

Émile Zola, Le Voltaire

« De tous les drames de Victor Hugo, *Ruy Blas* est le plus scénique, le plus humain, le plus vivant. En outre, il contient une partie comique, ou plutôt une partie fantaisiste superbe. C'est pourquoi *Ruy Blas*, même avant *Hernani*, restera au répertoire de la Comédie-Française à côté du *Cid* et d'*Andromaque* [...].

C'est que les vers de *Ruy Blas* seront l'éternelle gloire de notre poésie. Ici la discussion s'arrête, il faut s'incliner devant le génie.

Quelle brusque et prodigieuse fanfare dans la langue que ces vers de Victor Hugo ! Ils ont éclaté comme un chant de clairon au milieu des mélopées sourdes et balbutiantes de la vieille école classique. C'était un souffle nouveau, une bouffée de grand air, un resplendissement de soleil. Et ils restent aujourd'hui, ils resteront toujours, des bijoux ciselés avec un art exquis. Au détour d'un hémistiche, au coin d'une césure, il y a de soudaines échappées : c'est un paysage qui se déroule ; c'est une fière attitude qui s'indique, c'est un amour qui passe ; c'est une pensée immortelle qui s'envole. Oui, musique, couleur, parfum, tout est là. Les vers de Victor Hugo sentent bon, ont des voix de cristal, resplendissent dans de l'or et de la pourpre. Jamais la langue humaine n'a eu cette rhétorique vivante et passionnée.

Je ne connais pas de vers plus fins et plus colorés, travaillés avec plus de soin et de largeur que les tirades de don César au premier acte et au quatrième. La reine et Ruy Blas sont deux lyres qui se répondent. On est ravi à la terre, on applaudit avec transport. »

Paul de Saint-Victor, La Presse

« *Ruy Blas* est dans la mémoire et l'esprit de tous ; il enchante depuis quarante ans les imaginations et les âmes. On le sait par cœur, c'est le mot. C'est un chef-d'œuvre en tous sens, et même de facture. Son intrigue, si complexe et si audacieuse, est tissue, tramée, nouée maille à maille, avec une dextérité si rapide qu'elle emporte toutes les objections [...]. Dès la première scène, ce drame redoutable vous tient et ne vous lâche plus. Des ravissements de l'amour vous passez aux effrois de la haine et de la vengeance ; les rayons se mêlent aux éclairs, les sanglots du désespoir sont entrecoupés par le chant de la fantaisie. Ruy Blas émeut, don Salluste consterne, César étincelle, la reine séduit et enchante ; au fond, les ruines d'un empire qui tombe et s'écroule.

Que dire du style, la plus belle langue dramatique qu'on ait jamais parlée au théâtre ? Rien n'égale la vigueur, la soudaineté, la souplesse, le luxe exquis, la solennité pénétrante de ce vers, qui détache l'image, qui grave la pensée, qui monte d'un coup d'aile au plus haut de la passion et de la grandeur, pour planer dans la rêverie ou redescendre au caprice grotesque ou au détail familier. Et pas une faiblesse dans les spirales de son vol, pas une fatigue dans cet essor perpétuel. C'est tantôt le tranchant solide d'une épée, tantôt la floraison d'une luxuriante arabesque. C'est l'éclat de l'arme et la splendeur du joyau, la flamme qui brûle et la fusée qui éblouit. Chaque passion jette son cri, chaque fantaisie sa roulade, chaque souffrance son gémissement, dans cette symphonie magnifique qui remplit l'âme et ravit l'esprit. On sort de là comme d'un concert où toutes les fibres de l'être auraient été tourmentées et caressées tour à tour. »

Auguste Vitu, Le Figaro

« Pris dans son ensemble, *Ruy Blas* vit surtout par le style. Envisagé sous cet aspect, *Ruy Blas* est une œuvre sans pareille, écrite dans une langue étincelante, souple, familière et grande, qui parcourt avec une agilité merveilleuse toute la gamme des sentiments humains. Quelle surprenante fantaisie que ce rôle de don César, qui tient à lui seul le quatrième acte – un hors-d'œuvre, mais un chef-d'œuvre ! – Les cuirs de Cordoue n'ont pas plus d'arabesques, les poignards florentins plus de ciselures, ni les dessins de Callot plus de caprice. Ce vers Protée veut tout, sait tout et dit tout.

La jeunesse vigoureuse, la sève, la flamme intense circulent dans les rameaux touffus de cet arbre magique, où toute pensée s'épanouit en fleurs éclatantes, lumineuses et diaprées. Si jamais la poésie française était perdue, on la retrouverait entière dans *Ruy Blas*. »

À la reprise de 1879

Francisque Sarcey, Feuilletons dramatiques

« On se ferait bien moquer de soi à cette heure, si l'on allait renouveler contre *Ruy Blas* les critiques qui l'accueillirent à sa naissance. Ce n'est pas que ces critiques au fond n'aient été justes en leur temps... Il a suffi d'un demi-siècle pour balayer toutes ces poussières, et *Ruy Blas* est entré glorieusement dans cette région sereine où planent les véritables chefs-d'œuvre. Personne ne s'inquiète plus de marquer les invraisemblances ni les absurdités de ce conte de fées étrange sur lequel Victor Hugo s'est plu à jeter la pourpre de sa poésie. Personne ne songe plus à critiquer cet intermède bouffon, placé au IVe acte, juste au moment où d'ordinaire l'action devient dans le drame plus serrée et plus palpitante. Personne ne demande plus à Ruy Blas pour-quoi il est sot au IIIe acte en présence de don Salluste, pourquoi don Salluste est si imprudent et naïf au Ve avec Ruy Blas, com-ment la reine d'Espagne qui est si étroitement asservie aux règles d'une jalouse étiquette au IIe acte, peut si aisément courir les champs au Ve, et tant d'autres questions auxquelles il n'y aurait nulle réponse. On a passé condamnation sur tout cela ; on n'y fait plus attention. On prend même en pitié les retardataires qui s'amusent à ces objections inutiles.

On est tout entier et sans partage aux beautés qui ont fait, avec l'aide du temps, de l'œuvre du poète un éternel chef-d'œuvre. »

RUY BLAS
DE LA SCÈNE À L'ÉCRAN

La première de Ruy Blas *à la Comédie-Française*

Le drame était magnifiquement habillé. La presse évoque à l'envi les robes de Sarah Bernhardt – « la poésie dans le costume » – au deuxième acte « une robe de satin blanc à broderies d'argent, avec une traîne en poult broché », et sur la tête une petite couronne de perles ; au cinquième acte, « une simple robe de sicilienne blanche garnie de petites perles, pur chef-d'œuvre d'art, de goût et de simplicité, sur laquelle est jetée une pelisse en velours violet, garnie de dentelles ». Tous les costumes, d'ailleurs, enchantent critiques et spectateurs ; on admire la jolie Barretta (Casilda) dans sa robe de satin rose broché à collerette montante, les quatre duègnes avec leurs coiffures à pompons, don Guritan, avec son grand pourpoint jaune zébré de noir, les deux nègres muets en jaune et vert, Coquelin aîné, drapé dans sa « gueuserie », paraît au premier acte dans le pittoresque assemblage d'un superbe pourpoint tout neuf en soie, garni de ferrets roses, d'un manteau râpé, d'un haut-de-chausses déchiré et d'un chapeau déformé. Quant au costume du cinquième acte, il défie toute description : « Les taches, les trous, les déchirures, les pièces ont été étudiés et raisonnés comme les ornements les plus riches et les plus coquets d'un habit de cour... » Mounet-Sully est très beau, surtout dans son costume du troisième acte : velours noir, garni d'or. Febvre « est un Vélasquez ambulant, avec son costume en velours aussi sombre que ses pensées et le large manteau de velours vert frappé qu'il retire pour le jeter sur les épaules de Ruy Blas ».

Parmi tous les interprètes, Sarah Bernhardt est vraiment « la reine ». Elle domina la représentation. On la jugea plus noble, plus pénétrante, plus délicate encore qu'à l'Odéon, en 1872. La voix charmante, rêveuse et tendre, la diction incantatoire de la jeune comédienne subjuguèrent le public. « On ne saurait rêver incarnation plus exquise d'une figure poétique », écrivit Claretie, et toute la presse fit écho à ce jugement. Le triomphe de la première de *Ruy Blas* dut beaucoup à la maîtrise de Sarah Bernhardt, car ses camarades Febvre, Mounet-Sully, Coquelin, victimes du trac, avaient joué le premier acte avec une vélocité fiévreuse qui avait déconcerté la salle. Dès l'entrée de Sarah à l'acte II, sa diction mesurée avait détendu les nerfs, et des comédiens, et des spectateurs.

Sylvie CHEVALLEY,
Revue de la Comédie-Française, n° 76
fév.-mars 1979, pp. 38-40.

Quatorze reines pour un valet ou Ruy Blas *de vingt à soixante-dix ans*

Le 17 septembre 1885, débutait à la Comédie-Française, dans le rôle de Ruy Blas, un beau jeune homme tout juste âgé de vingt ans. Fils d'un père célèbre à l'Odéon, auréolé de la jeune gloire que lui conféraient un premier prix de tragédie et l'éclatante création à l'Odéon de *Severo Torelli* de François Coppée, Albert-Lambert fils endossait, avec un trac et une fierté légitimes, le costume de Mounet-Sully, son illustre prédécesseur et titulaire du rôle, premier Ruy Blas de la Comédie-Française (en avril 1879 avec, dans le rôle de la reine d'Espagne, Sarah Bernhardt). Les critiques, comme de bien entendu, attendaient le débutant au tournant : « rôle écrasant », « effroyable rôle ! », « rôle lourd à porter pour des épaule de vingt ans » (Frédérick Lemaître, créateur du rôle, en avait trente-huit...). Certains font des réserves quant au souffle et au naturel du jeune tragédien, mais ils sont bien forcés de reconnaître unanimement qu'il a passé l'épreuve d'une manière plus qu'honorable. « Étonnant Chérubin-Ruy Blas ! » s'exclame l'un ; « Dignus est intrare » admet un autre. Georges Bertal, admirateur sans réserve, avoue avoir enfin « vu Ruy Blas en chair et en os, l'affamé d'amour, le conquérant de gloire que le rêve attire, que la passion dévore et que la fatalité tue ».

Quant au public, il ne s'y trompe pas. Même s'il sent les faiblesses du jeune Albert-Lambert, notamment lors de la tirade célèbre « Bon appétit, messieurs ! », il lui réserve un accueil enthousiaste et salue le début d'une grande carrière. Les ravages sont grands dans les cœurs féminins, ce qui permet à Coquelin cadet, parmi les facéties qu'il a publiées sous le titre de *Pirouettes*, de faire cet à-peu-près : « En sortant de *Ruy Blas*, toutes les dames ont la tête à Lambert ! »

La reine de ce séduisant *Ruy Blas* est Julia Bartet, sociétaire en pleine gloire, « poétique reine d'Espagne ». Elle a repris le rôle après le tapageux départ de Sarah Bernhardt en 1880. Lorsqu'elle le quittera, en 1918 (belle longévité, elle aussi...), elle l'aura joué 131 fois à la Comédie-Française, dont 39 avec Albert-Lambert. Émile Mas disait d'elle : « Vous savez avec quelle suavité, avec quelle douceur enchanteresse la grande comédienne soupire les vers de Hugo. »

De 1885 à 1909, *Ruy Blas* est joué tour à tour par Albert-Lambert (261 fois en cinquante ans) et par Mounet-Sully (259 fois en trente ans). Pendant cinquante années, Albert-Lambert va s'identifier au « laquais amoureux de la reine » : c'est en Ruy Blas qu'il sera statufié par Félix Benneteau (buste en plâtre) et peint par Albert Bauré.

Après la mort de Mounet-Sully, il est « chef d'emploi ». Fenoux s'est essayé dans Ruy Blas quelquefois entre 1905 et 1910, mais il est bien plus à l'aise dans le personnage de don Salluste. René Alexandre le tente à son tour (12 fois entre 1911 et 1923), mais il y manque de souffle. Émile Mas constate en 1919 : « Il faudra, de toute nécessité, trouver un jour ou l'autre, un *double* à Albert-Lambert. » Oui, sans doute, mais le même Émile Mas, en 1923, conseille à Alexandre de renoncer à jouer Ruy Blas et reproche à Jean Hervé, qui prend le rôle en 1919, trop de rudesse. Romuald Joubé y fait des débuts non suivis d'effet (en 1921, 6 fois). C'est finalement Hervé qui partagera le rôle avec son aîné (62 fois entre 1919 et 1936). Cependant, lorsque, le 2 juin 1927, l'administration Fabre présente *Ruy Blas* dans de nouveaux décors et costumes du décorateur russe Alexandre Benois, c'est encore Albert Lambert, déjà âgé de soixante-deux ans, qui donne la réplique à Colonna Romano – Maria de Neubourg. Il est devenu propriétaire du rôle à tel point qu'Émile Mas, toujours sévère, lui reproche son absence à la représentation gratuite du 14 juillet 1927, considérant que la politesse des grands est de jouer pour un public non payant, et encore lors des débuts de Chambois dans don Salluste en 1931. Il est vrai aussi que, pour ses 40 ans de Comédie-Française, « divers journaux ont demandé que le 17 septembre 1925, M. Albert-Lambert rejoue ce rôle qu'il n'a d'ailleurs jamais abandonné et dans lequel il se faisait acclamer encore le mois dernier » (*Carnet de la semaine,* septembre 1925). « Dans ce rôle, sous ce costume, il n'a pas changé » (*Le Petit Bleu*, fin septembre 1925).

Doyen en 1930, il continue à jouer Ruy Blas, et, pour ses 50 ans de Comédie-Française, le 17 septembre 1935, il s'y fait applaudir pour la dernière fois. Lui qui a joué successivement tous les grands rôles tragiques, qui a créé Roméo à cinquante-cinq ans, qui a été Alceste, a gardé une tendresse particulière pour le rôle des débuts, avec sans doute une fierté secrète de ne pas s'y sentir vieillir.

Et la reine, dans tout cela ? En cinquante ans, le valet séduisit quatorze Reines, de Julia Bartet à Mary Morgan. Quelques-unes ne firent que passer : Marguerite Moréno, Renée du Minil, Jeanne Rémy, Calixte Guintini, Jeanne Sully, Marcelle Brou, Mary Morgan... Julia Bartet (39 fois avec Albert-Lambert sur 131 représentations en plus de trente ans), Émilie Broisat (27 fois sur 82) et Marthe Brandès (27 fois sur 58) se partagèrent les premières années, toutes trois charmantes et poétiques, également partenaires habituelles de Mounet-Sully. C'est Mme Lara qui joua le plus souvent en compagnie d'Albert-Lambert : 57 fois sur 78 représentations, entre 1902 et 1919. Louise Lara était une comédienne belle et sensible, que persécutait régulièrement Émile Mas parce qu'elle marquait un temps qu'il jugeait superflu dans la réplique : « Sois béni par ta mère » : « Entre son "sois béni", et "par ta mère", j'ai eu le temps de compter jusqu'à quatorze !... La progression s'accentue. Bientôt on pourra faire cuire un œuf à la coque entre les deux paroles ! » Rosserie de critique envers une comédienne aux opinions trop modernistes : en effet, Louise Lara sera mise à la retraite en 1919, victime de ses idées avancées et de son intérêt pour les mouvements artistiques d'avant-garde.

Mlle Maille fit, aux côtés d'Albert-Lambert, des débuts très favorablement salués par la critique. Malheureusement, lassée d'attendre un sociétariat qui ne venait pas, elle donna sa démission. Puis ce fut Colonna Romano, « exquise de grâce, de fraîcheur et d'émotion », belle entre les belles qui fut la reine 82 fois, dont 44 avec Albert-Lambert. Enfin vint Marie Bell qui prit le rôle en 1925, le joua 17 fois avec Albert-Lambert et le garda jusqu'en 1945.

L'exceptionnelle longévité d'Albert-Lambert dans le même rôle peut nous paraître insupportable, à la limite du ridicule ; en 1933, lors de ses cinquante ans de théâtre, le critique de *Paris-midi* écrivait : « Il n'y a vraiment qu'au théâtre où l'on puisse sans sombrer dans le ridicule ou dans l'odieux, reprendre le rôle que l'on avait joué cinquante ans auparavant. Quand on voit le doyen de la Comédie-Française, M. Albert-Lambert, interpréter Severo Torelli avec la même fougue et le même éclat qu'en 1883, on reste confondu d'admiration. Et l'on songe mélancoliquement à ce que deviendraient les grands premiers rôles de la Politique, de l'Art ou de l'Amour, s'ils tentaient la même épreuve. »

Mais, l'essence même du théâtre n'est-elle pas justement sa fugacité ?... Et René Fauchois composant une ballade à la gloire d'Albert-Lambert avait beau répéter : « Mais Albert a toujours vingt ans ! », il nous est quand même assez difficile d'être tout à fait convaincus, bien que les feux de la rampe, moins subtils et moins cruels que nos éclairages électroniques, fussent plus aptes à laisser dans l'ombre les rides indésirables et entretenir chez le public l'illusion de la jeunesse...

Il reste néanmoins qu'à la mort d'Albert-Lambert, en 1941, l'émouvant hommage que lui rendit André Brunot fait encore référence à Ruy Blas :

« Pendant vingt ans et plus, Albert-Lambert fut "mon" Ruy Blas et je fus "son" don César. »

Après tout, le théâtre est aussi bien le lieu privilégié de l'éternelle jeunesse !

Le débat reste ouvert, pourvu que le public y trouve son bonheur...

J. Razgonnikoff,
Revue de la Comédie-Française, n° 77,
mars-avril 1979, pp. 38-39

Le Ruy Blas *de 1979*

Ruy Blas, Hernani de Bergerac

Que les dieux du théâtre et ceux de la prudence me gardent de m'engager dans la querelle qui a opposé Robert Hossein à certains éléments de la Comédie-Française, ce qui a eu pour résultat de faire reprendre brusquement par le sage et mesuré Jacques Destoop une mise en scène que tout laissait supposer pleine de surprise et d'audace ! Il est difficile cependant, de ne pas se livrer, au moins un instant, au petit jeu qui consiste à se demander ce que *Ruy Blas* eût été sous la direction du bouillant vainqueur de la bataille de *Notre-Dame de Paris*.

Sans doute eussions-nous eu les mêmes décors et les mêmes costumes, ceux-ci n'étant revendiqués par personne sur le programme, contrairement à l'usage. Les uns et les autres, en effet, rappellent étrangement ce qui fait le style si particulier de Hossein. Ce ne sont que lourdes draperies dont les pans imitent la pierre rongée par l'injure du temps, comme baignées dans un lavis d'encre de Chine, salons-nécropoles et chapelles expiatoires que n'éclaire aucun rai de lumière ; l'ombre effaçant jusqu'au geste de pitié de la Vierge qui aurait dû nous bénir.

Tandis que des créatures blêmes semblent descendues d'un tableau de Goya d'avant *Les Horreurs de la guerre,* la reine d'Espagne a été de toute évidence se faire coiffer chez Vélasquez. Les velours, au cramoisi de sang figé, se conjuguent aux fraises de dentelles rigides qui étranglent la cour des courtisans hors d'âge. Des scapulaires invisibles torturent le tronc douloureux des duègnes. Là-dessus s'abattent, dans une mitraille d'alexandrins, les haillons mal débarrassés de la poudre des grands chemins que porte, en tombant par la cheminée, don César de Bazan rescapé des galères. Oui, si nous ne sommes pas chez Robert Hossein, cela est rudement bien imité.

François CHALAIS, *France-soir,*
le 27 février 1979

RUY BLAS AU TNP

Le 23 février 1954, Jean Vilar met en scène *Ruy Blas*. Il y eut 84 représentations, 170 657 spectateurs virent la pièce, ce qui place *Ruy Blas* un peu derrière *Marie Tudor*, l'autre Hugo joué l'année suivante à Avignon (103 représentations, 149 686 spectateurs). Cette mise en scène est l'une de celles qui font date dans une scénographie un peu sage, comme le remarque pertinemment Guy Rosa : « Au reste, plus que celles d'autres pièces, les représentations de *Ruy Blas* se ressemblent beaucoup. La force contraignante du texte explique cette quasi-uniformité : rythme et ton affirmé du vers, structure "carrée", le fait surtout que le petit roman toujours inventé par l'acteur pour comprendre son rôle et se l'approprier est ici écrit en toutes lettres, et que la plupart des éléments visuels du spectacle sont eux aussi indiqués, non pas même, souvent, par les didascalies mais par le dialogue. » (Édition du Livre de Poche, p. 229.)

Le 23 février 1954, Vilar monte *Ruy Blas* ; il fait jouer le rôle-titre par Gérard Philipe, qui éteint pour la circonstance son éclat coutumier. Dramatique et discret, Gérard Philipe, confiant dans son prestige de star, jouait Ruy Blas avec une sorte de timidité : il était l'homme du peuple angoissé par une promotion inouïe. De là l'espèce de prosaïsme avec lequel il lançait, comme étranger à tous les honneurs, son « Bon appétit, Messieurs ! [...] ». Et il jouait l'acte V avec une force intérieure retenue. Les acteurs, tous bons, se gardaient d'écraser le texte – qui conservait de ce fait sa puissance satirique.

A. UBERSFELD,
Le Drame romantique, pp. 168-169

LA FOLIE DES GRANDEURS : UNE PARODIE DE *RUY BLAS*

À la cour du roi d'Espagne, au XVIIe siècle, un ministre tombe en disgrâce et, pour se venger, incite son valet, déguisé en grand seigneur, à séduire la reine... Ruy Blas n'est pas loin. Et de fait, Gérard Oury emprunte à Victor Hugo quelques fils de son intrigue. Mais il les noue et les dénoue de telle manière que sur la trame du mélo romantique il compose un vaudeville picaresque. Tour à tour percepteur rapace, courant après son or comme Harpagon après sa cassette, courtisan servile qui fulmine et trépigne entre chaque courbette, comploteur sournois, mâchonnant sa rancune, voici donc que Salluste prend les traits de Louis de Funès, tandis que Ruy Blas, baptisé Blaze pour la circonstance, devient, incarné par Yves Montand, une sorte de Scapin rusé et généreux, qui rend aux pauvres la collecte raflée par son maître, bombarde la reine de bouquets de myosotis et la sauve du déshonneur.

Jean DE BARONCELLI, *Le Monde,*
12 décembre 1971

Agressivité et irrespect [...] prennent d'abord la forme du pastiche, ou plutôt de ce genre d'irrespect très littéraire qu'on appelle le carnaval des chefs-d'œuvre ou les classiques travestis. Georges Fourest, dans sa *Négresse blonde,* avait transforrné *Le Cid, Andromaque, Phèdre* en canulars de haute rigolade. Oury s'est attaqué à Hugo et à son *Ruy Blas.*

Le Nouvel Observateur, 10 janvier 1972

BIBLIOGRAPHIE

I) Éditions du texte

Théâtre de Victor Hugo, édition de l'Imprimerie nationale, Ollendorf, Paris, 1905.

Ruy Blas, édition critique établie par Anne Ubersfeld, Les Belles Lettres, 1971, 2 volumes (à partir de l'édition originale, Delloye, 1838).

Victor Hugo, *Théâtre II,* Collection « Bouquins », Laffont, 1985.

II) Sur Ruy Blas et le théâtre de Victor Hugo

BUTOR M., « La voix qui sort de l'ombre et le poison qui transpire à travers les murs – Germe d'encre », *Répertoire III,* Éditions de Minuit, 1968.

« Le théâtre de Victor Hugo », N.R.F, novembre 1964, décembre 1964 et janvier 1965.

LASTER A., *Pleins Feux sur Victor Hugo,* Librairie de la Comédie-Française, 1981.

MOREL-FATIO A., « L'histoire dans Ruy Blas », dans *Études sur l'Espagne,* Paris, Vieweg, 1888.

SOUCHON P., *Autour de Ruy Blas,* Paris, Albin Michel, 1939.

UBERSFELD A., *Le Roi et le Bouffon, Étude sur le théâtre de Hugo de 1830 à 1839,* José Corti, 1974.

« Une dramaturgie de l'objet : le théâtre de Victor Hugo », dans *Le Réel et le texte,* Armand Colin, 1974.

« Ruy Blas, genèse et structure », R.H.L.F., septembre-décembre 1970.

III) Sur le drame romantique

DESCOTES M., *Le Drame romantique et ses grands créateurs (1827-1839),* Paris, PUF, 1955.

LIOURE M., *Le Drame de Diderot à Ionesco,* Paris, Armand Colin, 1963.

ROUBINE J.-J., *Les Grandes Théories théâtrales,* Paris, Bordas, 1989.

UBERSFELD A., *Le Drame romantique,* Paris, Belin, 1993.

IV) Sur l'Espagne romantique

HOFFMANN L.-F., *Romantique Espagne,* Princeton University et PUF, New Jersey-Paris, 1961.

HUSZAR G., *L'Influence de l'Espagne sur le théâtre français des XVIII et XIX siècles,* Paris, Champion, 1912.

Voir aussi le dossier historique et littéraire de Mérimée, *Carmen et autres nouvelles espagnoles,* par P. Mourier-Casile, Pocket Classiques n° 6030.

SCÉNOGRAPHIE

1838   Création le 8 novembre au théâtre de la Renaissance. Avec Frédérick Lemaître (Ruy Blas), Alexandre Mauzin (don Salluste), Saint-Firmin (don César), Louise Baudouin (la reine). 49 représentations.

1841   Le 11 août à la Porte-Saint-Martin. Avec Frédérick Lemaître (Ruy Blas), Jemma (Salluste), Raucourt (don César), Mme Jourdain Rey (la reine). 48 représentations.

1872   Le 19 février à l'Odéon. Avec Lafontaine (Ruy Blas), Geffroy (don Salluste), Mélingue (don César) et Sarah Bernhardt (la reine). 103 représentations.

1879   Le 4 avril au Théâtre-Français. *Ruy Blas* entre au répertoire de la Comédie-Française. Avec Mounet-Sully (Ruy Blas), Frédéric Febvre (don Salluste), Coquelin (don César) et Sarah Bernhardt (la reine).

1927   Le 30 juin à la Comédie-Française. Décor : Alexandre Benois. Costumes : Bétout. Avec Albert-Lambert (Ruy Blas), Maxime Desjardins (don Salluste), André Brunot (don César), Colonna Romano (la reine).

1938   Le 23 mai, centenaire de *Ruy Blas* à la Comédie-Française. Mise en scène de Pierre Dux. Avec Jean Yonnel (Ruy Blas), Pierre Dux (don César), Jean Debucourt (don Salluste) et Marie Bell (la reine). Décor de Jean Hugo, arrière-petit-fils de Victor Hugo.
Cette mise en scène sera reprise, avec des interprètes différents, en 1942, 1944, 1947,1950.

1952   Mai. Compagnie du Centre dramatique d'Île-de-France. Mise en scène de Jean Sarthou. Décor d'Yves Bonnat. Novembre. Au théâtre Sarah-Bernhardt, mise en scène de Claude Barma. Décor de Douking.

1954   Le 23 février, avec le TNP, mise en scène de Jean Vilar
       au palais de Chaillot. Interprètes : Gérard Philipe (Ruy
       Blas), Jean Deschamps (don Salluste), Daniel Sorano
       (don César), Gaby Sylvia (la reine). Costumes de Léon
       Gischia.

1960   Le 2 novembre à la Comédie-Française. Mise en scène
       de Raymond Rouleau. Décor : Lila de Nobili et Renzo
       Mongiardino. Avec Jacques Destoop (Ruy Blas), Gérard
       Oury (don Salluste), Jean Piat (don César), Claude Win-
       ter (la reine).
       Mise en scène reprise en 1968 : Jacques Destoop (Ruy
       Blas) et Ludmila Mikaël (la reine), et 1971. En juin 1971
       enregistrement pour la télévision : François Beaulieu
       joue Ruy Blas pour la première fois, Paul Émile Deiber
       est don Salluste, Jean Piat don César et Claude Winter
       la reine.

1963   En juillet, les 18-19-20, au VIIIe festival de Saint-Malo,
       mise en scène de Jean Darnel. Le 20 et le 25 juillet au
       festival d'Arles, Compagnie Jean Deschamps.

1965   Janvier. Enregistrement pour la télévision (2e chaîne)
       réalisé par Claude Barma. Avec Jean-François Poron
       (Ruy Blas), Jean Topart (don Salluste), Jean Piat (don
       César), Anne Doat (la reine). Costumes de G. Wakhe-
       vitch, décor de M. Valay.

1966   Avril. Mise en scène de Julien Bertheau pour le Théâtre
       de la Région parisienne. Avec Jacques Destoop (Ruy
       Blas), François Maistre (Salluste), Pierre Hatet (don
       César) et Danielle Volle (la reine).
       Théâtre national de Belgique. Mise en scène de Jacques
       Huisman. Avec Georges Lambert (Ruy Blas) et Janine
       Patrick (la reine). Décor de Denis Martin.

1968   Au théâtre Bobino, mise en scène de Marc Miller et Ber-
       nard Bauronne. Avec Régis Ander (Ruy Blas) et Annie
       Sinigalia (la reine).

1973   Novembre. Au théâtre Montansier de Versailles, mise en
       scène de Marcelle Tassencourt. Avec Michel Le Royer
       (Ruy Blas), Georges Toussaint (don Salluste), Pierre
       Hatet (don César), Marie-Pia Courcelle (la reine). Décor
       de G. Toussaint.

1974   Janvier. Théâtre Gérard-Philipe de Saint-Denis. Mise en scène de José Valverde, avec Gilles Guillot (Ruy Blas), Gilbert Vilhon (don Salluste), Marc de Georgi (don César) et Micheline Uzan (la reine). Décor et costumes : Louis Loubet et Marianne Padé.
Juillet. Festival de la Cité, à Genève. Mise en scène de Gérard Carrat. Avec François Germont (Ruy Blas) et Claire Dominique (la reine).

1975   Mars. Aux Célestins, à Lyon. Avec Bruno Raffaeli (Ruy Blas), André Falcon (don Salluste), Jean Meyer (don César), Hélène Arié (la reine).

1976   Juin. Dans le cadre de la Fête 1976, aux Tuileries. Théâtre d'Action populaire. Réalisé par Jean-Pierre Bouvier. Avec Jean-Pierre Bouvier (Ruy Blas), Gérard Ortega (don Salluste), Gérard Darmon (don César) et Anne-Marie Philipe (la fille de Gérard Philipe, la reine).

1978   Le 22 avril à Antony. Spectacle des Tréteaux de France. Mise en scène de Pierre Vielhescaze.

1979   Le 21 février à la Comédie-Française. Mise en scène de Jacques Destoop (Robert Hossein, initialement prévu, renonce), avec François Beaulieu (Ruy Blas), Michel Etcheverry (don Salluste), Alain Pralon (don César), Geneviève Casile (la reine).
Mise en scène reprise en 1980.

1983   Le 7 août. Au théâtre du Peuple, à Bussang, mise en scène de Tibor Egervari.

1984   Le 17 juillet. Spectacle du Nouveau Théâtre de Bourgogne, au théâtre du Parvis Saint-Jean à Dijon. Mise en scène d'Alain Mergnat. Décor et costumes de Jean-Vincent Lombard.

1985   Le 19 avril, au Nouveau Théâtre de Besançon, et du 21 mai au 29 juin, à Paris, au Théâtre de la Renaissance (à l'occasion du centenaire de la mort de Victor Hugo). Mise en scène de Denis Llorca. Décor de Jean-Paul Moye, costumes de Mine Barral-Vergez.

1990   Mars. Coréalisation TEP-Le Sorano Théâtre national Midi-Pyrénées. Mise en scène de Jacques Rosner, avec Frédéric Van den Driessche (Ruy Blas), Jacques Rosner (don Salluste), Jean-Claude Dreyfus (don César) et Sophie Duez (la reine). Décor et costumes de Max Schoendorff.

FILMOGRAPHIE

1947 FR. *Ruy Blas*. Film de Pierre Billon, scénario et dialogues de Jean Cocteau. Producteur : André Paulvé. Avec Jean Marais (Ruy Blas et don César) et Danielle Darrieux (la reine).

1971 FR. *La Folie des grandeurs*. Film de Gérard Oury. Avec Louis de Funès (don Salluste), Yves Montand (Blaze), Alice Sapritch (la duègne).

TABLE DES MATIÈRES

II – DOSSIER HISTORIQUE ET LITTÉRAIRE

Cet ouvrage a été composé par
PCA - 44400 REZÉ

IMPRIMÉ EN FRANCE PAR BRODARD ET TAUPIN
1724V – La Flèche (Sarthe), le 04-99
Dépôt légal : avril 1999

POCKET - 12 avenue d'Italie - 75627 Paris Cedex 13
Tél. : 01-44-16-05-00